Hoempapa, hoempapa, klingelingeling!

Gedane zaken nemen geen keer. Maar daar leggen wij ons niet bij neer. Wij willen weten waarom ze zich hebben voorgedaan. Wij scheppen orde in de chaos, zodat het lijkt alsof er aan de basis van die chaos altijd al een vorm van orde lag. Wij zoeken oorzaken en aanleidingen, en besluiten dat wat is voorgevallen, in de hand is gewerkt of had kunnen worden vermeden. Er zijn drie redenen waarom Celia Borstlap niet is gekleed op wat haar zo dadelijk zal overkomen: een onrechtstreekse, een rechtstreekse en een onbewuste.

De ONRECHTSTREEKSE reden is dat Kassandra geen staart had. Kassandra is zeven. Ze moest vandaag gekostumeerd naar school. Maar dat had ze pas gisteravond meegedeeld. Het had Tinus en Celia verbaasd: het stond niet in haar agenda, de juf had er niets van gezegd, en carnaval was nog ver weg. Maar welk kind verzint zoiets? 'Dan lossen we dat toch even op,' zei Tinus met glinsterende ogen. Tinus, dol op feestjes en verkleedpartijen. Bij Beleggingen Tuymans & Zonen zit Tinus Van de Wijngaart niet alleen aan het loket, hij vrolijkt er ook de personeelsavonden op met goocheltrucs en - als er voldoende wijn aan te pas komt - met zijn onvolprezen imitatie van Joe Cocker in *With a little help from my friends*. Wacht tot straks, je zal zien!

Dus had Kamiel zijn zus de tijgerpantoffels in bruikleen gegeven die hij van oma met kerst heeft gekregen, had Celia gisteravond een pakje in elkaar geknutseld van een afgedankte beddensprei (tijgerprint, 20 procent polyester en 80 procent acryl, restant van de look die opgeld heeft gedaan na *Out of Africa*, samen met het muskietennet waarin Tinus zo vaak verstrikt is geraakt dat hij er niet meer onder wil slapen) en heeft Tinus daarnet tussen twee happen cornflakes door het gezicht van zijn dochter opgesmukt met gele en bruine strepen, zwarte snorharen, een neus als drop. 'En kijk nu maar eens in de spiegel!'

7

Even later stond Kassandra er weer, in tranen: 'Ik heb geen staart!'

'O, kom op!' smeekte Tinus die zijn kunstwerk zag vervagen tot het soort abstract geklieder waar hij het niet erg op begrepen heeft. 'Niet huilen, meisje, toe!'

'Ik heb wel eens een eend gezien met één poot,' suste Kamiel.

'Dus zullen er ook wel tijgers bestaan zonder staart.'

Maar Kassandra bleef ontroostbaar. Zeven jaar: spel als werkelijkheid, nog niet omgekeerd. Daarop had Celia uit de bezemkast een plumeau opgediept en die met een touw om de kindertaille gebonden. 'Wat dacht je daarvan?'

Tussen de twee betraande wangen brak een brede glimlach door. De plumeau was oud en versleten, maar juist daardoor zwart in plaats van zuurtjeskleurig zoals de nieuwe lichting: een van die zoete troostprijzen die het leven op onverwachte ogenblikken in petto heeft.

De RECHTSTREEKSE reden is Toni, het dwergkonijn. Toen Tinus met de twee kinderen de deur uit was – eindelijk! – en ze in allerijl de tafel begon af te ruimen, had ze hem voelen kriebelen aan haar benen. De tijger was vergeten het konijn in zijn hok te zetten! Ze had geprobeerd het te grijpen, maar het vluchtte onder de tafel. Er achteraan dan maar, op handen en voeten, lokkende geluidjes makend. Kom, lieve Toni, kom kom kom! Tot ze hem in haar armen klemde, zijn oren plat tegen zijn kop, zijn kloppend hartje tegen het hare. Maar amper stond ze op haar benen, of met wild potengekrabbel wrikte hij zich weer los. Uit haar armen, op de tafel, pardoes in een ontbijtkom. Spetters melk, weke cornflakes.

Met het gevoel dat ze er al een werkdag op had zitten, is ze een halfuur geleden in haar auto gestapt. Nu nog druppels voor Kamiel die een joekel van een ontsteking heeft aan zijn linkeroog, en niet te vergeten een verjaardagskaart voor haar schoonmoeder. Want daar zal ze straks – kinderen ophalen, snel over en weer naar huis om zich om te kleden, en hop naar het personeelsfeest van Tuymans & Zonen – geen tijd voor hebben.

Hoe doen anderen het? Uit een boek over kroostrijke, dubbele carrièregezinnen is haar bijgebleven hoe daar alles rond de weekends draaide. Zaterdag volle trommels was laten draaien en centrifugeren, karrenvrachten boodschappen inslaan; zondag al dat linnen strijken en netjes in de kast schikken, al die etenswaren toebereiden en invriezen in dagporties. En niet te vergeten, het opstellen van de militaire planning, waar de rest van de week onder geen beding van mag worden afgeweken: welke kleren 's ochtends moeten worden klaargelegd, welke maaltijden 's avonds moeten worden opgewarmd. Carrièrejagers met zeven kinderen, daar hoort lopendebandwerk en efficiëntie bij, zoals in een fabriek. Bij eenvoudige tweeverdieners met twee kinderen, zoals Tinus en zij, ligt dat anders. Die hebben meer weg van de kruidenier op de hoek, rommelig maar gezellig. Van kruideniers is bekend dat ze het moeilijk hebben om het hoofd boven water te houden.

Tut, tuuut!

Een vrachtwagen verspert de weg. Beslijkte bumper, wijdopen achterdeuren, knipperende alarmlichten. Twee mannen in blauwe overalls steken balken en bouten uit de laadruimte, twee mannen in identieke blauwe overalls dragen ze het plein op.

Daar staan de beelden klaar. Vrouwen in Griekse gewaden, met golvend gebeitelde haren, een waterachtige blik en wangen van porselein. Ze wachten om op hun sokkel te worden gehesen, om hun plaats in te nemen op die gigantische roomtaart van in suikerkleuren beschilderd hout en gips. Van je hoempapa, hoempapa, klingelingeling!

Elk jaar staat die draaimolen er vroeger, denkt ze. Net als de schoolbenodigdheden, nog voor de vakantie liggen die tegenwoordig al in de rekken. Alsof de zomer maar beter kan worden overgeslagen, alsof alles niet vlug genoeg kan gaan. Wat is dit toch voor een dwaze beweging: steeds sneller achteruit om steeds sneller vooruit te komen?

Er komt een jaar dat de draaimolen zichzelf heeft ingehaald. Een jaar gewonnen, een jaar verloren: 't is maar hoe je het bekijkt. Een jaar dat niet hoeft; een jaar dat niet mag.

Tut, tut, tuuuut!

Van je hoempapa, hoempapa, klingelingeling! En de dagen zullen lengen en de lichtjes zullen flikkeren. En de kinderen zullen zeuren van wanneer mogen we nog eens mama, wanneer mogen we nog eens, zoals zij zeurde toen ze een kind was. Want niets gaat boven deze belofte, boven het op en neer deinen van de witte schimmels, die beweging die het midden houdt tussen zweven en galopperen.

Klingeling, daaaarrr gaan we, voooorrruit maar, en je klemt de handen om de koperen staaf. Voooorrruit, alsof je op weg was naar een verre en onbekende bestemming, in plaats van altijd maar in het rond te draaien. Ennnn opgelet, daar zwaait de kwast boven de hoofden, heen en weer en op en neer. Net als je denkt dat je hem hebt, ontglipt hij je, maar even later is hij er weer. Heen en weer en op en neer en als je hem hebt, mag je nog een keer. Echt waar?

Zij was het meisje op de witte schimmel. Ze reed het leven tegemoet dat alle kanten op kon – toen nog wel. Nu niet meer, want inmiddels heeft ze een kant gekozen, al voelt het soms meer alsof die kant haar heeft gekozen. Een aardige man, twee schatten van kinderen, een gezellig huis en een best boeiende baan: ze mag niet klagen. Is dat de kant die haar leven op moest: niet klagen, tevreden zijn? Volstaat dat?

En ondertussen staat ze al een kwartier in die file. Zij en al die andere mensen, onderweg naar de werkelijkheid, opgehouden door een vrachtwagen die onverstoorbaar sprookjes lost. Wachtend op wat zich elk jaar vroeger aandient: dromen met entreegeld, vooruitgang die rondjes draait, verleden als heraut van de toekomst.

Tuuut, tuuut, tuuuut!

De man in de donkerblauwe overall kijkt over zijn schouder, knikt haar nors toe: wat moet je? Ze steekt haar hand op, tikt op de wijzerplaat van haar polshorloge. Vernietigende blik terug: ach mens! Tut, tuut, tuuuut!

Nu vallen ook de andere chauffeurs haar bij. De overallman loopt naar de cabine van de vrachtwagen, overlegt met zijn onzichtbare collega achter het stuur. Zijn hand maakt kringvormige bewegingen rond het plein, klopt tot afscheid op het koetswerk. De uitlaat spuwt een zwarte rookwolk uit en schokkend zet de vrachtwagen zich in beweging.

Ze schakelt naar de eerste versnelling, duwt het gaspedaal in. De auto, een Renault R5, is elf jaar oud. Bijna 200.000 kilometer op de teller, grijs overschilderde vlekken op het koetswerk, een vergevorderde vorm van osteoporose in de vering. Zijn onbedaarlijke hoestbuien verrassen haar niet, ze neemt hem zijn ouderdomskwalen niet kwalijk. Maar nu is zijn timing bepaald slecht gekozen. Hij laat een hels gerochel horen. En valt stil. Ze probeert het nog een keer. En nog eens. Tut, tuut, tuuuut – maar nu bedoeld voor háár! Vier overallmannen staan er schouder aan schouder naar te kijken. Grinnikend, elkaar aanstotend en commentaar leverend dat ze niet kan horen, maar waarvan ze de spot kan raden. Bij de vierde poging stappen ze, als in de choreografie van de Chippendales, wijdbeens en gelijktijdig op haar af. Twee aan elke kant en twee achteraan, duwen ze haar op gang. Ongewenste intimiteiten – ze kan van schaamte wel door het roest zakken...

Onderweg stopt ze bij een tankstation annex garage. Ze kan het zich niet veroorloven straks opnieuw autopech te krijgen. De garagehouder werpt een meewarige blik op de auto. Hij prutst wat aan de motor en bevestigt de doorgeroeste knalpot met ijzerdraad aan het chassis. Op de toon waarop een arts zich richt tot een terminale patiënt, geeft hij te kennen dat het gaat om een noodherstelling en dat het hoog tijd is om uit te kijken naar ander vervoer. Uit erkentelijkheid koopt ze aan de kassa een rolletje pepermunt en een vergeelde verjaardagskaart voor Tinus' moeder.

Bezweet en veel te laat arriveert ze op de krant. Ze trekt haar jas uit, gaat naar de damestoiletten om haar handen te wassen. Pas als ze de vrouw in de spiegel ziet, merkt ze hoe verkreukeld haar rok is en hoe groot de vlek op de plaats waar ze Toni meer dan een uur geleden al te innig tegen zich heeft aan gedrukt, in een poging hem geen tweede keer te laten ontsnappen.

Al de tijd die ze heeft verloren door in de file te staan! Ze had makkelijk andere kleren kunnen aantrekken en later – nog later?! – van huis kunnen vertrekken. Ze had zelfs rechtsomkeer kunnen maken om thuis haar besmeurde bloes te verwisselen voor een schone.

11

Maar zou het wat hebben uitgemaakt als ze dat had gedaan?

Ook Celia Borstlap koestert de illusie dat ze haar leven in eigen handen heeft of minstens heeft gehad. Ook zij probeert te achterhalen wat ze vooraf had willen weten. Ze zoekt oorzaken en aanleidingen. Ze stelt vragen – achteraf.
Wat zou er gebeurd zijn als ze zich niet had laten ophouden door de draaimolen? Door die jaarlijks terugkerende orgelmuziek en schommelende koetsen en paarden met stijve poten en starre ogen? Van je hoempapa, hoempapa, klingelingeling!
Of stond die vrachtwagen daar misschien op de weg bij wijze van waarschuwing? Probeerde de draaimolen haar iets te vertellen? Halt, niet zo vlug, je kan nog terug!

Zou ze zijn teruggekeerd als ze naar de draaimolen had geluisterd?

De kans is klein.

Naast de rechtstreekse en de onrechtstreekse, is er immers nog een derde reden waarom Celia Borstlap gekleed is zoals ze is. Een reden die haar oorsprong vindt in het feit dat ze wordt verdrongen en die wij dan ook geneigd zijn te vergeten. Hoewel ze wellicht, zoals Freud wist maar wij betwijfelen, de meest belangrijke is bij wat we ondernemen en wat ons overkomt. De ONBEWUSTE reden.
Van haar zal Celia zich, overeenkomstig de omschrijving, pas later op de dag bewust worden. Om 16.15 uur om precies te zijn, als ze tegenover Marcus W.E. Dubois in het Zwembad zit en hij haar – hoempapa, hoempapa, klingelingeling! – het voorstel doet dat haar leven zal veranderen.

Haal de joker boven

Vier e-mails vindt ze die ochtend in haar mailbox. Een komt van de personeelsdienst die zich uit angst voor ziekteverzuim gedraagt als een bezorgde moeder. *Er is een nieuw griepvirus op komst. Vaccinaties worden gegeven op 5, 7 en 9 oktober tussen 14 en 16 uur. Aanmelden op 786.*

Een komt van de chef-nieuws, die elke dag om 6 uur op zijn post is en dan hoofdredacteur speelt tot 10 uur. Dan arriveert de echte hoofdredacteur en is de speeltijd voorbij en wordt de chef-nieuws weer wie hij is en altijd zal blijven: de eeuwige tweede. *Magritte gestolen uit het Museum voor Schone Kunsten. Naar verluidt gekliederd toen de ouwe snoeper verwikkeld was in een geheime buitenechtelijke relatie. 50 regels: 5 over het schilderij, 5 over de kostprijs en de verzekering, 5 over de beveiliging van het museum en de mogelijke dader, rest over de affaire. En zoek die vrouw, wie weet leeft ze nog...*

Een komt van Ann Cuylens, die drie bureaus verder druk aan het telefoneren is. Ann Cuylens kan telefoneren zonder dat iemand het hoort, zoals ze talent heeft zonder dat iemand dat opmerkt. Haar specialisatie is tweevoudig: klusjes waar anderen niet aan willen en de opvang van pechvogels. Alles wat in de buurt komt van misère – van vereenzaamde oma's over miskende uitvinders en eenzame vrachtwagenchauffeurs tot onbegrepen biseksuelen – komt vanzelf bij Ann Cuylens terecht. Omdat zij moeder is van een gehandicapt zoontje, wordt ervan uitgegaan dat zij meer voeling heeft met ongeluk, niet dat ze er al zoveel van in huis heeft dat ze ter compensatie misschien beter af zou zijn met een portie geluk. *Je hebt een grote vlek op je linkerborst,* mailt Ann Cuylens. *Weet je dat?*

In de vierde mail staat: *Proficiat! Schitterend interview! Wim.* Wim is Wim Schepens, Wonderboy Willempie Schepens, die zelden of nooit iemand complimenteert en Celia Borstlap het laatst van al.

Wellicht heeft hij zich in de geadresseerde vergist, want de helft van de tijd merkt hij haar niet eens op. Natuurlijk weet hij dat ze hier werkt, dat deed ze al voor hij in dienst trad, maar het hoort niet tot zijn parate kennis. Als hij haar al eens een blik toewerpt, is het een vluchtige en verstrooide: alsof ze hem voor de voeten loopt, alsof hij bijna over haar is gestruikeld, op weg naar betere en belangrijkere zaken.

Hun smaak verschilt ook zo: wat haar aanspreekt, vindt hij banaal; wat hem ontroert, ervaart zij als stuitend; zij vindt zijn ideeën allesbehalve briljant, hij ziet in de hare hooguit glasscherven. Slechte chemie! Ze vertrouwt Wim Schepens niet en Wim Schepens vertrouwt haar niet en er bestaat geen betere voedingsbodem voor wederzijds wantrouwen dan wederzijds wantrouwen. Zeer slechte chemie, inderdaad!

Niet persoonlijk opvatten, houdt ze zich voor. Wim Schepens bekommert zich niet om personen maar om prestaties, en die levert hij als geen ander. Sinds zijn benoeming tot hoofdredacteur, oogt de oplage van Nieuws?! als de flank van de Himalaya: duizelingwekkend steil en – fluisteren zijn naijverige tegenstanders – gevaarlijk glad. De voornaamste vuistregel van Wim Schepens is dat je beter naar het noorden kan rennen als iedereen naar het zuiden holt. En dus heeft hij Celia gisteren niet naar de vrouw gestuurd waar iedereen de mond vol van had, maar naar haar echtgenoot over wie niemand sprak.

Vier jaar lang is Gisèle Desprez minister van Landbouw geweest. Gisteren is zij benoemd tot voorzitter van de International Agricultural Corporation. Al jaren reist zij de wereld af, van crisisberaad over productiequota naar topoverleg over genetische manipulatie. En ondertussen bewaakt haar echtgenoot wat hij – als gewezen beroepsmilitair met kennis van zaken – het 'thuisfront' noemt.

Het thuisfront bleek gelegen in een villawijk buiten de stad: er ratelden geen tractors maar grasmaaiers, het rook er niet naar koeienmest maar naar liguster. De frontsoldaat was een kruising tussen een Italiaanse modeontwerper en de Marlborough-cowboy. Hij serveerde haar koffie uit een zilveren art-decoset, met appeltaart erbij waarvan hij trots meldde dat ze zelfgemaakt was. Zijn enige voorwaarde om de zorg voor het huishouden over te nemen, zei hij, was dat zijn vrouw niet zou zeuren over futiliteiten. Zoals? Nou ja, een karig gevulde koelkast, een plukje onkruid tussen de tuintegels... Hij zei het zo minzaam, dat hij het nog leek te menen ook.

Natuurlijk dankte hij die kranige kop en stalen buikspieren aan jarenlange militaire dril, was hij zijn echtgenote pas bijgesprongen toen de kinderen uit de luiers waren en hij genoot van een uitermate gunstig pensioenregime, had zijn rang van kolonel hem als geen ander voorbereid op het geven van orders aan huishoudster, tuinman en privé-chauffeur die inmiddels deel waren gaan uitmaken van het gezin.

Maar dan nog bleef het opmerkelijk. Dat een man erover waakte dat de mantelpakjes van zijn vrouw onberispelijk in de kast hingen en haar koffers altijd klaar voor vertrek stonden, dat de kinderen bij hem terechtkonden met hun jeugdpuistjes en hun liefdesverdriet, dat het gazon onberispelijk gekortwiekt en de rozen vakkundig gesnoeid waren, dat het haardvuur knetterde. En dat hij daar bovenop ook zo nog losjesweg aantrekkelijk zat te zijn, op die manier waarvan beweerd wordt dat huisvrouwen het moeten zijn, als ze hun man niet willen verliezen of hem integendeel willen terugwinnen. En wat dan nog als hij die taart niet eigenhandig had gebakken: rook ze niet bedwelmend naar kaneel en kruidnagel en smaakte ze niet overheerlijk?

Nu ze eraan terugdenkt: er bestaat nog een ander soort huisgezin dan de fabriek en de kruidenier: de delicatessenzaak, waar de prijs van luxe even vanzelfsprekend is als die luxe zelf.

'Je hebt mijn mail toch gelezen?'

Wonderboy Willempie. Op één knie nu, en aan haar voeten. Als wilde hij door haar geridderd worden.

'Dat overkomt me ook niet elke dag!' zegt ze verrast.

'Een goed stuk, daar val ik voor!' Hij grijnst dubbelzinnig, schudt vergenoegd zijn hoofd. 'En dan die foto...'

'Ik weet het. Een beetje overdreven...' Ze schuifelt ongemakkelijk op haar stoel.

'Overdreven?! Het was volmaakt! Hij, met dat lijstje met haar foto in zijn hand! Uitgerekend in de slaapkamer, naast het echtelijke bed! De enige plaats waar hij waarschijnlijk nog wat te zeggen heeft. Hoewel, je vraagt je af wat hij daar moet met zo'n dragonder...' En weer die grijns.

'Het was een idee van de fotograaf.' Ze had niet durven tegensputteren, maar ze had zich doodgegeneerd. 'Jij vindt niet dat we hem belachelijk maken?'

Hij legt zijn hand op haar knie. Grote, brede hand, met blonde haartjes op de onderste vingerkootjes. Dezelfde blonde haartjes als dat boeketje in zijn open hemdskraag. 'Jij probeert zo'n man écht te begrijpen, is het niet, Celia?'

Ze duwt haar stoel achteruit, ze wil die hand weg. 'Ik probeer hem minstens in zijn waardigheid te laten', zegt ze afgemeten. Daarom zouden de verkoopcijfers, met haar als sherpa, nooit verder komen dan het basiskamp van de Himalaya.

Bedachtzaam kijkt Wim Schepens haar aan. Zijn hoofd wiebelt, alsof hij er niet bij kan. 'Dat is heel knap van jou', zegt hij. 'Ik vind dat heel knap. Echt waar.' Hij trekt zich op aan de rand van haar bureau, ze hoort zijn gewrichten kraken. Hij moet al een eind in de veertig zijn.

Een halfuur later staat er een nieuwe mail in de box. *Marcus W.E. Dubois wil je spreken. Om 15 uur in het Zwembad. Wim.*

Het Zwembad dankt zijn naam aan water dat achter een glazen wand naar beneden stroomt en vervolgens, in een op vloerhoogte met glas bedekte beek, dwars door het bureau kabbelt. Kamerhoge ramen kijken uit over de stad en voor dat landschap van torens en daken staat een meterslange glazen tafel. Alles hier lijkt ijl, doorschijnend en ongrijpbaar.

Alles, behalve de man achter de tafel. Goed twee meter, tussen de 100 en 150 kilogram: XXL over de hele lijn. 'Ga zitten, Celia. Hoe maken de kinderen het?' Blik op het flat-panelscherm, het enige dat tussen deze vier muren op werken wijst. 'Kamiel en Kassandra, is het niet?'

Zelfs hun namen weet hij. Terwijl het haar al verbaasde dat hij naar ze vroeg. En hij wil nog meer van haar weten. Hoelang ze hier nu al werkt? Negen jaar. Of ze haar werk nog altijd graag doet? Nou eh... dat valt wel mee.

'We doen het goed,' zegt hij, 'heel goed zelfs. Golden boy, die Wim Schepens, golden boy. Tussen haakjes, ik heb dat interview van je gelezen. Goed stuk, heel goed stuk...'

Iemand moet hem ooit de raad hebben gegeven alles te

herhalen. Dat de boodschap dan aan belang wint, dat ze dan beter overkomt, zoiets. Marcus W.E. Dubois, directeur-generaal van Dubois Publishers & Co.

'... Je mag van die mijnheer Desprez vinden wat je wil – en er zullen vast lezers zijn die daar het hunne van denken. Maar jij laat hem tenminste in zijn waardigheid.'

Hij klinkt als een echo van haarzelf. 'Dankjewel', zegt ze. 'Dat probeer ik toch.'

Andermaal valt haar op hoe elegant hij gekleed is, ondanks zijn forse lichaamsbouw. Boetieks verkopen dit soort krijtstreeppakken en baksteenrode hemden hoogstens in maat 54, weet ze. Maar confectie is aan iemand als Marcus W.E. Dubois natuurlijk niet besteed, zo iemand draagt uitsluitend maatwerk. En een dwergkonijn heeft hij vast ook niet, bedenkt ze, terwijl ze zo achteloos mogelijk een hand op haar schouder legt, arm over de vlek.

'Vertel me eens,' zegt Marcus W.E. Dubois, 'heb jij er nooit aan gedacht iets anders te doen, Celia?'

Waar wil hij heen? Waarom heeft hij haar hier laten komen? Hij zal zich toch niet al die moeite getroosten enkel en alleen om haar te ontslaan? 'Ach', zegt ze ontwijkend, 'daar denken we allemaal wel eens aan, toch? Plannen...'

Hij leunt achterover, kruist zijn handen op zijn buik, strekt zijn benen. Door het glas van het tafelblad heen, ziet ze zijn schoenen: bleekbruin, glanzend, puntig. Zulke schoenen draagt alleen iemand met geld en behoefte om daarmee uit te pakken. Iemand die, tot in de toppen van zijn tenen, wil dat je naar hem kijkt.

'Wel,' zegt hij, 'wij hébben zo'n plan.'

'Maar dergelijke tijdschriften bestaan al', werpt ze op.

'Niet het soort dat wij willen maken', zegt hij.

Ze somt de titels op: het zijn er vier.

Hij wuift ze weg: 'Niet meer dan Playboys. Opgewaardeerde Playboys.'

'Is dat dan niet wat mannen willen?'

Even ziet ze hem aarzelen. 'Sommigen misschien... Maar wij denken aan al die anderen. Wat wij willen is een écht nieuw tijdschrift, het soort dat vrouwen altijd hebben gehad. Veel praktische tips, dicht bij hun leefwereld, vol begrip... Een écht nieuw tijdschrift voor de échte...'

Hij heeft het gezegd. Ze heeft het goed gehoord. Dat verschijnsel waarover niemand het eens wordt of het realiteit is of zinsbegoocheling. Dat voorwerp van talloze enquêtes en rapporten, de een al tegenstrijdiger dan de ander. Dat mirakel dat zich openbaart aan een handvol gelovigen (een rapporteur van het ministerie voor Gelijke Kansen, een vrouwelijke voorzitter van de International Agricultural Corporation, een huismoeder links en rechts...) en door ongelovigen neerbuigend wordt weggehoond.

De Nieuwe Man.

En daar een tijdschrift voor, echte drukinkt op echt papier. Is het mogelijk dat mannen – zelfs mannen als W.E. Dubois – daar behoefte aan hebben?
'Waarom kopen die mannen dan geen vrouwentijdschrift?' vraagt ze. *Lola*, bijvoorbeeld, ooit vlaggenschip van Dubois Publishers & Co, nu lekke tanker van de groep – wie weet door mannelijke inbreng te redden van de ondergang?
Zijn lach klinkt als de aria van een heldentenor, zijn buik en wangen schudden. 'Mannen? Vergeet het! Dat zullen mannen nooit doen. Mannen moet je aanspreken op hun eigenheid.' Zijn vetbestand trilt zachtjes na.
'En u denkt dat er voldoende van die Nieuwe Mannen zijn?'

Vijf minuten later zit Guy De Maarschalk erbij. Hoornen bril, achterovergekamd haar, donker en glanzend van de gel. Hij is binnen komen zeilen met drie bordeauxrode dossiers onder de arm, heeft haar een klamme hand gegeven, zijn das rechtgetrokken en zijn nekhaar platgestreken. En nu praat hij over lacunes en potentieel, over optimaal diversifiëren en een draagvlak creëren, over een reëel publiek en een wenspubliek en het maximaliseren van de service aan doelgroepen. Hij voegt er leeftijden en inkomensschalen aan toe, taakverdelingen en accentverschuivingen in ambities, gevoeligheid en luisterbereidheid en emotionele intelligentie – en vrouwelijkheid, veel vrouwelijkheid, of wat daarvoor doorgaat.
Als hij zich een halfuur later discreet terugtrekt, na haar een nog veel klammere hand te hebben gegeven, laat hij twee van de drie bordeauxrode rapporten achter, een voor Marcus W.E.

Dubois en een voor haar. Daar staat het allemaal in, wijst hij, met cijfers en procenten: dat er voldoende zijn en hoe ze zijn. Guy De Maarschalk, marketing manager van Dubois Publishers & Co heeft het allemaal uitgeplozen. Hij heeft zijn onderzoek boven op de stapel bestaande onderzoeken gelegd. Hij heeft het pad voor haar geëffend.

'Wel?'
Ze draait zich om, naar Marcus W.E. Dubois. Ze zat te staren naar de deur, waardoor Guy De Maarschalk zojuist is verdwenen. 'Kun je niet beter aan een man vragen om dat tijdschrift te maken?' vraagt ze.
'Waarom?' zegt hij. 'Mannen hebben zo lang vrouwenbladen gemaakt. Waarom zou het dan niet omgekeerd kunnen?'
'Omdat mannen toch beter weten wat andere mannen willen.'
'Wisten', verbetert hij. 'Er is zoveel veranderd, Celia. Mannen zijn zo onzeker geworden. Ze hebben behoefte aan een vrouw die hun vertelt hoe ze moeten zijn.'
'Waarom moet een vrouw hun dat vertellen? Waarom kunnen ze dat niet voor zichzelf uitmaken?'
Hij leunt achterover, slaat met zijn handpalmen op het bureaublad, zegt haast triomfantelijk: 'Omdat mannen lui en kortzichtig zijn. Laat hen beslissen en alles blijft bij het oude...'
Nou én, wil ze nog vragen. Waarom praat hij zo over mannen? Alsof ze een ander ras zijn, alsof hij er zelf geen is. Als een antropoloog over vreemde volksstammen, zo praat hij over hen. En plots welt in haar die aandrang op om alle mannen in de hele wereld in bescherming te nemen tegen soortgenoten als hij. Een aandrang die veel sterker is dan het verlangen naar welke verandering ook. Want als ze eerlijk is, moet ze toegeven dat er hier en daar wel een man aan vernieuwing toe is. Zo zou zij er, bijvoorbeeld, niets op tegen hebben dat Tinus af en toe....
'... maar dat willen vrouwen niet', gaat Marcus W.E. Dubois verder. 'Vrouwen willen niet dat alles blijft zoals het is. Dus zal er wel iets moeten gebeuren.'

Sprakeloos kijkt ze hem aan.
'Er is toch niets mis met een Nieuwe Man?' vraagt hij.
'Nou... nee', zegt ze.

'Of kijk jij neer op zo'n man?'

'Nee, natuurlijk niet', haast ze zich.

'Nou dan!' zegt hij voldaan.

Het water kabbelt zachtjes. Een vliegtuig trekt een roze streep door de lucht. Het kan niet dat dit haar overkomt. Er zit iemand anders op deze stoel, en monkelend neemt ze die iemand anders op. Een zucht ontsnapt haar, ze glimlacht en kruist haar benen. Slaat als vanzelf haar beide handen om haar knieën. Welke vlek, op welke linkerborst?

'Wat denk je?' En losweg, als ging het om een detail dat hij in de loop van het gesprek over het hoofd heeft gezien, biedt Marcus W.E. Dubois haar loonsverhoging, een winstaandeel en een bedrijfswagen aan.

'En?' In de deuropening van zijn kantoor staat Wim Schepens met grijns en wiebelhoofd.

Hij wist ervan. Natuurlijk wist hij ervan. Wie weet komt het hele idee wel van hem. Wie weet is het waar wat kwaadsprekers beweren, dat Marcus W.E. Dubois de spreekbuis is van Wim Schepens en niet omgekeerd: de een de poen, de ander de plannen. Heeft Marcus daarnet niet nagenoeg dezelfde woorden gebruikt als Wim?

Ze heeft het altijd vreemd gevonden, dat wiebelhoofd van Wim Schepens. Alsof het niet vastzit aan zijn romp, alsof het een apart lichaamsdeel is dat in een koker tussen zijn schouders is geschoven. Als hij is komen aanzetten met plannen voor dat tijdschrift, was het voorstel om het aan haar toe te vertrouwen daar misschien wel inbegrepen. En als ze zich nu eens in hem heeft vergist, als het wantrouwen tussen hen nu eens niet wederkerig was?

Als hij weer een van die onvolprezen invallen had die zij verwerpelijk vond, had ze zich keer op keer afgevraagd wie van hen beiden het bij het rechte eind had en wie bij het verkeerde. De vraag was beantwoord voor ze was gesteld: hij was de hoofdredacteur, hij had het eerste en het laatste woord, en maand na maand toonden de verkoopcijfers hoe terecht dat wel was. Onzin, zo blijkt nu: er is niet zoiets als een fout of een juist aanvoelen, er is alleen een ander aanvoelen: golden girl versus golden boy.

Hij kijkt haar niet zomaar aan. Ze beseft het plots, met elke vezel van haar lichaam. Hij neemt haar op van kop tot teen, onbeschaamd. Alsof het antwoord niet alleen uit haar mond kan komen, maar uit tientallen andere openingen, uit elke porie van haar huid. Misschien vraagt hij zich op zijn beurt af of wie voor hem staat niet iemand anders is dan hij voorhad. Of is het net omgekeerd, heeft hij haar beter door dan zijzelf, en heeft hij haar daarom voorgesteld? Zij, echtgenote van een bankbediende, moeder van twee kinderen, hoedster van een onhandelbaar dwergkonijn. Maar ook: gesneden uit hetzelfde hout als hij.

'Ik heb bedenktijd gevaagd', zegt ze. 'Tot volgende week'.

Naar haar borsten, dat is het! Hij kijkt naar haar borsten, godverdomme! Vooral naar die ene, de linkse. Die met de vlek.

Haar bloes. Dat is wat er niet klopt aan het plaatje. Dat is wat haar in het Zwembad het gevoel gaf dat er iemand anders op haar stoel zat. Ze is over de beek in de vloer gestapt alsof het de Rubicon was: aan de overkant lag onbekend terrein, klaar om veroverd te worden. Maar hoog boven de stad, waar water uit onzichtbare bronnen stroomt en geheime strategieën worden uitgezet, worden geen bloezen met vlekken gedragen. Onkreukbaar mantelpakje, gouden juweel op krachtdadige revers, ritselende en ritsloze nylons en hoge maar onwankelbare pumps: dat is daar het uniform.

Tot zover de regels van het spel. Maar nu de joker. Heb je slechte kaarten en wil je desondanks winnen? Haal dan de joker boven.

Met feestjes, weet Celia uit ervaring, is het niet anders. Koop een peperdure jurk, tut je urenlang op voor de spiegel, en je verveelt je gegarandeerd dood. Maar haal de eerste de beste lap uit de kleerkast, gun jezelf niet eens een blik in de spiegel, en: dolle pret verzekerd! Het is dat niks-te-verliezen-gevoel. Die mengeling van roekeloosheid en zelfverzekerdheid. Die aan roes grenzende triomf, als blijkt dat je slaagt in wat je niet eens hebt ondernomen.

Een joker, dat is erop of eronder – en er is geen betere joker denkbaar dan een door een dwergkonijn met weke cornflakes besmeurde bloes.

Dat de beste dingen je overkomen als je er niet op gekleed bent: ziedaar de derde, de ONBEWUSTE, de meest belangrijke reden.

Sorry. Sorry! Sorry!

Misschien had Sigmund Freud gelijk. Misschien speelt het onbewuste een veel grotere rol dan wij geneigd zijn te aanvaarden. Maar leg Sigmund op zijn sofa en spoedig zal duidelijk worden dat zijn zorg, bewust of onbewust, niet zozeer het geluk van vrouwen gold dan wel hun ongeluk. Suggereren dat vrouwen iets overkomt omdat ze er niet op gekleed zijn, is suggereren dat er toeval in het spel is. Dat ze het niet echt hebben verdiend, dat het hen misschien niet eens toekomt.

Bij elk nieuw leven hoort een eerste woordje. Onhandig gestameld en eindeloos herhaald: eerst dat onder de knie, dan pas de rest van de taal. 'Mama' of 'papa' – afhankelijk van wie de luiers verschoont en de fles geeft. Of: 'sorry.'

'Sorry', zegt Celia Borstlap, en ze blijft sorry zeggen. Alsof de kans die haar kant opkomt, moet worden afgekocht met excuses. Alsof schuldbesef de opstap is naar succes.

Sorry tegen de chef-nieuws, omdat ze niet achter de maîtresse van Magritte is aangegaan.

'Ze is 89 en dement', zegt hij. 'Ann Cuylens heeft haar gevonden.'

'Maar je had mijn 50 regels toch?'

'Die heeft Ann herschreven. Het zijn er nu 20.'

'O...'

'En probeer morgen eens op tijd te komen', roept hij haar na. 'Voor wie zo laat begint, is de dag al snel te kort.'

Wat kan ze anders zeggen dan sorry?

Sorry tegen Ann Cuylens, die vraagt waar ze in godsnaam heeft gezeten.

'Wezen Zwemmen.'

Ze steekt een vinger in de lucht, kijkt naar boven.

'Schoolslag of kopje onder?'

Vrij vertaald: viel het mee of kreeg je op je donder?

'Vlinderslag', zegt ze ontwijkend.

De suggestie van lichtheid, een air van frivoliteit; maar de zwaarste discipline van al.

'Als het zo belangrijk was, had je best mijn bloes mogen lenen', zegt Ann.

Het klinkt meer als een vraag dan als een aanbod en het is hoe dan ook te laat. Afwachtend kijkt Ann Cuylens haar aan, ze is natuurlijk nieuwsgierig. Ze wil details horen en als die uitblijven wordt ze daar een beetje stekelig van. Ze begint te sputteren: dat ze haar handen vol heeft gehad, al dat extra werk en die extra telefoontjes dat ze straks nog te laat komt om haar zoontje op te halen.

En dus zegt Celia het nog maar eens. Sorry voor de telefoontjes die door de centrale automatisch worden doorgeschakeld naar de een als de ander afwezig is. Sorry voor de maîtresse van Magritte en haar verkalkte herinneringen aan wat ooit hevige passie moet zijn geweest. Sorry voor de geheimhouding waar Marcus W.E. Dubois zo nadrukkelijk op heeft aangedrongen. 'Sorry!' – en ter compensatie biedt ze aan om wat werk over te nemen van Ann zodat ze op haar beurt in tijdnood komt en veel te laat arriveert bij de school van Kamiel en Kassandra.

Sorry tegen de juf, verantwoordelijk voor de opvang. De klaslokalen zijn op slot, in de donkere kille hal zit de juf op de bank, tussen Kamiel en Kassandra in. Dan vang je hun kinderen op na schooltijd (in de gouden jaren van het onderwijs jouw vrije tijd!), dan zie je erop toe dat ze studeren of spelen zonder het te bont te maken (wat een beetje rechtgeaarde ouder beter zelf zou doen!), en dan is het nog niet genoeg! Dan vertikt zo'n verbasterde vader of moeder het nog om op tijd te komen! En wat was dat met die verkleedpartij van vanochtend?

Kleine beteuterde Kassandra, jasje over tijgerpak en spillebeentjes in groteske pantoffels, plumeaustaart in verkreukte plastic tas. Als ze haar moeder ziet, rent ze haar tegemoet, slaat beide armpjes om haar middel, drukt zich tegen haar aan alsof ze haar in geen eeuwen heeft gezien.

Ze heeft opnieuw haar kindergezichtje, ziet Celia, maar hier en daar heeft de tijger een veeg achtergelaten. 'Maar meisje...', zegt ze onthutst. 'Wat is er dan?'

'Zij was de enige', gilt Kamiel terwijl hij op zijn beurt komt aangelopen. 'De enige van de hele klas die verkleed was.'

Kassandra draait zich om, geeft haar broer een klap op zijn kop.

'Sssst, Kassandra!'

'Ze heeft het allemaal uit haar duim gezogen', roept Kamiel triomfantelijk. Zijn oog is rood opgezwollen, er zit verharde pus in zijn ooghoek. Oogdruppels vergeten!

De juf is er bij komen staan Ze heeft haar jas al onder de arm, haar boekentas al in de hand. 'Jaja', zegt ze met een krampachtige glimlach naar Celia en een knikje richting Kassandra, 'wij hebben soms wat veel fantasie, nietwaar?'

(En dan weet ze nog niet wat haar te wachten staat! Dat er morgen aan de schoolpoort acht verklede kinderen zullen staan, want wat kan voor de een moet voor de ander ook kunnen en leuk is het wel. Superman, een piraat, een fee, een Hongaars danseresje... Maar daar hoeft Celia Borstlap zich voorlopig niet voor te verontschuldigen. Dat ze te laat komt op het personeelsfeest van Beleggingen Tuymans & Zonen daarentegen...)

De zaal is verduisterd. Hier en daar een fluisterstem, geklingel van glas, een ober die zo onopgemerkt mogelijk tussen de tafels door laveert. Alle aandacht bij het podium, bij Tinus en de vrouw met blond kortgeknipt haar, die naast hem in de spots staat. 'Als u beide eindjes vasthoudt, kan ik uw ring onmogelijk van het touw halen, tenzij ik hem doorzaag', declameert Tinus.

De met similileder gecapitonneerde deur piept open. In de lichtkegel die naar binnen valt, staan drie zwarte schimmen. Op de bleke loper die zich ontrolt voor hun voeten, schrijden ze naar binnen: een vrouw en twee kinderen in tegenlicht. Hoofden draaien zich om – van Tinus weg, naar hen toe. En dan – gelukkig! – terug naar Tinus.

Even knippert hij met zijn ogen. Dan is de deur weer dicht en de zaal weer donker. 'Maar maakt u zich niet ongerust', gaat Tinus verder. 'Ik zal uw ring heus niet doorzagen, ik heb een veel beter idee.' Zijn gezicht is geblanket, zijn lippen en wenkbrauwen zwart aangezet. Hij draagt het lievelingspak van zijn lievelingsavonden: zwarte broek met tailleband en donkerrode satijnen bloes met pofmouwen.

Hij heeft drie plaatsen voor hen vrijgehouden bij het podium. Maar ze kan toch niet met de kinderen dwars door de zaal, toch niet nu. Net nu hij een sjaaltje over het touw drapeert en aan de dame vraagt of ze er haar beide handen onder wil steken. 'Een beetje dichter bij elkaar, alsjeblieft!'

'Mama', fluistert Kamiel.

'Sssst!' Maar hij trekt aan haar mouw. Aan een tafel vlakbij wenkt een arm, er zijn nog twee stoelen vrij. Ze schuifelt erheen, Kassandra aan de hand en Kamiel voor zich uit duwend. Knikt dank je tegen de onbekende tafelgenoten, neemt plaats op een stoel, gebaart tegen de kinderen dat ze de andere moeten delen.

'Ik tel tot drie en uw ring zal loskomen', zegt Tinus. 'Een, twee, drie!'

De show is onthaald op applaus. Arbeidsonderscheidingen en kindergeschenken zijn uitgedeeld. En nu verdringen de werknemers van Beleggingen Tuymans & Zonen zich bij het buffet, opgesteld langs de zijmuur van de zaal.

'Fantastische act!' roept de vrouw boven het geroezemoes uit. 'Geweldig van uw man!' en ze kijkt van Tinus naar Celia. Ze draagt een bord met gerookte zalm en ze heeft zich tussen hen in gewurmd.

'Dank je!' zegt Celia.

Zo hoeft ze niet te antwoorden op de vraag die Tinus zonet heeft gesteld.

'Mijn vrouw heeft er maar de helft van gezien', zegt Tinus.

Hij heeft haar gevraagd waarom ze zo laat was.

'En jij ook!' kirt de vrouw enthousiast, terwijl ze een voorbijgangster bij de arm grijpt. 'Jij was ook geweldig! Is dat die bewuste ring?'

De vrouw met het korte blonde haar knikt, ze buigt zich naar Kassandra. Die heeft net een handvol olijven van het buffet gegraaid en laat ze van de ene hand in de andere rollen. 'Dag Katleentje, wat een mooi pak heb jij!?'

'Ik ben Katleentje niet', zegt Kassandra.

'Ze heet Kassandra', bralt Kamiel. Zijn mond zit vol gele smurrie, hij houdt een halve sandwich in zijn hand. Het beleg puilt eruit, hij likt aan de zijkant maar mist. Kwak krabsla op de grond.

'Proficiat!' mengt een man zich in het gesprek. Hij draagt een donker driedelig pak en een brede, glimmende das. Of dit de echtgenote en de kinderen zijn van de mijnheer die daarnet zo mooi heeft gegoocheld? Hij steekt zijn hand uit: 'Tuymans junior.' Zijn blik loopt het rijtje af.

Celia ziet Tinus naar hen kijken door de ogen van de man. Tijgerdochtertje met olijven, zoontje met pus in het oog en krabsla op de wang, vrouw met vieze vlek op linkerborst. En daar een goochelaar bij die het zoveelste glas heft op zijn succes en straks wel weer zijn onovertroffen Joe Cocker-imitatie ten beste zal geven...

What would you think when I sang out of tune?
Zij rijdt. Hij zit naast haar. De twee kinderen slapen op de achterbank.

'Wat is dat geratel?' vraagt hij.

'De uitlaat', zegt ze.

'Moet je mee naar de garage', zegt hij.

'Niet meer de moeite', zegt ze. 'Ik krijg...'

'Je had haar wel iets anders kunnen aantrekken', knikt hij naar de achterbank.

'Ik ben niet thuis geweest', zegt ze. 'Ik moest...'

'En je moet wat doen aan dat oog van hem. Als het niet beter wordt met die oogdruppels', zegt hij.

'Die ben ik vergeten', zegt ze. 'Ik ben de oogdruppels vergeten.'

'Dat meen je niet!'

'Maar ik heb wél een verjaardagskaart voor je moeder', zegt ze. Tinus' moeder is hertrouwd en woont nu in Spanje.

'Mijn moeder was eergisteren jarig', zegt hij.

'Dat wéét ik', zegt ze.

How do you feel by the end of the day (are you sad because you're on your own?)

De kinderen liggen in bed en de tafel is gedekt voor het ontbijt en de wasmachine draait op nachttarief. Als iemand haar zou vertellen dat ze het aanbod van Marcus W.E. Dubois gedroomd heeft, zou ze het geloven. Sterker nog, het zou haar niets kunnen schelen, liefst van al zou ze zo vlug mogelijk verder willen dromen. Als een blok valt ze op bed.

'En hoe moet dat nieuwe tijdschrift heten?' vraagt Tinus als ze tussen de lakens schuift.

Loom heft ze haar hoofd naar hem op. Op de plaats waar het gordijn van de haak is gescheurd, valt straatlicht naar binnen. Op de schaduw van zijn stoppelbaard na, is zijn huid bleek als was. '*Adam*', zegt ze slaperig.

'Is dat een Nieuwe Man?' vraagt hij. 'Volgens mij is dat een heel oude.'

'Die oude was een foutje', zegt ze. 'Was je dat nog niet opgevallen? We zullen de hele schepping moeten overdoen.' Ze geeuwt en rolt tegen hem aan. Hij ruikt naar bier en grime.

Midden in de nacht staat Kassandra naast het bed. Ze trekt aan het laken, en kotst even later hikkend en snikkend het toilet onder. Celia wist het zweet en slijm van haar gezichtje, ze veegt de brei met brokjes olijven op, verdrijft de zure lucht met lavendelspray. Blij dat ze een beetje kan goedmaken van waarin ze eerder op de dag is tekortgeschoten.

Op de tafel, in de donkere huiskamer, staat de kaart voor Tinus' moeder. Die heeft ze daar gezet, om haar geen tweede keer te vergeten. Op de kaart staat een monstertje met rood aangelopen wangen en een hulpeloze blik, een bos rode rozen achter zijn rug en een tekstballonnetje boven zijn hoofd. 'Volgend jaar beter', zegt het monstertje. 'Sorry!'

Hoog boven de volkstuintjes

Ze herkent het onmiddellijk. Daar, op haar schrijftafel, staat de opvolger van het traditionele boeket. Drie witte bloemen, een handvol platte donkergroene bladeren, een vlechtwerk van oranjerode twijgen. Bloemen en bladeren en twijgen die ze niet bij naam kent, waarvan ze niet zou kunnen zeggen waar en hoe ze groeien. Vroeger werden van papier of zijde zo natuurgetrouw mogelijk bloemen gemaakt, vandaag komt het aan op het tegendeel: herschik de natuur tot hij zo kunstmatig mogelijk oogt.

Aan een van de twijgen hangt, vastgeknoopt met een henneptouwtje, een kaartje van handgeschept papier. Ze draait het naar zich toe: het handschrift van Marcus W.E. Dubois is klein en haast onleesbaar. De letters zo schuin dat ze bijna over zichzelf struikelen, de puntjes niet op de i's maar op de daaropvolgende letters, alsof ze alvast vooruit zijn gehold. *Proficiat! En nu aan de slag!*

Op zijn bureau staat net zo'n boeket, weet Celia. En op dat van Wim Schepens en dat van Guy De Maarschalk ook – op alle bureaus van het stafpersoneel. Elke maandag worden ze vers geleverd, samen met het superexemplaar dat de receptie siert. Boeketten, niet als attentie, maar als statussymbool.

Haar eigen kantoor: nooit had ze gedacht dat het zo snel zou zijn gegaan. Onwennig kijkt ze om zich heen. Een krantenredactie spiegelt zich aan de wijde wereld, alles loopt er door elkaar: binnen- en buitenland, het publieke en het private, hoogstaande cultuur en grove trivialiteiten. Muren zijn er, net als grenzen, onbestaande: iedereen ziet iedereen, iedereen hoort alles. Hier niet: dit is haar eigen wereld, haar privé-terrein. Afgebakend en goed beschermd.

Alles wat ze nodig heeft, staat er. Een kapstok. Twee stoelen om bezoekers te ontvangen. Een ronde tafel met vier stoelen om te vergaderen. Een hoge open kast voor dagelijkse dossiers, een lage gesloten kast voor meer discrete documenten. Meubelen met normale afmetingen, die kolossaal lijken doordat de ruimte eromheen zo benepen is.

Het vertrek ruikt naar lijm, plastic en verzaagd hout. Ze opent het raam: frisse lucht, horizon. Dit is de achterzijde van het gebouw, de op een na hoogste verdieping. In recordtempo zijn hier, op de groene weiden rond de stad, bergen van beton verrezen. Een eenzame boer heeft zich weten te handhaven: ze ziet vijf koeien grazen, hoort een tractor malen. De geur van kunstmest slaat haar tegemoet.

Als ze zich wil omkeren, ziet ze in de ruit haar spiegelbeeld. Ze draagt de Yamamoto-jurk die ze heeft gekocht tijdens haar voorlopig laatste vrije weekend, van haar zelf opgehoeste voorschot op haar nieuwe salaris. Onzeker heeft ze zichzelf in het pashokje aan alle kanten gemonsterd. Maar nu moet ze toegeven: hij zit haar als gegoten. En hij past perfect bij het boeket.

Voorlopig, heeft Marcus W.E. Dubois gezegd. 'Voorlopig is dit je kantoor.' 'Voorlopig kun je voor de opmaak terecht bij de grafische afdeling van de krant.' 'Voorlopig zul je je moeten behelpen met aangekochte artikelen en freelance medewerkers.'

Je kon, begreep ze uit zijn uitleg, niets afstellen op iets wat er niet is. Maar wat zo snel tot stand is gekomen, kan ongetwijfeld even snel veranderen. Een muur is zo uitgebroken, bijkomende kantoren laten zich in een handomdraai inrichten, nieuwe krachten kunnen van de ene dag op de andere worden geworven.

Tot zolang is dit haar poppenhuis: hier woont ze, samen met haar virtuele man.

Als ze nou eens een paar posters aan de muur hing? Een foto van Tinus en de kinderen op haar schrijftafel zette? Zich zo'n minipercolator aanschafte als verweer tegen het dagelijkse gif uit de koffieautomaat? Als ze het nou eens gezellig maakte?

Er wordt op de deur geklopt. Een dame in lichtblauwe nylonjas met een dienblad: 'Is het goed dat ik u om tien uur verse koffie breng? Of had u hem liever wat vroeger, mevrouw?' En Celia dankt de koffiedame en antwoordt dat tien uur perfect is en begrijpt dat van wie zo wordt bejegend wat anders wordt verwacht dan huiselijke gezelligheid.

Visie, bijvoorbeeld. En inspiratie, en creativiteit, en zakelijk inzicht. En, niet te vergeten in de aanlooptijd: discretie.

Ze heeft Marcus W.E. Dubois al gewaarschuwd. Dat het niet eenvoudig wordt, de hele opzet stil te houden. Want dat is wat hij wil en hij is ervan overtuigd dat het zal lukken ook. Niet in je kaarten laten kijken, noemt hij het, geen slapende honden wakker maken.

Wim Schepens houdt er andere ideeën op na, en ook andere woorden. Hij heeft het over lekker maken – niet tegen de directeur-generaal maar tegen haar. De volgende ochtend schuift Marcus haar met opgetrokken wenkbrauwen *Busy Business* toe. Hij heeft het tijdschrift opengevouwen op de pagina waar het staat, de woorden onderstreept met rode vilstift. Dat Dubois Publishers & Co wil starten met een mannenmagazine, 'het zoveelste!'

Ze neemt aan dat hij het niet heeft over Wim Schepens als hij zegt: 'Je zal je medewerkers wat beter in de hand moeten houden, Celia, je zal ze beter in de hand moeten houden.' Zijn jasje heeft hij over de rugleuning van zijn stoel gehangen. Over zijn donkerblauw hemd draagt hij een stel bonte bretellen met veel geel. De bretellen van Marcus W.E. Dubois, tientallen heeft hij er zo. Noodzaak, uitgegroeid tot handelsmerk. 'Want ik neem aan dat jij dit niet gelekt hebt?'

'Ik zou wel gek zijn', zegt ze. 'Al worden er natuurlijk wel vragen gesteld, zelfs hier in huis.' Op de redactie van de krant staat haar stoel al meer dan een week leeg. Collega's zien haar in de lift en in de gangen in haar Yamamoto-jurk.

'En wat antwoord je dan?'

Beertjes, ziet ze. Het geel op zijn bretellen. Dansende Winnie the Poeh's.

'Een speciaal project', zegt ze.

'Mmmmm...' Hij haakt zijn duimen achter de Winnies, laat ze klappen tegen zijn buik. 'Nou ja. Al met al is het een geluk bij een ongeluk. Een klein artikel, veel giswerk, we hoeven er niet op in te gaan. Belangrijker is dat het ons behoedt voor iets wat we bijna over het hoofd hadden gezien.'

Dat ze niet zomaar kan verdwijnen.

'Hoe bedoel je?' vraagt ze.

Wat hij bedoelt, is: ze moet aanwezig blijven in de krant. Wat dat betekent, is: ze moet haar interviewreeks voortzetten. De serie doet het goed bij de lezers, het zou te verdacht zijn ze bruusk af te breken.

'Ik eh... Ik denk niet dat ik dat kan combineren...' aarzelt ze.

'Ik wel', zegt hij. 'We hebben geen keuze. Maar we zullen je helpen. Je krijgt van ons een fulltime assistente. We maken een van je collega's vrij om jou te helpen bij het opstarten van Adam.'

'Aan wie had je gedacht?' vraagt ze.

'Aan wie had jij gedacht?' vraagt hij.

Lang hoeft ze er niet over na te denken.

'Het moet wel geheim blijven', zegt ze tegen Ann Cuylens.

'Natuurlijk.' Ann glimlacht. Mond als een rijpe vrucht, witte glanzende tanden. Ann Cuylens is niet onaardig als ze glimlacht. Het geeft reliëf aan haar gezichtje dat zo bol is dat alles erin verzonken lijkt. En natuurlijk speelt ook het verrassingseffect: Ann Cuylens glimlacht zelden.

Toen haar zoon zes werd en zij bleef weigeren hem onder te brengen in een internaat voor gehandicapten, heeft de vader van het kind de echtscheiding aangevraagd. Aan de rechter liet hij weten geen aanspraak te zullen maken op het voogdijschap, maar wel bereid te zijn alimentatie te betalen. Sindsdien moet ze daar elke maand op aandringen, schrijft haar advocaat de ene boze brief na de andere.

'Wat denk je?' vraagt Celia.

'Eindelijk verlost van weduwen en wezen!' Ann klinkt opgetogen.

'Maar opgezadeld met een Nieuwe Man...'

Ann Cuylens glimlacht – de tweede keer in nog geen tien minuten.

'Voor mij is elke man een Nieuwe Man'.

'Waar het op neer komt,' vat Tinus samen, 'is dat je je oude job houdt en er een nieuwe bij krijgt. Twee voor de prijs van een.'

Hij leunt tegen de keukenkast en nipt van een glas witte wijn, zij staat voor het aanrecht en maakt bleekselderij schoon.

'Fout', zegt ze. 'De prijs ligt hoger en er wordt niet alleen betaald in geld.' De Renault R5 is naar het autokerkhof. In zijn plaats is een Audi A4 gekomen met airco, sunroof en cd-speler.

'Je had ze ook kunnen zeggen dat het onmogelijk te combineren viel', zegt hij.

'Zo eenvoudig is het niet', zegt ze. 'Vandaar Ann Cuylens.'

Op de achtergrond klinken de stemmen van de kinderen: Kassandra opgewonden, Kamiel ongeduldig en betuttelend.

'Wie is in godsnaam Ann Cuylens?' vraagt hij.

'We zien haar 's zaterdags wel eens in de supermarkt', zegt ze. 'Blond, klein, vrij mollig...'

'O. Die met dat gezellige ronde kontje?'

Rond kontje, maar scherpe pen. Maar aangezien Tinus haar naam niet kent, zal hem de stijlvaardigheid van Ann Cuylens minder zijn opgevallen dan haar andere kwaliteiten. Waarom zou hij ook wat gelezen hebben van haar rampverhalen: al 37 jaar slalomt hij als vanzelf om ongeluk heen.

Geluk is waar Tinus recht op meent te hebben, zonder dat hij er iets voor hoeft te doen, en alles geeft hem daarin gelijk. Dat had Celia zo in hem aangesproken toen ze hem ontmoette: hij was verkwikkend gezelschap, bij hem voelde ze zich tegelijk vrolijk en veilig. In zijn hoofd woont geen stemmetje dat zegt dat wonderen het resultaat zijn van wroeten. In het hare wel, het heet Celia Bis en het houdt nooit zijn mond.

Hard werken wordt dat, zegt het. Lange dagen, onregelmatige uren. Afspraken maken, sluitende afspraken. Plannen, niet om de wereld achteraf te begrijpen, maar om hem vooraf naar je hand te zetten.

'Ik zal je hulp nodig hebben, Tinus.' Ze breekt de eieren boven het gehakt.

'Je mascara, ik weet het. Geef mij de uien maar.'

'Ik heb het niet over de uien en ik heb het niet over vandaag.' Ze hoort de kinderen rennen van de ene kamer naar de andere, afwisselend krijsend en uitzinnig lachend, alsof iemand ze onophoudelijk kietelt. 'Ik heb het over alles, over al die andere dagen.'

'Er is nog zoiets als McDonald's', zegt hij. 'Of kant-en-klaar spaghetti uit de supermarkt. Daar zijn ze dol op.'

'Toch niet elke dag, Tinus? Kinderen groeien, ze krijgen tanden, ze hebben vitamines nodig...'

En iemand die hun vuile kleren in de wastrommel stopt en schone klaarlegt voor de volgende dag, hun schoolagenda nakijkt en geld meegeeft voor zwemles, ze in bad zet en in bed stopt, denkt ze. Al die dingen die hij wel doet als ze het hem vraagt, met een zeker gemak en soms zelfs met een glimlach. Maar zelden uit zichzelf, en zeker niet elke dag en allemaal achter elkaar.

Het kindergestommel komt hun kant op. 'Toni!' hoort ze Kamiel roepen. Heel even is ze zich bewust van een witte flits. Het volgende ogenblik duikt Kamiel op handen en voeten tussen haar benen en de keukenkast.

Hoogrood en bezweet komt Kassandra achter haar broer aangestormd. 'Bèèh! Selderij met balletjes!' Ze steekt haar tong uit. 'Hebbes!' gilt Kamiel. Hij werpt zich languit op de vloer, armen voor zich uit gestrekt. In zijn handen spartelt het dwergkonijn.

'Doe mij een plezier', zegt Celia, 'en hou dat beest in zijn hok als ik aan het koken ben.'

'Wanneer moeten we hem dan uitlaten?' vraagt Kamiel.

'Wij zijn nooit thuis', zegt Kassandra.

'We moeten altijd zo lang nablijven', zegt Kamiel.

'En 's ochtends moeten we ons altijd haasten', valt Kassandra hem bij.

'Probeer het weekend,' suggereert Tinus, 'dan worden de mensen ook uitgelaten.'

Sommige mensen, verbetert Celia in gedachte: voortaan hoort zij daar niet meer bij.

Het pak ligt op haar bord. Ze ziet het als ze de pot met selderij en balletjes neerzet. Een cilinder, vermomd als een gigantische bonbon, rozerode doorkijkpapier met aan de uiteinden gouden strikken. Kamiel en Kassandra hangen over de rand van de tafel, opgewonden op en neer wippend: 'Cadeautje! Cadeautje!'. Met een voldane glimlach staat Tinus er bij te kijken.

Ze maakt de strikken los, trekt het geschenkpapier open. In het pak zit een kartonnen koker, in de koker een opgerolde foto. 'Laat eens kijken?' roept Kamiel. 'Ik ook!' roept Kassandra. 'Voorzichtig', sust Tinus, 'en stop nu eens een seconde met jullie lawaai.'

Ze ziet een man en een vrouw. De vrouw draagt een spannend truitje en shorts. Ze zit op de schouders van de man, haar blote kuiten onder zijn oksels, haar handen op zijn kruin. De man draagt een witte polo en een witte broek en sportschoenen. Kaarsrecht zit hij op de fiets, enigszins bezorgd voor zich uit kijkend, een lange stok in beide handen. In de diepte, gezeten op een paaltje tussen een oude auto en een hoop schroot, kijkt een buurvrouw gespannen toe hoe die twee over een flinterdunne kabel rijden, hoog boven vervallen volkstuintjes.

'Voor je kantoor', zegt Tinus. 'Je wilde toch een poster?'

De man heeft een fiets en een stok om zijn evenwicht te bewaren. De vrouw heeft alleen maar hem: zijn hoofd, zijn frêle schouders. Eén verkeerde beweging, denkt ze, één enkele maar. Eén beweging, één zuchtje.

Voetbal met verlengingen

Als zwanger zijn is het. Weten dat er een baby op komst is, je nieuwsgierigheid nauwelijks kunnen bedwingen. Hoe zal hij eruitzien: mollig of mager, blauwe of bruine ogen, blonde of donkere krullen of helemaal geen? Maar er is één groot verschil. Zij kan haar baby bestellen op maat, en als de maat niet deugt, kan ze hem inruilen. Welke toekomstige moeder kan zich zoveel veroorloven? Vergeet het gestoei van genen, vergeet de grillen van de natuur. Het enige wat onmstootbaar vaststaat, is zijn sekse. Onnodig te wachten op een echografie, onnodig te speuren naar de schaduw van een penisje of de afwezigheid ervan, die zoals bekend geen enkele garantie biedt. Deze baby dankt zijn bestaan zelf aan zijn sekse. *Adam* kan niet anders zijn dan mannelijk.

Als hij het zelf voor het zeggen had, waarvoor zou hij dan opteren? Voor zorg of zorgeloosheid, pampers of papers, make-up of maatpakken, kookpotten of kalasjnikovs? Of zou hij het, zoals werd beweerd van vrouwen, allemaal willen en allemaal tegelijk? En zo ja, welke prijs zou hij daar dan voor willen betalen: stress, een hartinfarct, drank & drugs, hysterie of anorexia, probleemkinderen of stukgelopen relaties? Het Atlas-syndroom? En zouden vrouwen zijn keuze respecteren? Of zouden zij op hun beurt, zoals werd beweerd van mannen, alles tegelijk willen: een heer in huis, een prins aan het fornuis, een beest in bed? Een zo zware opgave eist haar tol, en niet zelden op ongelegen momenten: als Eva hoofdpijn had, waarom zou Adam dan niet impotent worden – in stijgende mate, als je seksuologen mag geloven?

De Nieuwe Man, ze heeft er altijd wat lacherig over gedaan, er haar schouders bij opgehaald. Een beetje zoals mannen hebben gedaan, toen het met vrouwen de andere kant begon op te gaan.

35

Nieuwe Mannen: hoe futiel, vergeleken bij wat zich elders in de wereld afspeelt. Hoewel, gaat het niet om de helft van de mensheid? Hoezo dan: futiel?

En al die Oude Mannen dan die ooit Nieuw zijn geweest? Al die Voorbijgegane Mannen: de holenman, de ridderman, de pruikenman...? En nu de vrouwenman, niet van vrouwen maar zoals vrouwen, zonder borsten of kut, maar wel met dat soort hersens waarvan men zegt dat ze te klein zijn, met dat soort gevoelens die men overgevoelig noemt? En daarna, als het waar is dat het Y-chromosoom met uitsterven is bedreigd, geen man meer?

Wie weet? Vleermuizen hadden dinosaurussen als voorvaders, vissen zijn ooit aan land gekropen. Wie midden in de geschiedenis staat, realiseert zich zelden het belang ervan, pas achteraf dringt dat tot je door. Hoeveel borden moet een man wassen, hoeveel tranen moet hij huilen, hoeveel spieren inleveren om Nieuw te zijn? Hoeveel tijd rest hem nog: 125.000 jaar?

'Stoer mag toch?' vraagt Hans Tertilden.

Hans is een grafisch vormgever met talent. Daar is iedereen het over eens, behalve zijn oudere collega's – maar dat ligt in de lijn van de verwachtingen. De meest in het oog springende bladzijden van de krant zijn van zijn hand: hij is jong en bij de tijd, combineert smaak met originaliteit, werkt snel en nagenoeg foutloos.

'Nou ja...' weifelt ze. Ze denkt aan Tinus, zijn smalle schouders, zijn lichtjes ingevallen borstkas. Aan hoe hij het licht had uitgeknipt toen ze elkaar pas kenden, opdat ze het niet zou merken. 'Maar niet van dat Tarzan-gedoe', zegt ze. 'Elke man moet zich erin herkennen.'

'En een beetje prikkelend?' vraagt Hans.

'Ja hoor!' zegt ze enthousiast. Liever te uitdagend dan te braaf; saai, dat zou pas dodelijk zijn. 'Maar je moet er wél je weg in vinden, je moet er wat aan hebben. Niet van dat gestoei in het wilde weg.'

'Heb je toevallig geen voorbeeld voor me?' vraagt hij.

'Lieve Hans,' zegt ze, 'van wat er niet is, kan ik je geen voorbeeld geven. Het is trouwens de bedoeling dat het in niets lijkt op wat al bestaat. Je zal het dus helemaal zelf moeten uitvinden. Beschouw jezelf maar als god.'

Dat bevalt hem: prompt houdt hij op met vragen stellen.

Het liefst zou ze er bij blijven staan, als een vroedvrouw. Hem temperen wanneer nodig, hem aanmoedigen waar gewenst. In plaats daarvan doet ze wat Marcus W.E. Dubois haar heeft voorgehouden: geef die jongen speelgoed; geef hem tekst en foto's en laat hem spelen; bezorg hem een kader, laat hem zijn gang gaan, en je zal zien.

Hans Tertilden is een man, hij weet vast hoe zijn seksegenoten verleid willen worden. Lezen wil immers zeggen: kopen; kopen wil immers zeggen: verleid worden. Breng mannen tot waar je ze hebben wil, maar laat ze in de waan dat het hun beslissing is en niet jouw verleidingskunst: de aloude raad die moeders hun dochters geven. Waar je mannen hebben wil: een nieuwe identiteit, een nieuw tijdschrift.

'Wanneer', vraagt ze zo achteloos mogelijk, 'denk je dat er iets te zien zal zijn?'

Op het afgesproken tijdstip staat ze er, popelend als een tiener bij een eerste afspraakje.

Op het bureau van Hans Tertilden staat een plastic beker met koffie en ligt een groenglimmende appel. Op wat losse foto's en flarden tekst na, is op zijn scherm weinig te zien. Hans zelf is verdwenen.

Of nee, hij zit verderop. De hele mannelijke helft van de redactie zit verderop. Ze zitten op stoelen en hangen op bureaus en ze kijken naar het voetbal. Het is, zoals pollen in de lente, een seizoensgebonden fenomeen: vanavond wordt de halve finale gespeeld. Voor de krant is dat voorpaginanieuws en dus moet de wedstrijd op de voet worden gevolgd (haar indruk is dat die professionele belangstelling veeleer een alibi is voor persoonlijke verslaving, aangezien ander voorpaginanieuws zoals rampen of oorlogen of politiek nooit wordt bekeken met diezelfde intensiteit, en dan nog alleen door de chef-nieuws en de redacteur van dienst, maar dat komt – zo is haar bij herhaling verzekerd – omdat zij niets begrijpt van sport).

'Sorry', zegt Hans. 'Maar ik heb mijn handen vol met de krant. Over een uurtje of zo?'

'Natuurlijk', zegt ze. Wachten tot het overgaat, wat kan je anders tegen pollen beginnen? Ze heeft genoeg om handen om zich zolang bezig te houden.

Anderhalf uur later staat ze er weer. De appel is verdwenen, er staan twee koffiebekers, de ene halfvol, de andere leeg. Foto's zijn herschikt, flarden tekst ook. Een pagina is er nog altijd niet. 'Probleem', zegt Hans. 'Het voetbal loopt uit, er worden verlengingen gespeeld. Je zal nog even geduld moeten oefenen.' Zo gaat dat met nieuws. Nooit heb je het in de hand, altijd overvalt het je onverwachts.

'Oké.' Ze neemt opnieuw de lift en belt naar Tinus.

'Je bent gek', zegt Tinus. Ze hoort de spanning in zijn stem.

Maar hoe kan zij principieel zijn als een prikklok, als iemand anders blijft doorwerken, op haar verzoek en in haar belang (en het jouwe, Tinus, al besef je dat misschien niet)? Hoe kan zij zomaar in haar Audi A4 stappen en wegrijden, als hier een eerste glimp te zien zal zijn van dat wezen – half baby, half man – dat de voorbije weken haar leven heeft bepaald en dat wellicht nog geruime tijd zal blijven doen?

'Alles in orde, daar,' vraagt ze, 'ook met de kinderen?'

'Waarom zou er iets niet in orde zijn?' vraagt hij kortaf.

'Ik vroeg het alleen maar', zegt ze. 'Uit belangstelling.'

'O,' kaatst hij terug, 'uit belangstelling?'

'Mag ik ze even aan de telefoon, Tinus?'

'Ze zitten net in bad', zegt hij afwerend.

Zeepgeur, de galm van tegels. Klotsend water, boten van knisperschuim. Haar gladde, glimmende aaltjes. Haar roze biggetjes. 'Ja, natuurlijk', zegt ze. 'Geef ze een zoen van me.'

'Celia, ik weet hoe belangrijk dit voor je is', zegt Hans Tertilden. Voor zijn scherm staan vijf lege bekers op een rij. De krant is gesloten en hij is zijn bureau aan het opruimen. 'Maar met die opstootjes na de wedstrijd is het wel afschuwelijk laat geworden. Ik heb een vrouw en een baby van een maand die op mij wachten. Ik zou het liefst naar huis willen. Jij begrijpt dat toch?'

Dit is het soort man waarvoor *Adam* wordt gemaakt – ja toch? Dit zijn woorden die haar met vreugde zouden moeten vervullen – of niet soms? Hoe zou ze hem dan niet kunnen begrijpen?

Alleen had ze graag, om de nieuwe *Adam* ter wereld te helpen, nog even een oude Adam in de buurt gehad...

Ze rijdt naar huis en probeert er niet aan te denken dat ze dat net zo goed vijf uur eerder had kunnen doen. Door onlusten met voetbalhooligans hebben zich op de ring rond de stad ellenlange files gevormd. Bestuurders claxonneren, zetten zich schrap bij het invoegen, halen in op de vluchtstrook.

Op de afrit weigert een Mercedes 210 haar door te laten. Ze blijft halverwege de rijbaan staan, met knipperende lichten en doof voor het claxonconcert achter haar. Een auto raakt haar linkerbuitenspiegel, woedend gebaart ze naar de kalende man achter het stuur van de Mercedes. Maar die steekt grijnzend zijn middelvinger op.

De volgende afrit dan maar. Gelatenheid valt over haar als een klamme doek. Ze laat zich opzuigen door de verkeersstroom.

Tinus heeft de kinderen in bed gestopt en de tafel afgeruimd, op één bord na. Op het aanrecht staat een eenmansportie spaghetti. Ze warmt hem op in de magnetron en begint te eten.

Zo was het met haar vader ook altijd. Te laat thuis, omdat er weer een laboratoriumtest moest worden overgedaan, of omdat hij vond dat die moest worden overgedaan, omdat de vorige niet voldeed. Moeder en zij aan tafel, het zuchten en de blikken van de klok naar het lege bord, het afruimen en opwarmen – soms niet een maar twee of drie keer. En als hij er ten slotte was, de verre man uit de verre wereld: hoe haar moeder opschepte en zijn glas inschonk en erbij ging zitten en luisterde alsof ze er iets van begreep. En hoe welkom het zou zijn als Tinus dat ook zou doen. Maar dat kan ze van hem niet verwachten.

Hij is in de weer met garen, een vaas en een plastic roos. Hij knoopt het ene uiteinde van de draad aan de onderkant van de roos en het andere uiteinde aan een knoop van zijn jasje. Dan zet hij de roos in de vaas, houdt de vaas voor zich op heuphoogte en beweegt ze behoedzaam naar voren. Als hij de vaas dicht bij zich houdt, is alleen het kopje van de roos zichtbaar. Als hij de vaas verder van zich af schuift, is het alsof de roos groeit.

'Als dat niet mooi is!' zegt hij glunderend, meer tot zichzelf dan tegen haar.

Het verborgen geluk van Newton

Ze zijn elkaar tegen het lijf gelopen op de gang. Zij op weg naar Hans Tertilden, Wim Schepens op weg naar Marcus W.E. Dubois. Hij kijkt niet meer door haar heen, hij loopt haar niet meer voorbij. Hij stopt en informeert hoe ze opschiet.

'Niet', zegt ze.

Dat vindt hij zo te zien heel leuk.

'Een tijdschrift zonder vaste medewerkers: ik weet niet of het wel een goed idee is', zegt ze.

'Je hebt Ann Cuylens toch?'

'Voorlopig, ja. Ze heeft niet eens een eigen kantoor. Ze zit nog altijd bij jou op de redactie.'

'Typisch Marcus', zegt Wim 'Eerst bewijzen tot wat je in staat bent en wat je daarvoor nodig hebt. Maar dan word je ook op je wenken bediend, kijk maar naar mij.'

'En wat doe ik in afwachting?'

'De duimschroef aandraaien', zegt hij. 'Gebruik je autoriteit, Celia. Ik weet dat je een vrouw bent en dat vrouwen het daar moeilijk mee hebben. Maar in jouw situatie zal je het moeten leren.'

Ze oefent het voor de spiegel. Schouders recht, blik vastbesloten, geen spoor van aarzeling in haar stem. 'Het spijt me, Hans. Maar met of zonder vrouw en kind in huis, ik wil resultaten. We staan voor een deadline, we kunnen ons niet veroorloven nog meer tijd te verliezen.'

Het werkt wonderwel. 'Baas is baas', zegt Hans Tertilden en de volgende ochtend liggen er twee afgewerkte pagina's op haar bureau. Als hij haar al een kreng vindt, laat hij daar niets van merken. Maar zij heeft zo vaak te horen gekregen dat alleen krengen zich zo gedragen, dat ze zich er wel een voelt.

'Waarom?' vraagt ze aan Ann Cuylens. 'Waarom zouden wij moeten doen wat we mannen verwijten?'

Het is lunchpauze. Ze zitten tegenover elkaar in het dorpscafé, bij een kop koffie. Het is een afgeleefde kroeg, zelfs de kalender boven de kassa wordt niet meer jaarlijks vernieuwd. Alleen oudere dorpelingen komen hier nog af en toe, de kantoorbedienden uit de buurt geven de voorkeur aan de meer trendy tent verderop.

'Misschien', zegt Ann Cuylens, ' draait de wereld wel zo.'

'Dat geloof je toch zelf niet.'

'Ik geloof wat ik zie', zegt Ann.

'Hoe conservatief!'

'Niet conservatief. Realistisch.'

'Waarom sloven wij ons dan uit?' zegt ze. 'Wat is dan het nut van zo'n tijdschrift?'

'Dat zal de tijd leren', zegt Ann Cuylens met een glimlach – droef of spottend, wie zal het zeggen?

Vier bierviltjes heeft Celia al stuk gekraakt. Er is een zekere spanning in het gesprek geslopen – weliswaar geen vijandigheid, maar toch een verschillend aanvoelen, al lijkt Ann Cuylens daar niet de minste hinder van te ondervinden. 'Dit is niet alleen het stomste café van kilometers in de omtrek, ze hebben hier ook de allerslechtste koffie', zegt ze, terwijl ze berustend in haar kop roert en zuinig hoekjes bijt van een uitgeslagen chocolaatje.

Misschien, overweegt Celia, zit de spanning wel in haarzelf. Misschien hebben de druk en de drukte van de voorbije weken zich opgehoopt. Ze haalt diep adem en probeert haar stem zo vriendelijk mogelijk te laten klinken: 'Hoop jij dan nooit dat het anders wordt?'

'Hoop en ik zijn niet de beste vriendjes.' Ann Cuylens blijft een poosje naar haar koffie staren. Dan kijkt ze op en zegt, met een vermoeidheid van jaren in haar stem: 'Het leven heeft mij geleerd dat je niet altijd krijgt wat je hoopt.'

Reden te meer om datgene wat je wel krijgt – al dan niet verhoopt, al dan niet verdiend – te koesteren en naar je hand te zetten. Glashelder ziet Celia plots wat haar te doen staat: Marcus W.E. Dubois heeft haar een kans gegeven en die zal ze niet onbenut laten.

Generaties vrouwen, op zoek naar een nieuwe vrouwelijkheid, is voorgehouden hoe belangrijk rolmodellen wel waren. Hun model: de man; hun rol: de zijne; hun doel: worden zoals hij. Geen briljant idee, en weinig bruikbaar bovendien, aangezien de nieuwe vrouwelijkheid en de oude mannelijkheid blijkbaar geen van beide seksen voldoen.

Daarom: grijp je kans en draai de rollen om. In haar poppenhuis zal zij de regels stellen. En reken maar dat ze verschillend zullen zijn.

'Wij kunnen het toch anders aanpakken', zegt ze, 'wij onder elkaar.'

'Tja,' zegt Ann weifelend, 'als dat zou kunnen.' Ze harkt door haar stekelhaar. Rond hoofdje, hoog op een ranke hals. Smalle schouders, kleine puntige borstjes, vingers als broze takjes.

Een meisje, denkt Celia. Een meisje met de heupen van een moeder. Hoe voelt het om een kind als Tomaso te dragen? Om het te dragen en het op een wereld te zetten die daar niet voor gemaakt is, die alleen maar gemaakt is voor Kamieltjes en Kassandra's – en dan nog. 'Het kan', zegt ze. 'Het kan, je zal zien.'

Niet professioneel. Het staat te lezen op het gezicht van Hans Tertilden. Eerst heeft hij naar haar gemaild, daarna heeft hij naar haar gebeld, en nu heeft hij de lift naar boven genomen. Met gekruiste armen, vingers trommelend van ongeduld, staat hij voor haar bureau.

'Ze zal er zo zijn', zegt ze. 'Ann is altijd op tijd.'

Niet professioneel, leest ze, en niet fair bovendien. Mannen moeten overwerken, maar vrouwen mogen te laat komen. Is dat de boodschap die *Adam* moet uitdragen en die hij moet helpen verspreiden?

'Ann brengt eerst haar zoon weg en rijdt dan meteen door hiernaartoe', zegt ze. 'Meestal is ze zelfs te vroeg.'

'Acht onafgewerkte bladzijden', zegt Hans Tertilden. 'En we staan voor de finish, Celia.' Binnen drie dagen moet het nulnummer ter wereld komen. De geboorte gepland, de weeën opgewekt en plots blijkt de baby onvoldragen.

Ludwig van Beethoven. *Alle Menschen werden Brüder.* Ze scharrelt in haar tas naar haar zaktelefoon.

'Celia,' klinkt de stem van Ann Cuylens, 'ik heb een levensgroot probleem.'

'Hans Tertilden staat hier bij me', zegt ze. 'Hij moet nog twee artikelen van je hebben.'

'Eén', verbetert Ann. 'Het andere is klaar, ik heb er tot diep in de nacht aan gewerkt. Het laatste wilde ik vandaag op de redactie...'

'Maar je bént er niet!' zegt ze afgemeten. Ze hoort Hans Tertilden zuchten, ziet hoe hij zijn ogen ten hemel slaat. Woede golft in haar op: ze had hier met Ann duidelijke afspraken over gemaakt, ze was ervan uitgegaan dat ze op haar kon rekenen.

'Celia,' zegt Ann Cuylens, 'het dagverblijf van Tomaso ligt plat: het personeel is in staking.'

Snel overweegt Celia wat haar te doen staat.

'Heb je je laptop bij je?'

'Ja', zegt Ann.

'Kom dan hiernaartoe', zegt ze, 'en breng hem mee.'

'Maar Celia...' De stem van Ann, klagerig en ongelukkig. 'Ik zei je toch, ik kan niet...'

'Ik heb het niet over je laptop', zegt ze. 'Hoewel, die ook natuurlijk.'

Even blijft het stil aan de andere kant. 'Je meent het?' vraagt Ann aarzelend.

'We zouden het anders aanpakken', zegt ze. 'Weet je nog?'

En daar zitten ze dan met z'n tweeën aan haar vergadertafel. Aan de ene kant de moeder, aan de andere kant de zoon. Ann werkt snel en geconcentreerd. Haar hoofd draait van haar blocnote naar haar laptop, haar dunne vingers ratelen over de toetsen. Tomaso hangt in zijn rolstoel, rechterschouder opgetrokken, hoofd schuin weggezakt. Op zijn oren een koptelefoon, op de cd-speler sprookjes van Grimm en Andersen. Soms – als een heks haar toverkracht verliest, een prinses wakker wordt gekust, bloemen 's nachts dansen op het bal? – laat hij een hikkende lach horen, zijn ogen draaien weg en een straaltje kwijl loopt uit zijn mond.

's Middags haalt Celia drie lunchpakketjes uit de bedrijfskantine – 'zo hapbaar mogelijk en liefst met een pakje servetten erbij', heeft Ann gevraagd. Ze kiest gehakt en wortelpuree, die ze samen opeten aan de ronde tafel, terwijl ze toekijkt hoe Ann haar zoon lepeltje voor lepeltje voert. Tomaso spert zijn mond open, wappert met handen als vlerken, die zijn moeder nauwelijks kan ontwijken.

Nu en dan stoot hij een reeks geluiden uit. Een bescheiden gebrul, met veel o's en a's. Celia kan er niets uit op maken, maar Ann lijkt precies te weten wat hij bedoelt. Ze staat rustig op, loopt naar haar zoon die haar opgewonden toehinnikt, verzet hem een beetje of verwisselt zijn cd of veegt het kwijl van zijn kin en zijn T-shirt.

Of ze rijdt hem naar het toilet.

'Kan ik helpen?' biedt Celia aan.

'Niet nodig', zegt Ann. 'Ik ben dit gewoon.'

Het poppenmoedertje, met haar ronde hoofdje en haar ronde kontje en haar veel te grote pop. Ze zal toch maar een kijkje gaan nemen, besluit Celia, het is niet omdat je geen hulp wil dat je er geen kan gebruiken. Tussen de wastafels en de toilethokjes ligt hij op de tegelvloer, kraaiend, benen in de lucht, grote witte billen bloot, terwijl Ann geknield voor hem zijn pamper vervangt.

Op de krant, weet Celia, had dit niet gekund. Hier, vijf hoog in haar laboratorium, wel. Hier kan worden geëxperimenteerd – niet enkel op papier, ook in de werkelijkheid. In alle beslotenheid en met beperkte middelen – maar wordt proefondervindelijk onderzoek niet altijd verricht op kleine schaal? Onnodig te wachten op meer kantoorruimte, op een groter computerpark, op meer medewerkers. Prioriteiten moet je meteen bepalen.

Even heeft ze het moeilijk gehad om haar aandacht bij haar werk te houden. Maar beetje bij beetje is die onwennigheid weggeëbd, om plaats te maken voor een ongewone concentratie. Ze hoort de kreten van Tomaso, het gedempte gejengel van zijn cd-speler, het klikken van de toetsen onder zijn moeders handen, maar ze wordt er niet langer door afgeleid. Het zijn hooguit golfjes, op een onderstroom van stilte, waarop ze zich kan laten drijven. Ze kiest teksten en foto's, schrapt en schikt, bevrijd van de twijfel die haar zo vaak afremt en verlamt. Alsof de aanwezigheid van Tomaso heeft vastgelegd wat belangrijk is en wat niet. Ze hoeft alleen maar de bakens te volgen.

Het verwondert haar niet langer dat hij zijn moeder niet hindert bij haar werk. Ann tikt gestaag door, haar artikel is zo goed als klaar, wat ze geschreven heeft lijkt Celia uitstekend. Beter zelfs dan ze had verwacht.

Het is laat in de middag als Hans Tertilden belt. 'Ik ben bijna rond. Kom je eens kijken voor ik er de laatste hand aan leg?' Ze neemt de lift naar de redactie.

Samen lopen ze de bladzijden door, een voor een. Ze past hier en daar wat aan, vraagt een diepere kleur rood, versobert een vrolijke maar te onoverzichtelijke pagina. Meer niet: Hans heeft prachtig werk geleverd.

Dat vindt Marcus W.E. Dubois ook als hij zich op zijn beurt komt vergewissen van het resultaat. 'Heel mooi! Dit is echt heel mooi!' en hij wijst op het scherm. Witte kraag en manchetten, rood-wit gestreept hemd, roodgeruit vlinderdasje, mouwophouders. En bretellen – geen Winnie the Poeh's, maar Donald Ducks vandaag.

'Ik ben op weg hierheen even langs je kantoor gelopen, Celia', laat hij zich terloops ontvallen. 'Ik wist niet dat je al hier was, ik dacht je daar aan te treffen.' In plaats daarvan heeft hij kennisgemaakt met Tomaso.

Van Ann Cuylens hoort Celia 'de volgende dag het relaas. Zonder aankloppen, deur open en daar stond hij, de reus in het poppenhuis. Ze was zich rot geschrokken, kun je nagaan wat het geweest moet zijn voor Tomaso. 'Owawowa! Owawawowoa!' – en maar molenwieken met zijn armen.

Marcus ook. Ook geschrokken, jaaah, reken maar! Maar hij had zich meteen hersteld. Zo neutraal en beleefd als hij het vroeg. 'En wie is deze jongeman?'

Owawawowaoa! Apenkreetjes en bange ogen. Zodat Ann naast de rolstoel was gaan staan, een arm om zijn schouder had gelegd. 'Dit is Tomaso. Dit is mijn zoon. Er werd gestaakt op zijn school (zeg altijd: school, zeg nooit: instelling!). Vandaar.'

'Zo, Tomaso!' Vriendschappelijk klopje tegen de bovenarm van de jongen. Die nu nog meer wegdook, hoofd tegen de buik van zijn moeder. Ze had haar ene hand op zijn wang gelegd, met de andere hand zijn vlokkige haar gestreeld.

'Ik hoor dat je goed werk levert, Ann. Ik hoor het van Celia en ik hoor het van Wim, die je natuurlijk mist... Dat waardeer ik, je weet dat ik dat waardeer...'

'Dank u wel, mijnheer Dubois.'

'Marcus. Temeer omdat het in de gegeven omstandigheden – knikje naar de omstandigheid in de rolstoel – niet makkelijk moet zijn. Vertel me eens, Ann, vertel me eens. Hoe doe je dat eigenlijk?'

En hij had er zijn tijd voor genomen, en zijn belangstelling leek oprecht. Vraag na vraag had hij gesteld, zonder ook maar één ogenblik indiscreet te worden. En telkens als Tomaso zich mengde in het gesprek, richtte hij zich heel even tot de jongen met een 'Is dat zo, Tomaso?' of 'Tomaso vindt dat ook, is het niet?'

'Awa. Aha. Awawawa!'

Ze had nog gedacht: hij zou geen slechte opa zijn, met zijn Disney-bretellen en zijn dikke buik waar kinderen tegenop konden kruipen. Zoveel menselijkheid had ze van Marcus W.E. Dubois nooit verwacht – maar waarom eigenlijk niet? Hij wás, al bij al, toch een mens.

Dan toch een andere mens dan diegene die, na de bladzijden bekeken en Hans Tertilden gefeliciteerd te hebben, met Celia naar de lift was gelopen en had gevraagd: 'Ben je er zeker van dat het een goed idee is, in dat kantoor van jou?'

'Goed of slecht... Je kan kinderen toch zomaar niet dumpen. Wat moeten we Nieuwe Mannen vertellen, als dit al niet kan?'

'Ann Cuylens is toch geen man...' zei hij met opgetrokken wenkbrauwen. Hij drukte op de liftknoppen: vijf voor haar, zes voor hem.

'Ik bedoel,' zei ze, 'hoe wil je dat mannen werk en vaderschap combineren als ze daarvoor worden afgestraft? Net zoals vrouwen dat jarenlang zijn geworden? Nog worden. Soms.'

'Celia,' zei hij, 'wij hebben je gevraagd om dat tijdschrift te maken. Niet om alles wat erin komt, in de praktijk te brengen.' Daarop stopte de lift, de deuren schoven open, ze was uitgestapt en had zich omgedraaid. Daar stond de directeur-generaal van Dubois Publishers en Co, omkaderd door grijs metaal, hij stond in zijn volautomatische metalen kooi en zei: 'Ik hoop maar dat het anderen niet op ideeën brengt. Straks wordt het hier nog een asiel voor verlaten honden en katten.' Deuren dicht, discussie gesloten.

Een andere mens, een ander relaas. Maar dat zal Celia pas de volgende dag beseffen.

Want als ze diezelfde dag terugkomt op haar kantoor, zijn Ann en Tomaso vertrokken. Op haar bureau vindt ze een briefje: 'Zijn naar huis, doodop allebei. Bedankt voor alles!' Servetten puilen uit de papiermand, op de vergadertafel is een cd blijven liggen. De Sprookjes van Andersen. Ze steekt hem in de audioset en duwt op de knop.

'Allemaal kennen we het geluk', zegt een stem. 'Sommigen kennen het jaar in jaar uit. Anderen kennen het sommige jaren wel en sommige jaren niet. Nog anderen kennen het slechts één enkele dag.' Dit is geen Sneeuwkoningin, geen Hansje en Grietje, geen Meisje met de Zwavelstokjes. Het is een sprookje dat ze nooit eerder heeft gehoord. Ze neemt het hoesje, zoekt de titel. *Soms ligt het geluk in een houtje.*

'Er zijn van die mensen', zegt de stem, 'die maar een keer in hun leven het geluk kennen.'

'Van waar bel jij?' vraagt Tinus.

'Van kantoor', zegt ze verwonderd.

'Het klinkt daar als een regelrechte kleuterklas', zegt hij. 'Waar staan de laarzen van Kamiel, Celia? Hij heeft morgen een schoolreisje. Met dit weer!' Snotneuzen en slijksporen, tot voor kort was zij degene die zich daar druk over maakte, hij degene die vond dat ze overdreef.

'In de kast op het balkon', zegt ze.

'Soms ligt het geluk verborgen in een appel', vervolgt de stem. 'Voor een geleerd man die Newton heette, was dat zo. De appel viel, en hij vond zijn geluk.'

'En een paars truitje', zegt hij. 'Kassandra blijft er maar over doorzeuren. Maar ik kan nergens een paars truitje vinden.'

'De wasmand. Heb je al eens in de wasmand gekeken? O, en als je het zou wassen, Tinus: wolprogramma, 30 graden.'

Haar keuze is dit, niet de zijne. Haar keuze, maar hij wordt er wel in meegesleurd, hij draagt er de gevolgen van. En zij maar theorieën verkondigen die niet opgaan voor hem, en maar voordelen bepleiten die hij niet heeft – nog niet?

'Tinus', zegt ze. 'Heb ik je al gezegd hoezeer ik het op prijs stel dat je dit doet?'

'Ja', zegt hij. 'Maar het kan nooit kwaad dat je dat nog eens doet.'

En dus herhaalt ze wat hij nog nooit tegen haar heeft gezegd, hoewel zij wat hij nu doet, al zo vaak heeft gedaan – zoveel vaker en al zoveel langer.

'Ik eerst', hoort ze Kassandra roepen.

'Nee, ik eerst', roept Kamiel.

Gestommel en gekraak. En dan hun stemmen, hoog en klaterend als een niet te stuiten waterval.

'Ik heb mijn zwemdiploma gehaald, mama!'

'Wat goed van je, jongen!'

'Kom jij een verhaaltje vertellen, mama?'

'Morgen, meisje!'

Haar afstandskinderen. Nog even en deze hectische dagen zijn voorbij; nog even en ze zal weer meer tijd voor ze hebben. Ze denkt aan hun blozende wangen en hun kloeke kuiten en aan de weke witte billen van Tomaso. Wat haar soms zo verwarrend voorkomt, wordt plots heel eenvoudig.

'Slaap lekker, Kamiel', zegt ze.

'Slaap lekker, mama.'

'Slaap lekker, Kassandra.'

'Slaap lekker.'

Achter het raam hangen nevelslierten boven de donkere weide, in de verte dansen de lichtjes van de stad. Ze kijkt de kamer rond, naar de foto van Tinus en de kinderen en de poster met het acrobatenstel. En naar de amaryllissen met bamboetwijgen, het nieuwe boeket van de week.

Ze is zich hier thuis gaan voelen. Dit is de baarmoeder die haar papieren foetus geborgenheid biedt, die hem voedt en vertederd zijn schoppen verdraagt. Baren, weet ze uit ervaring, betekent op je tanden bijten. Maar hoe gauw ben je dat niet vergeten, als de baby er eenmaal is.

'Men zegt wel eens: neem een wit houtje in de mond, dan ben je onzichtbaar', zegt de stem op de cd. 'Maar dan moet het wel het goede houtje zijn, je gelukshoutje. Zo'n houtje heb ik, en ik oogst er het allerbeste goud mee, het goud dat uit kinderogen straalt, dat klinkt uit kindermonden en uit de monden van hun vaders en hun moeders. Ze lezen verhaaltjes die ik heb verzonnen, en ik sta midden in de kamer bij hen, onzichtbaar met mijn witte houtje in mijn mond. En als ik dan merk dat ze blij zijn met wat ik vertel, dan weet ik dat het waar is. Soms ligt het geluk in een houtje.'

Zoek de excuses

Schep orde in de chaos. Zoek excuses en het lijkt alsof ze er altijd zijn geweest. Alsof je ze enkel tegen het licht hoefde te houden om te verklaren wat is voorgevallen. Totaal onverwacht, bij de presentatie van het nulnummer.

Slapen is er die nacht niet bij geweest. Ontelbare malen heeft ze, half sluimerend, het proefnummer doorgebladerd. Al die fouten die haar zijn ontgaan, artikelen die ze niet heeft besteld, bladzijden die ze nooit eerder heeft gezien. Ze is er zich van bewust dat het een nachtmerrie is, dus moet ze wel wakker zijn – hoe anders kan ze naast zich de diepe en regelmatige ademhaling van Tinus horen? Ze ligt muisstil, maar slaagt er niet in haar onrust tot bedaren te brengen: beelden belagen haar netvlies, letters knabbelen aan haar maag.

Bij het ontbijt krijgt ze geen hap door haar keel, en bij de lunch is het al niet veel beter. Ze bestelt er dan maar een karafje witte wijn bij – wie weet neemt dat een stuk van de spanning weg.

Niet echt een excuus – maar misschien het begin ervan?

Al haar medewerkers heeft Marcus W.E. Dubois geïnviteerd. Het hele bescheiden legertje dat ze op de been heeft gebracht, is verzameld in de feestzaal naast het Zwembad. Ze glimlacht naar een freelance fotograaf, knikt naar de vertaler van in het buitenland aangekochte artikelen, knipoogt naar de twee jonge vrouwen die net een persagentschapje zijn begonnen.

Op de buffettafels, geschikt als waaiers, liggen de proefnummers. Alle inspanningen van de voorbije weken, de lange dagen en rusteloze nachten, de discussies met Marcus en Hans en Ann, het gekibbel met Tinus en het ongeduld van de kinderen: uitgestald op witgesteven tafelkleden, tussen flessen champagne, sinaasappelsap in kartons en belegde broodjes. Verstild tot 84 glossy pagina's. Alsjeblieft!

Te nemen of te laten, onomkeerbaar. Ze heeft gedaan wat ze kon en dit is het dan. Van het ene ogenblik op het andere valt de spanning van haar af. Als plaatsnemen in de achtbaan is het: vastgeklikt in de bank, de metalen staven vergrendeld, langzaam de rails op, naar de top. En dan de rit uitzitten: krijsend en kotsend of juichend en lachend, ogen dichtgeknepen of wijdopen gesperd. Iets anders zit er niet op.

'Een glaasje champagne, mevrouw?'

Wel ja, waarom niet: een glaasje champagne!

'En dus zou ik iedereen die aan dit nulnummer heeft meegewerkt, van harte willen bedanken', zegt Marcus W.E. Dubois. Hij houdt zijn glas in zijn rechterhand en het nulnummer in zijn linker, richt zich beurtelings tot zijn toehoorders en de voorpagina.

'Achter elke man staat een vrouw, en voor een Nieuwe Man als *Adam* is dat niet anders. Dus dank ik in de eerste plaats Celia Borstlap. Zonder haar zouden wij hier vandaag niet staan.' En als een padvinder die een groet aan de vlag brengt, steekt hij haar zijn glas toe.

Glimlachend, naar links en rechts knikkend, neemt ze het applaus in ontvangst. Nu gaat hij haar medewerkers op vertrouwelijke toon te kennen geven hoe bevoorrecht ze wel zijn. Ingewijden in een gewichtig complot, verplicht tot stilzwijgen door het vooruitzicht op nieuwe contracten. Eén lek (volgens Marcus), één keer lekker maken (volgens Wim) volstaat. Eén stuk in *Busy Business*, geen tweede!

'En natuurlijk dank ik ook u allen', gaat hij verder. 'Uw inbreng was onontbeerlijk en ik hoop dat we in de toekomst nog vaak, veel vaker dan nu het geval was, een beroep op u zullen kunnen doen...'

'Je bent toch niet boos meer?' vraagt Wim Schepens.

Als ze niet 's avonds laat nog alles eens extra had doorlopen, was ze er niet eens achter gekomen. Er was niet alleen dat lek geweest bij *Busy Business*, hij had ook zonder haar medeweten aan de bladzijden zitten prutsen. Een quote hier, een titel daar – met als resultaat dat daardoor midden in een artikel een brok tekst was weggevallen.

De ober schuift de champagnefles tussen hen in. Ze dekt haar glas af met haar hand. 'Nee, dank je.'

Hans Tertilden, was haar eerste vermoeden. Maar Hans had haar doorverwezen naar Wim Schepens. Die bekende meteen schuld, maar leek zich daarom niet schuldig te voelen: al met al was dit maar een nulnummer. Grote lijnen, dat was wat telde, niet dat schoonheidsfoutje links of rechts! Je daar op blindstaren, was als met je wijsvinger de stof van de plinten vegen of onder het bed naar vlokken speuren: huisvrouwengeknibbel.

Ze moest hem geloven als hij haar verzekerde dat hij niet de bedoeling had zich te bemoeien met haar zaken. Alleen hád hij nu eenmaal wat meer ervaring met die dingen – wat ze niet kon ontkennen. En daar wilde hij haar graag in laten delen – wat ze wel moest waarderen.

'Kom op, Celia!' Hij laat alvast zijn glas bijvullen. 'Het is niet elke dag champagnedag, maar dit is er een!' En hij neemt haar glas en houdt het de ober voor.

Alcohol. En stress. En de opluchting als die stress wegvalt. Lijkt dit al wat meer op een excuus?

Het geroezemoes gonst in haar oren. Glas in de hand, kuiert ze van de een naar de ander. Ze drukt handen, maakt hier en daar een praatje. Overal enthousiaste stemmen, overal glimlachende gezichten. De champagne vloeit niet alleen in de kelken: bubbels kringelen omhoog, zweven over de hoofden heen, spatten uit elkaar. Vol prik zit de lucht, vol vrolijke verwachting.

Iedereen lijkt haar op prijs te stellen. Iedereen lijkt te geloven in haar en haar project. Of stellen ze jou op prijs omwille van de kansen die jij hun biedt, oppert Celia Bis. Geloven ze dat hun geloof in jou nog meer van die kansen zal genereren? Altijd dat gepingpong van stemmen in haar hoofd, en zij zich maar afvragen naar welke ze moet luisteren. Niet naar Celia Bis, besluit ze, niet vandaag. Ze wil haar niet horen.

Voortaan is zij iemand met wie rekening wordt gehouden. Zelfs door mannen die tot voor kort niet eens wisten hoe ze heette (en vice versa), die haar alleen maar toeknikten als ze haar toevallig kruisten in de gangen (eveneens vice versa). Mannen in vlotte pakken, die zich plots uitgebreid aan haar komen voorstellen, hoewel ze hun familienaam niet meer hoeft te kennen omdat vanaf nu hun voornaam volstaat.

We moeten een campagne voeren die het publiek tot het laatste ogenblik in spanning houdt, zeggen ze. We moeten mensen het gevoel geven dat ze achterlopen als ze dit tijdsschrift niet kopen. We moeten hostesses inhuren – geen vrouwelijke, maar mannelijke – die een overdruk van het eerste nummer uitdelen op belangrijke verkooppunten: stations, metro's, supermarkten, shopping centers. We moeten adverteerders aanspreken van zowel traditionele mannenbladen als traditionele vrouwenbladen, van zowel luxeproducten als huishoudapparaten – dit magazine biedt ongekende mogelijkheden.

Zouden ze al deze inspanningen zelfs maar overwegen als ze twijfelden aan dit tijdschrift? Nee toch? Ze bereiden haar zegetocht voor. Ze timmeren de slee met rinkelende belletjes waarmee *Adam* en zij straks over besneeuwde vlakten zullen glijden, verstrengeld onder een deken van bont. *Dokter Zhivago*, deel twee. Ze hoort de belletjes al rinkelen, ze ziet de sneeuw al neerdwarrelen.

Maar de belletjes rinkelen in haar hoofd. De sneeuwvlokken zijn echt, ze vallen langs het raam. Ze kan maar beter even wachten met naar huis te rijden – zeker nu ze een glaasje op heeft.

Alcohol. En stress. En de opluchting als die stress wegvalt. En – zullen we het euforie noemen?

Het gaat allemaal zo vlot, plots, zoveel vlotter dan ze ooit voor mogelijk heeft gehouden. Misschien is dat wel terecht, misschien is het helemaal niet zo moeilijk als zij aanvankelijk dacht. Misschien moet je het alleen maar doen en is haar onzekerheid terug te brengen tot onwennigheid, niet tot onkunde.

Net als bij – om een toepasselijk voorbeeld te nemen – mannen en koken. Hoeveel mannen houden niet vol dat ze geen knip voor de neus waard zijn in de keuken? Terwijl er toch helemaal niets aan is: je neemt een pan en een ei en je begint. Die eerste stap, daar komt het op aan, en op scherpe messen en een handige keukenrobot, en ook wel een beetje op opwaardering van je eigen werk en daar zijn mannen goed in (mannen koken in restaurants, bij feestelijke gelegenheden, als vrienden op visite komen; vrouwen ontfermen zich over de dagelijkse kost en ruimen de keuken op).

Kijk naar Ann Cuylens: zo lang in het verdomhoekje van

kommer en kwel, dat ze zich erbij had neergelegd, als was het haar natuurlijke biotoop. Tot zij haar daaruit heeft weggelokt en haar gebruikelijke lethargie onder stroom heeft gezet. En kijk eens hoe Ann nu opleeft, hoe haar sloomheid veranderd is in tomeloze werklust, haar conformisme in onverwachte originaliteit. Haar talent heeft zich ontplooid, als het bonte boeket van een goochelaar. Zelfs Wim Schepens is het verrassingseffect niet ontgaan.

Tussen twee ruggen door ziet Celia hem met Ann staan praten. Zal ze Ann vertellen wat Marcus haar daarnet heeft beloofd, dat ze haar eerste vaste medewerker in dienst mag nemen? Zal ze haar laten weten dat ze voorgoed mag overstappen naar *Adam*?

Ze wurmt zich tot bij Ann en Wim. Zich koelte toewuivend met een servet: 'Jongens, jongens, wat een sauna!' Alsof ze met een revolver in de hand om de kassa vroeg, zo staren ze haar aan. 'Ik moet ervandoor', mompelt Ann. 'Tomaso...'

Ze drinkt sinaasappelsap, ziet Celia. Geen champagne maar sinaasappelsap. Altijd verstandig, Ann Cuylens, altijd op tijd naar huis. Nooit vrij. Een toegedekt bestaan, veilig maar wellicht verstikkend. Maar ook de beste donsdekens moeten op tijd worden gelucht.

Ze kijkt Ann na. Bol hoofdje in een moeras van schouders, ellebogen die zich als roeispanen een weg banen naar de uitgang, en hoe verrassend snel dat gaat. Alsof haar hart gloeit en oplicht, zo voelt ze zich plots: overlopend van warmte, voor iedereen om zich heen en voor Ann Cuylens in het bijzonder. Iemand als Ann verdient een beter leven: zij gunt haar dat niet alleen, ze zal ervoor zorgen dat ze dat ook krijgt.

'Heeft talent, dat meisje', zegt Wim. 'Dat ik dat niet eerder had opgemerkt, typisch toch. Het moet zijn dat mannen anders naar vrouwen kijken, of dat vrouwen zich in het gezelschap van mannen anders gedragen. Of misschien allebei?' Hij nipt van zijn glas. 'Maar ik hou wel van vrouwen die mij verrassen.' Hij kijkt haar onderzoekend aan, knikt glimlachend. 'Celia Borstlap! Zo mag ik je toch nog noemen?'

'Hoe moet je me anders noemen?'

'Ik dacht misschien... Gelet op dat probleempje...'

'Welk probleempje?'

'Nou ja, jij kan het ook niet helpen', zegt hij. 'Jouw schuld is het zeker niet.'

Zweet in haar oksels en handen. Alsof er een vlam door haar heen slaat. Té vlot verlopen: zie je wel! Te veel aanmoediging en te weinig tegenstand, te veel lof en te weinig kritiek. Wedden dat ze ergens heeft gefaald, dat iets niet aan de eisen voldoet?

'Tenslotte kies je je eigen naam niet', zegt Wim Schepens.

Euforie. En wat als die euforie wegvalt? Teleurstelling?

Hij haalt er de directeur-generaal en de marketing manager bij. Hij begrijpt niet waarom ze het niet eerder tegen haar hebben gezegd. Hij vindt dat ze het recht heeft om het te weten, ook al zet het misschien een domper op de feestvreugde. Dat is de reden, bekent Marcus W.E. Dubois, waarom hij liever wilde wachten tot morgen...

Ze is niet perfect, dat weet ze maar al te goed. Zoals ze ook weet dat iemand in haar functie dat beter niet kan laten merken. De Celia die zich daarnet zo vlot tussen de gasten bewoog, gesterkt door complimenten en blijken van sympathie, is zelfverzekerder en daardoor ook geloofwaardiger. Ze is beter geschikt voor de baan.

Weer komt er een ober langs met champagne. 'Welja,' knikt Marcus, 'doe ze nog maar eens vol.' Hij tikt met zijn glas tegen het hare en kijkt afwachtend naar Guy De Maarschalk. Hij rekent op hem voor het vervolg.

Ontnuchtering. Misschien is dat een beter woord. Maar gezien de omstandigheden wat ongelukkig...

'Het is en blijft een vrouwennaam', begint Guy De Maarschalk. 'Voor een mannenblad...'

'Dat is toch wat jullie wilden', zegt ze. 'Jullie wilden toch een vrouw?'

'Jaja', zegt Marcus W.E. Dubois. 'En daar blijf ik bij. Een vrouw moet dat blad maken.'

'Maar bij de meeste mannen blijkt dat nogal gevoelig te liggen...' zegt Guy De Maarschalk.

Ook bij Nieuwe Mannen? Werden die niet geacht ruimdenkender te zijn? 'Misschien in de voorbereidingsfase', zegt ze. 'Maar als het tijdschrift er eenmaal is, wat voor een belang heeft die naam dan nog? Dan spreekt *Adam* toch voor zich?'

'Dat dachten wij ook', zegt Marcus.

'Maar blijkbaar hebben we ons daar op verkeken', zegt Guy De Maarschalk.

'Persoonlijk vind ik dat niets om trots op te zijn', zegt Marcus.

'Maar mannen nemen het niet dat een vrouw ze de les leest', vult Guy aan.

De Marx Brothers, denkt ze. Laurel en Hardy. Vladimir en Estragon.

'O', zegt ze. 'Is het dat wat ik doe? Mannen de les lezen?'

'Kom op Celia', mengt Wim Schepens zich in het gesprek. 'Rome is ook niet in één dag gebouwd. Geef je lezers de tijd om eraan te wennen.'

'Waaraan?'

'Aan jou!'

'Jij bent het gezicht van dat blad!' zegt Marcus. 'Vergeet niet, Celia: Jij bént *Adam!*'

Drie paar ogen kijken haar afwachtend aan.

'En hier komen jullie nu pas achter?' vraagt ze ongelovig.

'Laten we zeggen dat we mannen hebben overschat', zegt Marcus. 'Of onderschat, zo je wil.'

'En die enquête dan?' protesteert ze. 'Jullie hadden toch alles vooraf onderzocht?'

'Alles?' zegt Wim Schepens. 'Alles kan je nooit onderzoeken, Celia.'

Alcohol. En stress. En opluchting als die stress wegvalt. En euforie, en teleurstelling als die euforie wegvalt. En...

'En dan uitgerekend een naam als de jouwe', voegt Guy De Maarschalk eraan toe. 'Als het nou nog Janssens of Peeters was...'

'Of Schepens', zegt Wim Schepens.

'Of Dubois', zegt Marcus W.E. Dubois.

Ze kijken elkaar aan en lachen: een goede grap is nooit weg.

'Kom nou', zegt ze ongelovig. 'Dit is echt belachelijk!'

'Begrijp ons niet verkeerd', zegt Marcus. 'Dat vinden wij ook.'

'Maar geloof me of niet, er worden opmerkingen over gemaakt', zegt Guy De Maarschalk. 'Mensen lachen erom. Daarnet nog, is het niet Marcus?'

'Natuurlijk niet als jij erbij staat', preciseert Marcus.

'Dit is een feestje', protesteert ze. 'Mensen hebben gedronken...'

'Om het even', houdt Guy De Maarschalk vol. 'Een tijdschrift dat niet ernstig wordt genomen, maakt geen kans.'

'Ernstig?' roept ze. 'Jullie zijn het die het niet ernstig nemen. Jullie behandelen je lezers als idioten!' Enkele gasten kijken haar kant op, half verstoord, half geamuseerd.

'Kom, kom,' sust Marcus W.E. Dubois, 'maak je geen zorgen. We vinden er wel wat op.'

'Hoe heet je man?' oppert Guy. 'Misschien zijn familienaam. Met een C ervoor...'

Waarop Marcus W.E. Dubois opmerkt dat dit noch de geschikte plaats noch het geschikte ogenblik is en over iets totaal anders begint. Een kwartier later verlaat hij de receptie, en niet lang daarna verdwijnt ook Guy De Maarschalk. Maar eerst komt hij Celia glimlachend de hand drukken, zoals hij iedereen glimlachend de hand drukt. Hij is geprogrammeerd op het drukken van handen, zijn glimlach staat op zijn gezicht geschilderd. Hij drukt haar de hand en hij glimlacht en hij noemt haar naam. Nadrukkelijk en spottend, een plagerijtje: Celia Borstlap.

Zij is niet de vrouw die de voorbije weken met een minimum aan middelen en mankracht een magazine uit de grond heeft gestampt. Zij is het kleine meisje op de speelplaats, dat liever Janssens of Peeters had geheten, dat haar naam niet gekozen had, maar er wel om bespot werd. Sliep, sliep, Celia Borstlap! Alsof stomme namen horen bij stomme mensen, niet in staat tot het behalen van behoorlijke cijfers. Gaat het dan nooit over?

Obers ruimen vuile glazen en lege flessen af, zetten ze in kratten en dozen. De meeste gasten zijn vertrokken, de feestzaal loopt leeg. Ze staat voor het raam en kijkt naar buiten: het is opgehouden met sneeuwen. Van de dunne witte laag zal weldra alleen modder overblijven.

'Zo! Tevreden?'

De stem van Wim Schepens. Zo vriendelijk en vertrouwd, die

stem. Ze draait zich om, ze voelt zich meteen minder verweesd.

'Ik zou het niet weten', zegt ze en ineens staan haar ogen vol tranen.

'Jezus Celia,' zegt hij geschrokken, 'wat is er?'

... En oververmoeidheid. ... En overgevoeligheid.

Volstaat dat, als excuses?

En lust?

Hoe bedoel je: lust? Wat heeft dat ermee te maken?

Lust: die amper waarneembare trillingen waaruit vulkanologen afleiden dat een krater op uitbarsten staat.

'Laten lullen', zegt Wim Schepens.
'Een naam?!' zegt ze hoofdschuddend. 'Wie struikelt er nou over een naam?'
Jij, fluistert Celia Bis. Toen je huwde, stond je erop de jouwe te behouden, weet je nog? Soms stoort het je nog dat geen van de kinderen heet zoals jij. Kamiel jouw naam, Kassandra die van Tinus: zoveel eerlijker verdeeld. Maar zoveel onpraktischer ook.
'Namen zijn toch maar façade', zegt Wim. 'Niet hoe we heten telt, maar wie we zijn en hoe we met elkaar omgaan.' Hij slaat een arm om haar heen, geeft een bemoedigend kneepje in haar schouder. 'Of niet, soms?'
Ze heeft zich door hem bij de arm naar buiten laten voeren. En nu zitten ze naast elkaar in de lage halvemaanvormige zetels van een hotelbar. Een zestigplusser pianist speelt Fly me to the moon op een elektrische piano, vermoeid en routineus. Het licht is schaars (om intieme gesprekken te bevorderen), de koffie heet en sterk (om de alcohol te verdrijven).
'Ik veronderstel van wel', zegt ze aarzelend. Hij heeft gelijk, natuurlijk heeft hij gelijk, maar er zit een keerzijde aan zijn gelijk. Als namen er niet toe doen, dan geldt dat ook voor de hare. Dan hoeft ze daar toch geen staatszaak van te maken. Dan is haar naam perfect inwisselbaar. Waarom voelde ze zich daarstraks dan zo gekrenkt? Waarom heeft ze zo fel gereageerd?
'Marketeers', schokschoudert hij. 'Je moet ermee leren leven. Het is hun baan en dus moeten ze zich bewijzen. Maar vergeet nooit, Celia: zij zijn de sluiswachters, wij de kapiteins.'
Wij: hij staat aan haar kant.

'Sorry voor daarnet', zegt ze.

(Alcohol. En stress. De opluchting als die wegvalt. En euforie, en de teleurstelling als die wegvalt. En oververmoeidheid, en overgevoeligheid, en... Ga weg!)

'Niks te sorry', zegt hij. 'Ik ben altijd jaloers als ik vrouwen zie huilen.'

Ze kijkt hem aan van opzij, verrast. Brede en rechte schouders. Maar ook hangwangen en een volle en weke mond. 'Huil jij dan nooit?' vraagt ze.

'Eigenlijk', zegt hij, 'ben ik een sentimentele dwaas.' Hij gaat voover zitten, handen gevouwen rond zijn kop koffie. 'Maar dat kan je beter niet laten zien.'

'Waarom niet?' Hoeveel eenvoudiger zou alles niet zijn zonder dat eeuwige verstoppertje spelen! 'Wat is er fout aan kwetsbaarheid?'

'Dat je gekwetst wordt', zegt hij.

'Ik zou het nooit tegen jou gebruiken.' Ze zegt het plechtig, alsof ze een eed zweert. En neemt voetstoots aan dat het omgekeerde evengoed geldt: anders was hij hier toch niet over begonnen?

'Huilt jouw man wel eens?' vraagt hij.

'Tinus?' Zijn korte verstikte snikken, de besmuikte stuiptrekkingen. Als had een vreselijk ongeneeslijke ziekte hem onverhoeds getroffen. Ontdaan raakt ze ervan, overbezorgd maakt het haar, beschermen moet ze hem dan. Zo beschermt een leeuwin haar welpen, niet de leeuw.

'Ja', zegt hij. 'Wat voor een man is hij?'

'Ach Tinus...?' Wat moet ze zeggen? Ze staat er nog zelden bij stil. Ze denkt niet aan Tinus als Oud of Nieuw. Ze denkt zelfs nauwelijks aan hem als Man. Tinus is in overtreffende trap zichzelf geworden, hij is buiten categorie. 'Tinus is Tinus', zegt ze. 'En jouw vrouw?'

'Mijn vrouw?' herhaalt hij. Alsof ze naar een buitenaards wezen vroeg.

Jouw vrouw, ja. De vrouw van Wim Schepens. Een van de best bewaarde geheimen van Dubois Publishers & Co. Heeft hij er een of heeft hij er geen, en als hij er een heeft, hoe is ze dan...? Vrouw van raadsels en roddels, van gissen en grapjes.

Hij kijkt haar aan, zijn hoofd begint te wiebelen. En als dat wiebelen van hem nu eens geen tic was maar een tactiek? Zijn manier om wat er in zijn hoofd zit, door elkaar te schudden als een kaartenspel. Andere kaart, ander onderwerp: 'Waarom ben jij zo lang zo grijs gebleven, Celia? Niet onaardig huismoedertje, beetje te braaf, dacht ik altijd. En kijk nu eens!'

Een van die hotels aan de rand van de stad is het. Hoge torens, meer dan honderd kamers, alle identiek ingericht. Ingesteld op verwisselbaarheid: lage prijzen en hoog verloop. Anonimiteit gegarandeerd: naar een identiteitskaart wordt niet gevraagd, als de creditcard maar solvabel is. Wie hier al niet de ogen sluit – van vermoeidheid, verveling, verrukking: drugdealers; handelsreizigers; toeristen op doorreis of sportteams die een uitwedstrijd spelen; mannen en vrouwen, in elkaars armen gedreven door toeval of lust. Lust, ja.

Oef! Hier in de toiletten is het tenminste fris! Hier ruikt het naar geursteentjes, niet naar vaste vloerbedekking en verschaalde asbakken. Celia knippert tegen het licht; zo fel, die tl-buis boven de wastafel, zo ongenadig ook. Haar voorhoofd glimt, haar wangen zijn rood en droog, in haar lachrimpels heeft zich blauwe oogschaduw vastgezet.

Ze neemt haar mobiel, drukt de nummers in. Eerst dat van thuis – geen antwoord; dan dat van zijn mobiel – geen antwoord. Hij slaapt, natuurlijk slaapt hij al, met gesloten ogen en opgetrokken knieën ligt hij als een foetus aan de andere kant van de lijn. De andere kant, die er vanavond niet aan te pas komt, maar die er wel is. Die in alles het tegendeel is van de kant waar ze zich nu bevindt: niet nieuw maar vertrouwd, niet opwindend maar geruststellend. De kant waar geschommeld wordt in plaats van veroverd. Waar tevredenheid de maat is van succes.

Vrijen met Tinus. Door de drukte van de voorbije weken is het er nauwelijks van gekomen. En echt spannend is het maar zelden meer; ze kennen elkaar al zo lang, ze zijn elkaars oefenmateriaal geweest. Ze hebben elkaars gestuntel geduld, elkaars fouten verbeterd. Plaatsen bewegwijzerd als een streling niet vanzelf kwam. Ze weten wat aangeboren is en wat aangeleerd. Gewenning.

En lust. Lust, die bij gewenning hoort, zoals dag bij nacht – of omgekeerd. Of zoals kruis bij munt – lust aan de voorkant, gewenning aan de achterkant – of omgekeerd. Maar hoe dan ook de andere kant; de andere kant van het muntstuk, de andere kant van de lijn. O god, ze heeft beslist te veel gedronken! En nu de klapdeur open en de warmte in, dwars door de lobby naar de bar! Wat een opgave!

Ze plast uitvoerig, blijft even nazitten op de pot. Dan stift ze haar lippen bij en poedert wat links en rechts. Voor ze naar binnen gaat, houdt ze haar polsen onder het koude water, tot haar huid ongevoelig wordt.

Hij heeft verse koffie besteld, met een cognac erbij. 'Ter afronding', zegt hij. Een bloemenverkoper komt langs, een bos individueel verpakte gele anjers in de arm, een polaroidtoestel in de hand. Wim informeert naar de prijs van de anjers en naar hoeveel de man er nog heeft en koopt vervolgens de hele bos voor haar. Geen foto, nee dank je – en afwerend steekt hij zijn hand op. Ze houdt niet van anjers, en van gele het minst van al, maar in zo'n grote hoeveelheid kun je bezwaarlijk anders dan er een beetje van houden.

Enig overleg gaat er niet eens aan vooraf, op wat geneuzel in haar hals na. Met een perfect bij de plaats passende zakelijkheid volgt ze hem tot bij de balie. Tegen de hotelbediende die hun de sleutel overhandigt en iets in de computertikt, hoort ze hem zeggen dat hij Vandervelden heet. Naar haar naam wordt niet gevraagd.

En nu zit ze op de rand van het bad en kijkt naar de marmerstrepen op de tegels. In het zeepbakje ligt een halflege flacon badschuim: achtergelaten door de vorige gasten, vergeten door het kamermeisje?

In de aangrenzende kamer hoort ze hem bellen. Hij heeft de televisie aangezet en overlegt met de chef-nieuws, terwijl hij van de ene zender naar de andere zapt. Dat het vandaag zonder hem zal moeten, zegt hij. Verklaring overbodig, vaststaand feit. Verbluft hoort ze hem het nieuws sturen: de zoveelste gezinsmoord, een politieke rel over milieuheffingen, diplomatiek overleg in het Midden-Oosten. Hij speelt ermee als met een gameboy, verwijst het een naar de voor- en het ander naar de achterpagina. Veel vanzelfsprekendheid, weinig uitleg.

Zo zal hij het dadelijk ook met haar doen. Vlot, vrijwel woordeloos, zal hij de juiste plaats vinden: voor zijn lippen, zijn handen, de rest. Misschien is hij wel dat soort van man. Wie weet?

En lust, ja. Ze kan het maar beter bekennen.

Als ze binnenkomt, vangt ze nog net een glimp op van een kindsoldaat met een geweer. Even licht het scherm op, dan wordt het grijs: hij heeft de televisie uitgezet. Hij zit op het bed, geleund tegen het hoofdeinde. Blote voeten, losgeknoopt hemd.

'Hoe doe je het?' vraagt ze met een knik naar het dode scherm.

'Intuïtie', zegt hij. 'Of dacht je dat alleen vrouwen intuïtie hebben?'

Het is een rol, houdt ze zich voor. Het is een rol. Ik speel die vrouw van de receptie, van de pianomuziek en de cognac in de bar, van de hotelkamer met gesloten gordijnen en litho's boven het bed. Ik speel ze, manteljurk achteloos over de stoel, snel uitgeschopte pumps eronder. Poriën waar zweet in opwelt, huid waar een andere huid overheen glijdt. Dit is een videoclip: ik speel haar, maar ben haar niet. Als ik haar was, zou ik het voelen.

Ze ziet beelden voor zich van een goedkope B-film. Seks en geilheid, en veel gewoel tussen de lakens. Ze leest de ondertitels: dat ze een slet is, dat alle vrouwen sletten zijn. Het is de stem van Wim die dat zegt, maar ze herkent haar nauwelijks, de vriendelijkheid van daarnet is eruit verdwenen. Ze begrijpt niet waar zijn boosheid ineens vandaan komt. Ze weet niet waarom ze tegen haar gericht is of tegen wie ze dan wel gericht kan zijn. Maar ze is er, die boosheid, in zijn woorden en in zijn handen die haar slaan en in de verbetenheid waarmee hij haar ondertussen neukt.

Kom op, hijgt hij, werk eens wat beter mee. Maar ze is er niet zeker van of ze deze rol wel wil. Ze smeekt hem om op te houden, ze hapt naar adem en probeert hem van zich af te duwen. Ze voelt hem verslappen, maar hij gaat door. Zij werkt niet mee? Dan werkt hij wel voor twee! En hij grijpt haar nog steviger vast, hij ploegt in haar tot ze geen lijf meer heeft, tot ze alleen een gat is waarin hij op en neer gaat. Op en neer tot opnieuw hard en dan...

Onbeheerst gejank, kort en hoog als dat van een klein hondje. Lauw en nat tussen haar benen. En dan koud.

Lust. En wat daarna komt. Hij, in slaap gevallen met een dijbeen over haar heen.

Ze schuift onder hem uit. Loopt naar de badkamer, gaat op de bidet zitten en spoelt zich af. Op haar armen zitten vlekken die ze niet weg krijgt met zeep. Vlekken die pijn doen als ze erover wrijft.

Ze kleedt zich aan en neemt de lift naar beneden. Ze zal een taxi bestellen, maar ze bestelt geen taxi. Ze neemt de glazen draaideur naar buiten en begint te stappen. Koelte, lucht.

Een weg zonder voetpad. Grind naast het asfalt, met onkruid ertussen. Ik moet dit niet doen, denkt ze, 's nachts alleen langs de weg lopen. Ik moet dit niet doen, maar ik doe vandaag alles wat ik niet moet doen. Ik zoek moeilijkheden.

Ze hoort de auto naderen. Licht op het asfalt en de boomstammen en de onderkant van de kruinen. En dan op haar, op haar rug, op haar benen. De auto vertraagt, stopt naast haar. De deur zwaait open. 'Je bent je bloemen vergeten', zegt hij. Hij neemt ze van de passagiersstoel en smijt ze op de achterbank. Vanillekleurige anjers.

De desolate weg. Sneeuwslijk dat sist onder de banden. De koplampen van een schaarse tegenligger. Ze rijden de parkeerplaats van het bedrijf op. De drukpersen ratelen, de nachtploeg is al aan de slag. Hij parkeert zijn auto naast de hare, vakken voorbehouden voor de hoofdredactie. Ze doet de deur open, blijft een ogenblik onbestemd zitten. Ze voelt zich uitgeput en verkreukeld.

'Het spijt me', zegt ze.

'Werkelijk?' reageert hij spottend.

'Het was dwaas van me. Ik had dit nooit moeten doen.'

'Dank je', zegt hij schamper. 'Nieuwe Mannen. Maar hetzelfde oude verhaal.'

Ze stapt uit. Denkt: tot morgen. Denkt het, maar zegt het niet.

'Een echt huismoedertje', sneert hij nog na. 'Niet onaardig, maar o zo braaf.'

Ze slaat de deur dicht. Was er maar een morgen met een deletetoets voor vanavond.

Als ze de parkeerplaats verlaat, hoort ze banden gieren. In haar achteruitkijkspiegel ziet ze hoe hij slingerend de andere kant op-rijdt. Haar oren suizen, bloed klopt onder haar schedel, een pijn-streep zeurt boven haar ogen. Ze zet de nachtradio op. Scarlatti.

Bij de container van de buurtsupermarkt stopt ze. De kassa's liggen er doods bij, achter met reclame beplakte ruiten. Een ver-dwaald boodschappenkarretje verspert de oprit van de laadin-gang. Wat zou een toevallige voorbijganger denken als hij haar bezig zag? Vrouw alleen, op verlaten parkeerplaats, in het holst van de nacht, bezig zich te ontdoen van bezwarend bewijsmateriaal.

Als ze de afvalcontainer openklapt, staat de zwerver plots naast haar. Ze weet niet waar hij vandaan komt: uit het portaal, uit het kaartenhuis van kartonnen dozen, uit het struikgewas dat de supermarkt van de carwash scheidt? Ze heeft hem ook niet horen naderen, maar misschien komt dat door het draaien van de motor en het roestig piepen van het containerdeksel. Hij houdt een deken om zich heen geslagen en draagt een wollen muts met gaten. Haarslierten hangen in zijn ogen, hij stinkt naar kots en urine. Hij kijkt niet eens naar haar, hij heeft alleen oog voor wat ze in de container smijt. 'Bloemen!' zegt hij misprijzend.

Zomaar. Ineens

'Kijk!' Ze wijst naar het publiciteitsbord. 'Daar is hij!'
Een appel in een opvallend kleine rechterhand. Fijnbesneden gezicht, bruin golvend haar en vlossig baardje. Zo hangt Adam langs deze autoweg, zo hangt hij in dorpen en steden, op schuttingen en blinde muren. Weggeknipt uit een schilderij van Hans Memling, gedegradeerd tot hedendaagse reclame. Voorzien van de vraag: kent u deze man?
'Als jij het me niet had verteld, zou ik het nooit raden', zegt Tinus.
'Dat is de bedoeling', zegt ze voldaan.
Een jeep haalt hen in. Ze gluurt naar de inzittenden. Welke indruk zou de affiche op hen maken? Ze wou dat ze de uitdrukking op hun gezicht kon zien, dat ze hun commentaar kon horen. Weten zij veel dat in de Audi A4 die ze net voorbij zijn gereden, een vrouw zit die het antwoord kent op dit raadsel. Verstoppertje spelen in verbeterde versie is dit; iedereen telt af, maar niemand zoekt haar.

Nog een paar weken en deze affiches zullen overplakt worden. Op de tweede versie zal niet alleen het hoofd, maar ook de naakte torso van de man te zien zijn. Smalle schouders, hobbelige ribben, lichtjes gespierde armen, slanke taille en rechte heupen. Een beetje zoals een van die androgyne topmodellen van vandaag. Een beetje ook zoals Tinus.
Naast de man zal een eveneens naakte vrouw staan. Waterval van haren, hoge borstjes en bolle buik, in haar rechterhand net zo'n blozende appel als de zijne. Maar terwijl hij de vrucht tegen zich aan houdt, zal zij haar een beetje van zich af houden, geklemd tussen duim en middelvinger. De houding van hun linkerarm daarentegen zal nagenoeg dezelfde zijn: losjes naar beneden hangend, vanaf de elleboog schuin naar het midden toe.
De linkerhand krijg je niet te zien. Die zal net buiten het kader

van de affiche vallen. Maar de verbeelding zal vanzelf haar werk doen. Een aloud verhaal is dit immers, een sedert eeuwen vertrouwd beeld. In hun linkerhand, net onder de rand van het reclamebord, houden Adam en Eva een vijgenblad dat hun geslacht bedekt: zijn penis, haar venusheuvel.

Mis! Tel er nog een paar weken bij. Wacht tot Adam en Eva op hun beurt overplakt worden. Dan zal onthuld worden wat verborgen bleef, dan zal blijken hoezeer de verbeelding zich heeft vergist.

Tinus kent het scenario: Celia heeft het hem verteld. Ze vertelt hem zoveel de laatste tijd, zoveel, dat hij er vaak maar met een half oor naar luistert. Soms valt haar zijn gebrek aan belangstelling op, en zwijgt ze; soms weet ze dat ze op zijn belangstelling kan rekenen, en zwijgt ze ook. Zo heeft ze over de B-film, met Wim Schepens en zijzelf in de hoofdrollen, met geen woord gerept. Over hun bestemming, op deze grijze zaterdagochtend, zegt ze evenmin iets. Als hij er naar vraagt, zegt ze geheimzinnig: 'Je zult wel zien.'

Ze heeft hun koffers gepakt, ook de zijne. Kamiel en Kassandra heeft ze, samen met Toni, uit logeren gestuurd bij haar moeder. Dat doen ze zelden, te zelden naar de zin van oma Suzy. Wat haar betreft mocht het best wat meer zijn. 'Denk aan je carrière, kind!' zegt ze dan. 'Ik ben er toch om te helpen?'
   Maar Tinus vindt dat ouders zelf voor hun kroost moeten zorgen. En dus heeft oma Suzy zich daar bij neergelegd, wat moet ze anders? Dit is een uitzondering, dit is het weekend van mama en papa: een inhaalmanoeuvre voor de voorbije weken, een adempauze voor die in het verschiet. En ook wel een beetje: aflossing van onuitgesproken schuld.

Hij rijdt, zij zit naast hem. Ze heeft hem door de stad gegidst, de autoweg op. Naar het zuiden, begrijpt hij. 'Naar Parijs?' vraagt hij enkele knooppunten later. Ze lacht, knipt haar tas open, haalt er een rolletje pepermunt uit. In Parijs stuurt ze hem de Périphérique op, richting Versailles. Aan het einde van een met platanen omzoomde laan, laat ze hem stoppen voor een omheind domein.
   De poort staat open. Een oprijlaan, omgeven door een groen

glooiend park, voert naar een verblindend wit gebouw met paleisachtige allures. 'Dit meen je niet', zegt hij. 'Kunnen we niet ergens anders heen?' Te laat. Grind knerpt onder de banden. Een in lakeipak gestoken piccolo houdt het portier voor hen open, een tweede neemt de autosleutels over, een derde tilt de bagage uit de koffer en gaat hen voor naar de receptie.

Terwijl zij aan de hotelbalie de formaliteiten afhandelt, bestudeert Tinus de oude foto's die in vergulde kaders aan de muren hangen. 'Een klooster!' hoort ze hem zeggen. 'Kan je je voorstellen dat dit een klooster was?' Gangen als spiegelpaleizen, eindeloze rijen kristallen luchters, met wandtapijten behangen muren en op maat geweven vloerbekleding met cartouches in goud en hemelsblauw.

Hun kloostercel bestaat uit een vestibule, een badkamer met jacuzzi, en een slaapkamer met salon en balkon. Op de salontafel staat een royale fruitmand, geflankeerd door porseleinen borden met het hotellogo en in damasten servetten gewikkeld zilveren bestek. Na de piccolo met de bagage, heeft een tweede piccolo zijn opwachting gemaakt met een ijsemmer met champagne en twee glazen.

'En nu?' vraagt Tinus.

Ze staat op het balkon dat uitkijkt over het park. Pijnbomen, treurwilgen, stokoude loofbomen. Tegen de omheining van de weide schurkt een stel roestbruine pony's, verderop grazen dikke schapen. Tot de pakjes en flacons in de badkamer toe heeft ze daarnet geïnspecteerd. Geparfumeerd met L'Air du Temps.

'Nu drinken we champagne', zegt ze.

'Nu?' zegt hij. 'Het is pas middag!'

En nu? Jaren geleden zou hij die vraag nooit hebben gesteld. Dan zouden ze er wat snel zijn achtergekomen hoe knus maar vederlicht de sprei was, hoe breed en veerkrachtig het bed, hoe blank het linnen. En als het bed te voor de hand liggend was, zou er altijd nog het vasttapijt zijn geweest, zacht en grijs als muizenvel. Wat wilde je nog meer?

Jaren geleden zou de vraag ook niet aan de orde zijn geweest. Zoveel luxe konden ze zich toen niet veroorloven. Nu wel, dankzij haar nieuwe baan.

'Het bevalt je niet', zegt ze.

'Toch wel', zegt hij.

'Zoals je daar zit', zegt ze. 'Zo onbestemd.'

'Wat wil je', zegt hij. 'Dit is wel even wennen...'

'Ik heb het gedaan voor jou', zegt ze. En voor jezelf, vult Celia Bis aan. Uit schuldbesef, omdat je hem hebt verwaarloosd en nog erger. En uit nieuwsgierigheid naar weelde die je enkel kende van horen zeggen en die nu plots binnen jouw bereik ligt. En ook wel wat uit trots: dit is de trofee van jouw triatlon.

'Ik vond dat je dit verdiend had', zegt ze tegen Tinus. 'Ik dacht dat ik je er een plezier mee deed.'

'Oké', zegt hij met een opgewektheid die te kennen geeft dat hij zich neerlegt bij het onvermijdelijke – om háár plezier te doen.

Hij staat op. Kiest uit de fruitmand een peer en begint hem te schillen. Ze ziet een beeld van thuis: hij aan tafel of op de sofa, tussen Kamiel en Kassandra in. Zij bijt in vruchten, laat er de kinderen hun tanden in zetten, haalt desnoods een brok uit haar mond om aan hen door te geven. Hij niet: hij schilt vruchten en snijdt ze in partjes, die hij hen om beurten voert.

Zo voert hij nu ook zichzelf. Hij houdt het bord met de geschilde en versneden peer op zijn vlakke hand, steekt de partjes een voor een in zijn mond. En bestudeert ondertussen de tarieven op de binnenkant van de kamerdeur.

De grijze wolken maken plaats voor een waterig zonnetje. Op fietsen, ter beschikking gesteld door het hotel, maken ze een tochtje door het aangrenzende park met zijn strakke lanen en avenues. Ze rijden langs het kanaal, voorbij het paleis van Versailles, het grote en het kleine Trianon, de protserige Apollofontein en het met vakwerk versierde landhuis, waarin de koningin zich zo nu en dan terugtrok. 'Daar kan ik inkomen', zegt Tinus. 'Dit is zowat de enige plaats op dit hele domein waar ik me een klein beetje thuis zou voelen.'

Daarna slenteren ze door de stijlloze straten van het stadscentrum en drinken koffie op het verwarmde terras van een bistro. Tegenover hen zit een jongeman de krant te lezen, de voorpagina naar hen toegekeerd. Er zit gif in de voedselketen, bij een bomaanslag in Moskou zijn twaalf doden gevallen, in Parijs is de nieuwe lente- en zomermode voorgesteld – veel bloot, veel harembroeken.

Bij hun terugkeer in het hotel is de champagne lauw. 'Ben je gek?' roept Tinus als ze de emmer wil vullen met ijsblokjes uit de minibar. Hij laat zich op de rand van het bed vallen, draait het nummer van de roomservice en bestelt een koele fles. 'Als we er dan toch voor betalen!'

Het eerste glas drinken ze in de kolkende jacuzzi, die net groot genoeg is voor hen beiden, het tweede in het kingsize bed. Want daar komen ze ten slotte toch in terecht, al heeft dat minder te maken met heftig verlangen dan met het besef dat het er nu eenmaal bij hoort.

Vroeger rookten mannen na de liefde. Sinds de fatwa op tabak, is de sigaret vervangen door de afstandsbediening. Tinus installeert zich in een nest van verkreukte kussens en begint te zappen van het ene kanaal naar het andere. Daarnet, in het onderwaterland van opwinding en verlangen, is het heel even bij haar komen opborrelen: die andere hotelkamer, die andere mannenborst, die andere handen. De mengeling van wellust en weerzin, niet onverdeeld onprettig, maar ongehoord en ongelegen. Dus had ze de herinnering van zich afgeslagen en zich geconcentreerd op het smalle taaie lijf dat haar bedekte.

Maar nu ze Tinus ziet zappen is het er weer: sommige mannen maken het nieuws, andere ondergaan het.

'Waar zullen we eten?' vraagt Tinus opgeruimd.

'Hier in het hotel', zegt ze. 'Er is gereserveerd voor twee.'

Het restaurant, in de serre met uitzicht op het park van Versailles, heeft een dubbele Michelinster.

'Is dat niet poepchique?' vraagt hij. 'Meer iets voor opgetutte mensen?'

Ze glijdt uit bed en klapt de koffer open. Een hemd van grijze zijde, een buitenbeentje in zijn garderobe. Gekocht toen hij moest getuigen op het huwelijk van een vriend.

'Mijn god', mompelt hij. 'Moet dat?'

Waar komt toch dat gesputter van hem vandaan, die weerstand tegen wat zich aandient? Een kind dat de handen achter de rug slaat en nukkig met het hoofd blijft schudden. Lippen op elkaar geklemd, ogen neergeslagen.

Als iemand zich hier niet thuis voelt, is zij het, niet hij. Zij baadt in gelukzalige verwondering, alsof zoveel fraais haar niet toekomt. Hij daarentegen gedraagt zich alsof het vanzelfsprekend is, geeft blijk van een vlotheid waar ze versteld van staat. Zoals hij de piccolo's daarstraks een fooi toestak of roomservice belde. Zelfverzekerd, bijna autoritair zelfs, als had hij nooit anders gedaan.

Of zoals hij zich, een uurtje of wat later in het restaurant, uitgebreid laat adviseren over de wijn, om vervolgens een fles te bestellen die niet eens ter sprake is gekomen. Blind voor de neerbuigende blik waarmee de sommelier zich verwijdert, gekrenkt in zijn eer. Tevreden leunt hij achterover, armen op de pitrieten zetel. Don Corleone in zakformaat.

'Eigenlijk was dit iets voor de kinderen geweest', zegt hij.

'Voor de kinderen?' herhaalt ze, verbaasd.

'Pony's, schapen, een jacuzzi... Een echt paleis, een ritje door het park... Zouden ze toch leuk hebben gevonden?'

En rennen als gekken door de eindeloze gangen, denkt ze. En grimassen trekken in de spiegeldeuren, en de stilte aan scherven gillen. Zelden heeft ze zoveel speelruimte gezien als hier, en toch valt in het hele hotel geen kind te bespeuren. Hier zijn stemmen gedempt en stappen onhoorbaar, hier wordt gefluisterd en geschuifeld. Hier heerst absolute rust, als golden de kloosterregels nog steeds.

'Weet je dat ik ze mis?' zegt hij. 'Gek is dat: je zou denken, als je de hele tijd met ze zit opgezadeld, dat je blij bent dat je ze even kwijt bent. Maar het is net omgekeerd. Het zal vast gewenning zijn, maar toch. Ik mis ze.'

Ik niet, weet ze. Ik denk wel aan ze, hun stemmen joelen af en toe door mijn hoofd. Ik zal dolblij zijn als ik ze weerzie, gretig zal ik hun malse lijfjes in mijn armen knellen en hun jongehondengeur opsnuiven. De kans is zelfs groot dat ik daar een brok van in mijn keel zal krijgen. Maar dat vooruitzicht volstaat: ik kan best even zonder ze, ik ben opgelucht dat ik even af ben van hun gedram.

Die avonden als sneltreinen. Komen elke dag aangedenderd op hetzelfde uur, vliegen voorbij eer je het beseft, een wolk achterlatend van drukte en kabaal. Op weg van kantoor haalt Tinus de kinderen van school. Meestal komt zij even later thuis, al gebeurde het wel eens dat ze overwerkte. Zo nu en dan.

Maar niet zoals de voorbije weken, niet elke dag en zelden zo laat. Al die avonden die door haar afwezigheid hun vanzelfsprekendheid verloren hebben. Al die huiselijke taferelen waar ze geen getuige van is geweest. Het gestoei en het geruzie, het smakken aan tafel en het spetteren in het bad, de hapjes voor Toni en het verhaaltje voor het slapengaan. En daarna, als de kinderen zijn ingedut en het huis aan kant is, de tijd die gaat liggen als een hijgende hond.

De stilte, die dan over Tinus heen moet zijn gevallen en die hij met niemand heeft gedeeld – vond hij haar verkwikkend of terneerdrukkend, ze moet er naar gissen. Zijn haast terloopse gebaren, meer dan een tijdverdrijf, maar minder dan activiteit: de krant doorbladeren, een glas wijn uitschenken, een speelgoedje oprapen dat onder tafel slingert, dat je nu pas ziet omdat je gezichtsveld verlaagd is, omdat je er eindelijk bij bent gaat zitten.

Ze legt haar hand op de zijne.

'Wat zou jij, met de ervaring die je nu hebt, in zo'n tijdschrift willen lezen?'

'In godsnaam, Celia', zegt hij. 'Kunnen we voor één keer niet over iets anders praten?'

Liftmuziek. Gemurmel van andere gasten. Getik van zilver op porselein. En boven die achtergrondgeluiden uit, plots een mannenstem. Joviaal, vlak naast haar.

'Wie we hier hebben, als dat geen toeval is!'

De man die bij de stem hoort, buigt zich voorover. Zijn jasje valt open: Kuifjes en Bobby's, twee bretellen vol.

'Marcus!' zegt ze verrast.

'Kom jij hier vaker?' vraagt hij.

Ze schudt van nee. 'Het is de eerste keer. Verrassingsweekendje.' Ze wijst naar Tinus, zoals een museumgids naar een meesterwerk. 'Mijn echtgenoot.'

'Aangenaam.' Marcus steekt zijn hand uit. 'Maar hebben wij elkaar al eens niet...?'

O nee, denkt ze. Stomdronken was hij die avond. Gelukkig waren de meesten tegen die tijd naar huis. Want natuurlijk had hij het weer niet kunnen laten. Beleggingen Tuymans & Zonen of Dubois Publishers & Co, om het even welk personeelsfeest is goed. Als er maar voldoende wijn is en dan... *With a little help from my friends.*

'Joe Cocker!' zegt Marcus.

'Juist!' grijnst Tinus. 'Tinus van de Wijngaart.'

'Mooie naam', zegt Marcus. 'Van de Wijngaart.'

Hij draait zich om. Schuin achter hem staat een vrouw. Hij slaat een hand om haar middel en trekt haar dichterbij. De vrouw heeft lang witblond haar, een hoekig gezicht met hoge jukbeenderen, husky-ogen en een brede, volle mond. Haar jurk, royaal voorzien van ruches, ontbloot één schouder en één knie.

'Mag ik jullie voorstellen?' zegt hij, 'Barbara Laermans.' Lange vingers, felrood gelakte nagels en een knoert van een ring die fonkelt bij elke beweging.

De ober komt aanlopen met het aperitief. 'Voor mijn rekening, Jacques', zegt Marcus. Hij komt hier wel vaker, begrijpt Celia. Voor hem is zo'n weekeindje geen extraatje, zoals voor haar. 'Zeker, mijnheer Dubois', knipmest de ober.

'En laat het jullie smaken', zegt Marcus. 'Tot straks misschien, in de bar?'

Bij de arm gehouden door Marcus W.E. Dubois laat de husky-vrouw zich naar een tafeltje aan de andere kant van de serre leiden. Celia kijkt haar na: hooggehakte sandalen met enkelriempjes, benen die daardoor nog eindelozer lijken dan ze zijn, ruches die bij elke stap op en neer deinen. Gewoonlijk vergeet je wanneer je iemand voor het eerst hebt ontmoet. Van Barbara Laermans zal ze het zich blijven herinneren.

'Dat is zijn vrouw niet?' raadt Tinus terwijl hij met zijn glas tegen het hare toast.

'Weet ik veel', zegt ze. 'Gezondheid!'

'Ik bedoel', zegt hij, 'ze zijn niet getrouwd.'

'Tinus!' zegt ze. 'Hoe burgerlijk!'

'Ze zien er alleszins niet getrouwd uit', zegt hij.

'Hoe zie je er dan uit als je getrouwd bent?' vraagt ze.

'Zoals wij', zegt hij.

Een ober aan haar linkerzijde, een andere aan de zijne. Als in een goed georkestreerde choreografie tillen ze, op hetzelfde ogenblik en met eenzelfde sierlijke armzwaai, de zilveren stolp op. De vis ligt in een kronkel, als had de dood hem bij het zwemmen betrapt. In zijn wijd opengesperde bek steekt een toefje kruiden. 'Smakelijk', reciteert het oberkoor.

'Hij bedoelt er toch niets mee, met die naam', zegt Tinus.

'Hoezo?' Ze snijdt de kop van de vis.

'Jij gaat je naam toch niet laten vallen? Ik dacht aan een grap, toen je me dat vertelde.'

'Tinus,' zegt ze, 'we zouden over iets anders praten.'

'Weet je nog toen we trouwden?' zegt hij. 'Hoe jij daar toen een punt van maakte, van je naam? Het leek erger dan je maagdenvlies verliezen.'

'Alsof dat er nog aan te pas kwam!' Dat wordt fileren, denkt ze, prutsen met vellen en graten. Maar de vis blijkt al versneden, zijn vlees onmerkbaar herschikt. Zo keurig, zo zonder sporen, worden alleen vazen uit de Mingdynastie gelijmd.

'Ik bedoel maar,' zegt hij, 'je gaat de mijne toch niet gebruiken?'

'Weet je nog toen we trouwden?' imiteert ze hem. 'Toen had jij daar niet het minste bezwaar tegen. Integendeel.'

Flauw van haar. Ze heeft trouwens geen zin in gekibbel. Genieten wil ze, van deze plek, van het verfijnde eten, van het zeldzame tête-à-tête. Ze staat op het punt zich tegenover Tinus te verontschuldigen, maar hij lijkt haar niet eens gehoord te hebben. Hij snijdt een stukje van de vis en van de groentetimbaal en zegt, terwijl hij ze samen op zijn vork prikt: 'Zolang ze maar niet denken dat ik dat blad heb gemaakt!'

Aan het tafeltje achter Tinus zit een prima ballerina in ruste. Uit magazines herinnert Celia zich de strakke zwarte wrong en zwaar opgemaakte ogen. Ze heeft een Russische naam, weet ze, maar die wil haar nu niet te binnen schieten. Verderop dineert een politicus met zijn vrouw, nog verder een groepje zakenlui en een homokoppel, waarvan er een een dierenprogramma presenteert op televisie. Helemaal achteraan, aan een tafeltje bij het raam, zitten Marcus W.E. Dubois en Barbara Laermans.

De rij palmen die de zaal scheidt van de serre, onttrekt hen grotendeels aan het gezicht. Maar af en toe vangt ze een glimp op van wat een geanimeerd en hoogst vermakelijk gesprek lijkt. Dan schuift een blote schouder van achter de palmbladeren vandaan, wordt een lange blonde haardos opgegooid als de staart van een veulen, klinkt een hoge, hese lach.

Een vaag heimwee maakt zich van haar meester, een verlangen naar zorgeloosheid en ongebondenheid. Naar een bestaan als een onbeschreven blad, waarin niets is vastgelegd, waarop geen verantwoordelijkheden wegen. Naar avonden waar de schaduw van de ochtend niet overheen valt. Naar een nu zonder straks.

'Echt huismoedertje, niet onaardig maar o zo braaf.' Is ze Wim daarom gevolgd naar die hotelkamer? Om te ontsnappen aan zichzelf, om even iemand anders te kunnen zijn?

Iemand anders? Of de Celia die ze had kunnen worden, als ze niet gekozen had voor deze man en zijn kinderen? Of de Celia die ze bezig is te worden: een inhaalmanoeuvre?

Vergeet de alcohol, de stress en de euforie. Vergeet de oververmoeidheid en de overgevoeligheid. Vergeet de lust – welja, vergeet de lust! Het was die deur die op een kier stond, waar ze doorheen is geglipt.

Er is een tijd geweest zonder deuren. Ze herinnert het zich, alsof het om een ander leven ging. Van het een naar het ander rende ze, overal viel wel wat te ontdekken en liep het fout, dan begon je gewoon opnieuw. Zo had ze Tinus leren kennen, aan de zwier net als zij. Zullen we een eindje samen?

Maar op een dag stond de deur er. Ze weet niet meer wanneer ze er voor het eerst tegenaan is gelopen en nog veel minder wanneer ze haar achter zich heeft dichtgetrokken. Omdat het haar ontbrak aan tijd om nog langer buiten rond te rennen, aan durf en onbezonnenheid ook. Omdat er achter die deur te veel zou achterblijven, waar ze zich zorgen om zou maken. Te veel, dat haar dierbaar was.

En nu staat de deur weer op een kier: ze voelt de tocht en ze houdt ervan.

Tinus kiest een kaasvlecht, gerijpt op een bedje van stro, met frambozencoulis. Zij neemt een sorbet van groene en zwarte thee met geroosterde amandelschilfers. 'Nog een afzakkertje in de bar?'

'Heb jij daar zin in?' vraagt Tinus op een toon die te kennen geeft dat hij dat niet heeft.

'Het schijnt prachtig te zijn.' Dat heeft ze gelezen in een folder op de kamer. Een hedendaags Frans designersduo, bekend om zijn gedurfde knipogen naar vroegere stijlen, heeft de inrichting volledig vernieuwd. De bar is geïnspireerd op de coupés van de Oriënt Express: de zithoeken zijn van elkaar gescheiden door panelen van Lalique-glas, ingelegd mahoniehout of Chinese lak. Uw verblijf in ons hotel is niet volledig zonder een bezoek aan deze unieke kruising tussen verleden en heden, bezweert de hotelgids.

'En dat waterhoofd met zijn barbiepop tegen het lijf lopen?' werpt Tinus op, alsof hij haar niet gehoord heeft. 'Ik heb een veel beter voorstel: jij bekijkt die bar morgenochtend op je gemak en we drinken samen iets op de kamer.'

'Wat is er, Tinus?' vraagt ze terwijl ze zich uitkleedt.

'Armagnac, Glenfiddich en Cointreau', zegt hij.

'Ik bedoel', zegt ze, 'wat is er met jou?'

'Niets', zegt hij. 'Wat zou er zijn? Wat wil je drinken?'

'Het is die baan van me, niet? Al wat ermee te maken heeft, irriteert je. Glenfiddich dan maar.'

'Celia,' zegt hij met dezelfde beslistheid waarmee hij daarstraks de wijn heeft besteld, 'het is jouw baan, jouw carrière, jouw leven. Het zou niet eens bij me opkomen me daar mee te bemoeien. Puur of ijs?'

'Een blokje of twee.' Ze loopt naar de badkamer om zich te ontschminken. 'Ik dacht dat je het fijn voor me vond. Ik had gehoopt op wat aanmoediging van jou.'

'Ik vind het fijn voor je. En wat denk je dat ik de voorbije weken heb gedaan? Of was dat soms geen aanmoediging?'

Geen woorden maar daden: zo had ze het niet bekeken. Dat hij haar wat vaker bijsprong was de enig mogelijke oplossing. Hoe had ze het anders voor elkaar moeten krijgen? Wat hij de voorbije weken heeft gedaan, is toch maar wat zij al jaren doet. Maar het is waar dat niet veel mannen het hem na zouden doen.

Hij komt de badkamer binnen, zet het glas op de wastafel. 'Alsjeblieft!' De ijsblokjes rinkelen.

Waardering verdient hij, waardering in plaats van kritiek.

In een tweede huid van L'*Air du Temps* gaat ze de kamer binnen. Tinus staat voor de balkondeur, met zijn rug naar haar toe. Hij heeft het gordijn een weinig opengeschoven en kijkt naar de nacht.

'Het spijt me', zegt ze, 'van daarnet.'

'Zand erover!' Hij draait zich om en steekt haar zijn glas toe. 'Proost!'

'Proost!' zegt ze. Ze legt haar polshorloge op het nachttafeltje en neemt de mobiel uit haar tas. Ze wil hem afzetten, als haar oog valt op het brief.icoon. U hebt 1 voicemail, blokletteert het bericht. Ze toetst het mailboxnummer in.

'Wie is het?' vraagt hij.

'Mijn moeder', zegt ze verwonderd.

'We hebben haar daarstraks toch gebeld', zegt hij.

'Mams?' zegt ze.

En: 'Zo ineens?' En: 'Ben je nu beter?' En: 'Je bent toch niet gewond?' En: 'Heb je een dokter gebeld?'

'Ze is flauwgevallen', zegt ze nadat ze heeft opgehangen. 'Plots. Zomaar. Ze weet niet wanneer of hoelang. Toen ze weer bijkwam, lag ze op de grond.'

'En de kinderen?' vraagt hij.

'Die slapen', zegt ze. 'Die sliepen, die weten van niets.' Ze staart naar de gsm in haar hand, alsof die haar meer kan vertellen. 'Ze herinnert zich niets meer, Tinus. Helemaal niets.'

'We kunnen beter gaan', zegt hij.

Ze knikt. Ze is al opgestaan. Haar benen trillen, onzeker draait ze in het rond. Stap richting kast, stap richting badkamer. Stel je voor dat het opnieuw gebeurt. Met Kamiel en Kassandra in de buurt. Ze wil er niet aan denken.

Pats, gebakken! Kopen?

'Daarom was je dus niet in de bar en ook niet aan het ontbijt', zegt Marcus W.E. Dubois.

Ooit, denkt Celia, moet hij een zoontje geweest zijn zoals Kamiel, met een moeder die zijn snottebellen afveegde en ijsjes voor hem kocht. Terwijl ze de woorden 'met niemand zo'n hechte band' en 'voor het leven' opvangt, ziet ze hem voor zich zitten in jongetjesformaat. Dezelfde blos op zijn bolle wangen. Dezelfde Disneybretellen, maar dan op een korte broek. Dezelfde mollige vingers, maar dan graaiend in een zandbak, vormpjes vullend en uitstortend. Zeepaardje, zeester, schelp. Pats, gebakken! Kopen?

'Ach, moeders...', zegt hij. 'En hoe is het nu met haar?'

Hier had ze dus op de grond gelegen, was het eerste dat Celia inviel toen ze binnenkwam. Maar, zoals Tinus opmerkte toen ze Kamiel en Kassandra gingen ophalen: het was haar moeder niet aan te zien. Even bezig als altijd was ze, hooguit wat bleker en een beetje kregelig omdat haar kleinkinderen een dag minder lang bij haar bleven. Dat overhaast afbreken van hun weekend was nergens voor nodig geweest, zij was best in staat om voor hen te zorgen. Tussen de twee horizontale rimpels op haar voorhoofd vormde er zich een derde toen ze het zei.

En dat telefoontje dan? 'Ach', en ze haalde haar schouders op. En die donkere vlek op het tapijt? Zeker een glas water omgestoten! En die geschaafde onderarm? 'O dat?' en ze trok haar mouw naar beneden. Er was niets met haar aan de hand, kijk maar – en ze ging er bij zitten, handen vlak voor zich op tafel. Een dappere glimlach streek de rimpel van daarnet glad.

Suzy Borstlap-Waterschoot, altijd tussen dezelfde vier muren. Hooguit een ander kleurtje, hooguit de lijsten een beetje verschikt. Scharrelend in steeds dezelfde kasten, naar steeds hetzelfde vaatwerk – geen verandering zonder scherven! Haar jongevrouwendecor voor de eeuwigheid. Haar man was eruit verdwenen, maar zij zat er nog steeds: zo vergroeid met deze kamers, dat ze er nooit uit leek te kunnen verdwijnen, dat ze niet leken te kunnen bestaan zonder haar, en omgekeerd. En toch was dat wat er gebeurd was. Heel even was ze er niet geweest. Het kon dus.

'Beloof me dat je je laat onderzoeken, mams.'

'Heb je dat gezien op televisie?'

'Mams?'

'Heb je het gezien? Van die kippen?'

'Heb je gehoord wat ik zei, mams?'

'Hoe ze worden afgeslacht? Hele laadbakken vol!'

'Zal ik een afspraak voor je maken?'

'Dat kan ik zelf wel!' En even had die kregeligheid weer de kop opgestoken. 'Dat kan ik heus zelf wel.'

'Beloofd?'

'Jaja!' – ongeduldig nu. 'En ze zijn niet eens ziek!'

'Zijn de kinderen lastig geweest?' had ze gevraagd.

'Ach welnee', zei haar moeder.

Anders dan kinderen waren kleinkinderen nooit lastig.

'Zijn jullie braaf geweest bij oma Suzy?' had ze gevraagd aan de kinderen.

'Ja', zei Kassandra.

'Natuurlijk', zei Kamiel verontwaardigd.

'Heeft oma zich soms een beetje opgewonden?' polste ze.

'Een beetje', gaf Kamiel toe. 'Met die kippen.'

'Opgewonden, wat is dat?' vroeg Kassandra.

'Zoals Toni, als wij achter hem aan zitten', zei Kamiel.

'Kan oma Suzy dan zo snel lopen?' wilde Kassandra weten.

Afgeslacht. Of vergast. Of geëlektrocuteerd. Omdat er misschien iets, omdat je maar nooit weet. Omdat ze bijgevolg niet mogen worden opgegeten, omdat ze bijgevolg niet kunnen worden verkocht. Omdat ze niet meer nuttig zijn. Voor mensen.

Daarnet, op weg naar kantoor, is ze bij haar moeder langsgegaan. Toch even poolshoogte nemen, toch even kijken of het wel goed met haar is. 'Maar kind! Kom binnen!' Verraste blik in de blauwgrijs opgemaakte ogen, roze blush op de wangen en roze lippenstift op de mond, blond kapsel in vorm gespoten.

Zo was het vroeger ook altijd, herinnerde Celia zich. Als zij de lakens wegtrapte en vader zich stond te scheren in de badkamer, was haar moeder al paraat voor de dag. Vandaag was ze zelfs al buiten geweest: verse croissant op haar bord, krant ernaast, open-gevouwen. Tienduizenden kippen afgeslacht.

Haar moeder bij het ontbijt: van toen zij thuis woonde en haar vader nog leefde was dat geleden. Dezelfde plaats aan het hoofd van de tafel, maar nu niet langer omringd door man en dochter. De ochtendradio, net als toen, maar nu geen stemmen erover-heen. En van alles maar een: één placemat, één bordje, één mes.

'Koffie?' En zonder het antwoord af te wachten, had ze het rode blik met de pelikaan erop gepakt, de bonen in de molen ge-schud. Ze had ook maar één kopje gezet, was Celia opgevallen. Zoveel allenigheid had ze nooit met haar moeder geassocieerd.

Niets om je ongerust over te maken, had de huisarts bevestigd. Bloeddruk aan de hoge kant, zich wat te veel opgewonden mis-schien. Vervelend, maar verwaarloosbaar.

'Zo!' zei haar moeder en ze schoof haar het kopje toe. 'Vertel me liever eens wat over jou! Schiet het een beetje op met dat tijd-schrift? Zit je daar goed op je nieuwe kantoor?'

Aan haar dochter om de vleugels uit te slaan die zij had laten hangen. Omdat de tijden er niet naar waren, of omdat het niet haar aard was: wie zal het zeggen? Als je dat soort vragen maar lang genoeg ontwijkt, worden antwoorden vanzelf overbodig. Voor Celia is die onomkeerbaarheid nog veraf, voor haar liggen nog alle mogelijkheden open. En daarom: slagen moet ze, waar-in is van weinig belang, als het haar maar oplevert wat haar moe-der nooit heeft gekend. Een naam, een zekere zelfstandigheid, iets om later tevreden op terug te kijken.

Niet dat Suzy Borstlap-Waterschoot ontevreden is – aller-minst. Maar haar tevredenheid is bescheiden, opgebouwd uit kleine genoegens; een genoegen scheppen in, verworden tot ge-noegen nemen met. De tevredenheid die ze haar dochter toe-wenst, moet dichter aanleunen bij trots. Daar wil zij het hare toe bijdragen, zonder zich te sparen, zonder vragen te stellen: zo heeft ze het zich voorgenomen. Dat ze het zaterdag zelfs bij dat weinige heeft laten afweten, wil ze zo snel mogelijk vergeten. Het past niet in haar plan, ze heeft er niet om gevraagd. Zand erover.

Toen ze haar kantoor binnen kwam, zat Ann Cuylens op haar plaats. Even had het haar een schok gegeven: een ander waar zij hoorde te zitten. Even, niet lang. De post was geopend en gesorteerd, in haar mailbox zat een kort verslag, naast de telefoon lagen de nummers die ze moest terugbellen. Zo hadden ze het afgesproken.

Ze had Ann vooraf gewaarschuwd. Ze had het haar verteld, van haar moeder. 'Natuurlijk moet je er langs,' had Ann gezegd, 'ik kan zolang toch wel even bijspringen.' Als er nog iets was, hoefde Celia het maar te zeggen; als ze ergens aan dacht, hoefde ze haar maar te bellen.

Vertrouwen. En verbondenheid. Voorrang voor wat voorrang had – eerst zorg, dan zaken, en niet omgekeerd. Wat gold voor Tomaso, gold ook voor oma Suzy. Hier had ze op gehoopt – hoe hartverwarmend dat het ook kon! Wedden dat het eindresultaat er alleen maar bij zou winnen?

'Marcus verwacht je', zei Ann. 'En ik zou ook eens met je moeten praten.'

'Als het maar goed gaat met haar', zegt Marcus W.E. Dubois, directeur-generaal van Dubois Publishers & Co en moederskindje.

Want dat is wat over hem wordt beweerd. Dat La Mamma van op een afstand zijn poezelige handje vasthoudt. Hij voor het gordijn, zij erachter, maar daarom niet minder aanwezig. Heb je goed gewerkt vandaag, jongen, heb je voldoende gegeten? Maar jongen toch, dat is geen meisje voor jou! Misschien koopt ze wel zijn bretellen...

Hij rolt zijn stoel tot voor zijn computerscherm, beweegt met de muis. 'Inmiddels heb ik hier het rapport over het nulnummer. Het slaat aan. De reacties zijn over het algemeen erg positief. Beetje bijsturen links en rechts, maar blijkbaar zitten we op de goede weg. En dat met je naam is opgelost', vervolgt hij opgewekt. Hij rolt van het scherm weg en richt zich tot haar. 'We hebben van het probleem een troef gemaakt!'

Stilte. Ze kijkt hem afwachtend aan. Hij spreidt zijn armen, omvat de rand van zijn bureau. 'Jij wordt het Grote Mysterie!' zegt hij plechtig.

'Het Grote Mysterie?' herhaalt ze, verbluft.

'We draaien het gewoon om', zegt hij. 'We beginnen met mannen een goed geconcipieerd tijdschrift aan te bieden. Hét mannenblad bij uitstek, dat elke man die een beetje bij is, moet kopen en liefst ook lezen. En als ze er eenmaal aan verslingerd zijn, dán...' Hij balt zijn handen tot vuisten, ketst zijn knokkels tegen elkaar.

'Dan wat?'

'Dan zeggen we de waarheid', besluit hij triomfantelijk. 'En we vangen twee vliegen in een klap: we zorgen dat de lezers niet meer terug kunnen én we maken een mediahit. Want iedereen zal zich afvragen wie er achter dat blad staat, het zal gonzen van veronderstellingen, er zal geroddeld worden. Niet één reclamecampagne levert ons zoveel publiciteit op, en gratis nog wel. En aan het eind van de rit volgt als klap op de vuurpijl de onthulling die niemand had verwacht.' Zijn handen vallen open, in gesloten formatie kantelen tien worstvingertjes in haar richting. 'Koffie?'

'Nee dank je.' Dat warm en branderig gevoel in haar maag. Iets wat ze heeft doorgeslikt en dat weer naar boven komt. Zeker de koffie van haar moeder, die te fel gebrande bonen.

'Als mannen dan nog afhaken, zetten ze zichzelf voor schut', gaat Marcus verder, zelfverzekerd. 'En dat zullen ze nooit doen, geloof me. Als ze eenmaal gewonnen zijn voor dat blad, blijven ze het kopen.'

Vanaf het begin heeft het haar gestoord. Die manier waarop hij over mannen praat, waarop hij ze vanaf een afstand de gewenste kant op stuurt. Alsof alles maakbaar is: niet alleen een blad voor mannen, maar ook die mannen zelf. En al valt er iets te zeggen voor een man die geprogrammeerd is op het leegmaken van de vaatwasser en het nooit laten rondslingeren van vuile sokken, ze is er niet zeker van of ze wel zo'n voorgeprogrammeerde man wil. Hij wel – en dat zint haar niet.

'Ik weet niet of ik je goed begrijp', zegt ze.

'Ik denk het wel', zegt hij.

'Een blad zonder hoofdredacteur?'

'Voorlopig', zegt hij. 'En alleen op papier...'

'Maar iemand zal toch naar buiten toe...'

Hij leunt achterover. Zijn kin bolt over zijn hemdsboord. Hij klopt met beide handen op zijn buik. 'De verantwoordelijke uitgever', zegt hij.

Pats, gebakken! Kopen?

Luie krent, groot ego

Celia Borstlap staat in haar kantoor en kijkt door het raam. De koeien zijn op stal gezet, de boer heeft ze in geen weken gezien. De akker ligt er verlaten bij, de voren verhard tot golfkarton.

Ongeveer drie maanden, heeft Marcus voorspeld. Drie maanden werken en zwijgen, drie maanden zonder gezicht. Alleen een gezicht van papier, te koop in elke kiosk en elke krantenwinkel en aan de kassa van elke supermarkt. En haar huis-, tuin en keukengezicht, als ze al eens de kans krijgt om dat op te zetten.

Het heeft ook zijn voordelen. In de top van de boom zitten, afgeschermd door het gebladerte, en bespieden wat zich daar beneden afspeelt. Alle reacties kunnen registreren, alle pro's en contra's, en zelf buiten schot blijven – officieel dan toch.

Maar nee, jent Celia Bis, jij wil *Adam* liever zelf aan de wereld tonen. Jij hebt van het succes geproefd en het bevalt je: jij wil meer. Pech! Slik die ijdelheid van je maar even in, meid. Zet haar bij de koeien.

'Zullen we?'

Ze heeft Ann Cuylens niet eens horen kloppen. 'Zullen we wat?'

Weifelachtig staat Ann in de deuropening, handpalmen tegen de stijlen. Over haar schouders hangt een donkerblauwe doorstikte jas. 'Een andere keer misschien?'

Bijna was ze hun afspraak vergeten. Liever niet op de redactie, had Ann gevraagd. Maar nee, zo dringend was het nu ook weer niet. Iets vertrouwelijks, had Celia dan maar voetstoots aangenomen: moeilijkheden met Tomaso, man aan de horizon – je weet maar nooit, of iets in verband met het kantoor dat voor haar in gereedheid wordt gebracht.

'Nee', zegt ze. 'Neenee. Integendeel.'

Ann Cuylens komt als geroepen: over die drie anonieme maanden wil zij ook wel eens haar hart luchten.

Een kwartier later zitten ze in het dorpscafé. Het is half vier in de namiddag, tussen hen in staan twee glazen port en liggen twee in plasticfolie verpakte kaasrepen. Het is een van de voordelen van je eigen baas te zijn: geen opgelegde lunchpauzes of bedrijfskeukens, je pauzeert wanneer het je uitkomt en eet wat je wil. Dat de tijd almaar schaarser wordt en de pot daarom niet gezonder, is een aanvaardbare prijs.

'Jij eerst', zegt Celia, 'en daarna ik.'

Met vrouwen samenwerken bevalt haar wel. Ze blijven zoveel dichter bij huis, minder geneigd als ze zijn een scheiding te trekken tussen leven en werken, afstand te doen van zichzelf ten behoeve van een zogenaamd hogere zaak. Misschien leren eeuwen van luiers verversen je dat wel: dichter bij de kern van het bestaan kom je niet, verder van resultaten om mee uit te pakken ook niet. Gewoon is dan al vlug genoeg, en op één generatie verdwijnt zoiets niet uit je genen. Voor vrouwen zal textielindustrie nog wel een poosje borduurwerk blijven.

Is het dat? Of is het de verwantschap op borst- en kutniveau? Zwellingen op dezelfde plaatsen, bloed langs dezelfde kanalen: vormen en vochten waaraan vrouwen elkaar herkennen. Eén blik volstaat, al kijken ze niet met dezelfde ogen; aan één woord hebben ze genoeg, al spreken ze niet dezelfde taal. Wijfjesdieren onder elkaar.

'Ik weet niet hoe ik moet beginnen...' Ann frunnikt aan de kaasverpakking.

'Er is een probleem...' zegt Celia bemoedigend.

Ann knikt en schuift de reep opzij.

'En?' Even niet denken aan wat Marcus W.E. Dubois heeft beslist. Even volle aandacht voor wat haar zo dadelijk zal worden toevertrouwd. Ze ziet Ann diep ademhalen, hoort haar zuchten en zeggen, starend naar het tafeloppervlak: 'Ik weet dat je erop gerekend had dat wij zouden samenwerken....'

Aan de hoek van de tap zit een man in joggingpak te smoezen met de cafébazin. Hij heeft een stoppelbaard en een nest van dof haar. Voor hem, naast een verschaald glas bier, ligt zijn zeildoeken petje. Laat winterlicht beschijnt het stof op de tafels.

'Ik had dat ook graag gedaan', zegt Ann. 'Maar...'

Geen paniek. Nog niet.

'... Wim wil me terug op de krant', zegt Ann.

Haar hart schakelt naar een hogere versnelling. 'En, wat heb je gezegd?'

'Ik kan niet anders', zegt Ann.

'Ik dacht dat jij daar weg wou?'

'Ja', zegt Ann. Ze nipt van de port.

'Ik dacht dat jij andere dingen wou doen?'

'Jaja.' En ze trekt de kaas weer dichterbij.

'Wel dan?'

'Dat is ook de bedoeling...' zegt Ann voorzichtig.

'Dat je andere dingen gaat doen?'

Ann knikt en tilt de reep op tussen de toppen van haar wijsvingers.

'Wim Schepens?' zegt Celia ongelovig. 'Je weet toch wat hij zegt, achter je rug? Ik ben er bij hem voor gaan pleiten om jou ander werk te geven. Weet je wat hij zei, toen?'

De kaasreep valt op de tafel.

'Toch niet Ann Cuylens met haar luie krent, zei hij. Sorry hoor, maar...'

'Blijkbaar heeft hij zijn mening herzien', zegt Ann koel en ze scheurt de strip open.

Ze eten de kaas op en bestellen nog een tweede port. Rondje van de man op de barkruk, zegt de bazin. Ze schenkt ook zichzelf bij, iets uit de kast achter de toog, een borrel. De kaas glanst als was en smaakt als rubber.

'Ze geven me een forse loonsverhoging', zegt Ann Cuylens. 'Ik kan het geld gebruiken, Celia.'

'En Tomaso?' werpt Celia op. 'Wij zouden een regeling uitdokteren, weet je nog?'

'Ze laten me thuiswerken', zegt Ann. 'Ik hoef niet elke dag naar de redactie.'

'Liefde,' zegt de man op de barkruk, 'dat is toch waar we allemaal naar op zoek zijn? Of niet soms?'

'Zo is dat, Frans', zegt de bazin.

'Drieënvijftig jaar', wauwelt de man.

'En wat ga je dan zoal doen?' vraagt Celia.

'Interviews... Reportages...'

Ann bloost tot in haar hals. Zeker de port.

'Ze vertelde honderd keer hetzelfde', zegt de man. 'Zette de pannen op het vuur en vergat ze. Zelfs mijn naam wist ze op het laatst niet meer.' Als een zeis zwaait zijn hand boven zijn bierglas.

'Ik hoop dat je me begrijpt', zegt Ann Cuylens. 'Zo'n kans krijg ik nooit meer.'

Dat had zij ook gedacht, en ze had de hare gegrepen. Kansen moest je grijpen als ze zich aandienden, herkansingen waren er zelden bij. Maar als Ann moet kunnen rekenen op haar begrip, waar moet zij dan heen met haar woede?

Bamboestokken. Net als op haar bureau. Bamboestokken, omkranst door witte kerstrozen.

Zij (verontwaardigd): 'Ann Cuylens gaat terug naar de krant?!'

Marcus W.E. Dubois (flegmatiek): 'Ja.'

Veel kent ze niet van voetbal, maar zo ongeveer moet het zijn, als de bal voor je neus wordt weggedribbeld op het ogenblik dat je er tegenaan wil schoppen. Ja: meer niet. Ja: zo is dat; ja: dat wist ik al.

Tot nu toe is er alleen een proefnummer van *Adam* gemaakt. Maar nu begint het echte werk, nu wordt het ernst. En net nu...

'Ik kan dit onmogelijk alleen', zegt ze. Zo klinkt Kamiel ook, als hij geen zin heeft in huiswerk.

'Maak je geen zorgen', zegt Marcus W.E. Dubois. 'Je krijgt een vervangster. En tot zolang blijft Ann wel...'

Alles voorzien, alles geregeld. Ze hoeft niet ongerust te zijn, ze hoeft zich nergens om te bekommeren. Dat ze misschien minder ongerust zou zijn, als ze zich om wat meer zou mogen bekommeren, komt niet bij hem op.

'En die interviews voor de krant?' sputtert ze. 'Die kan ik er niet bij blijven nemen.'

'Natuurlijk niet,' zegt hij, 'ook daar hebben we aan gedacht. Wij vragen heus geen bovenmenselijke inspanningen van je, Celia.'

'De reeks stopt?'

'Nee,' zegt hij, 'dat zou jammer zijn.'

Er ontbreekt een schakel. 'Wacht even', zegt ze. 'Ik ben het Grote Mysterie. Ik verschijn niet in *Adam*. Maar ik verdwijn wel uit de krant. Waar ben ik dan?'

'Jij verdwijnt helemaal niet uit de krant', zegt hij. 'Jouw naam zal onder die interviews staan. Maar iemand anders zal ze maken.'

Zoals hij daar tevreden zit te blozen boven zijn bleekroze hemdsboord, duimen achter zijn bretellen. Alles onder controle, zaakjes voor elkaar.

'Ik geloof dit niet', zegt ze. 'En wie zal die interviews maken?'

'Ann Cuylens', zegt Marcus W.E. Dubois. 'Heeft ze je dat niet gezegd?'

Celia, heb je een ogenblikje? De stem van Hans Tertilden, uit de verte. Maar ze hoort hem niet, ze wil hem niet horen. Ze gaat door, haar benen zijn niet te stoppen, ziedend stappen ze het kantoor van Wim Schepens binnen. 'Dit is niet eerlijk van je!' roept ze.

Ook bamboestokken. Ook kerstrozen. Ook witte.

'Celia?' zegt hij verrast maar vriendelijk. 'Ga zitten.' Hij sluit de deur achter haar. 'Waar kan ik je mee helpen?'

'Helpen?! Jij hebt Ann van me afgepakt.'

'Celia,' wiebelt hij, 'je pakt geen mensen af.'

'Jij wel! Jij wel!!' Haar stem slaat over. Zowat de hele redactie kan haar horen. Dit loopt fout, ze moet zichzelf in de hand houden. Maar er zit te veel stoom op de ketel...

Hij duwt op de intercom, vraagt de secretaresse geen telefoons door te geven en hem niet te storen. Zijn zwartleren ecostoel kantelt achterover, hij legt zijn benen naast zijn computerscherm. Cowboylaarzen met afgelopen hakken. 'Ik kan niet iedereen missen', zegt hij. 'Hoe moet ik anders een krant maken? Eerst jou kwijt, daarna Ann. Mijn beste krachten...'

'Je beste krachten', herhaalt ze, spottend.

'O, kom op Celia,' zegt hij, 'dat weet jij maar al te goed.'

'Dat heb ik je anders nooit horen zeggen. En wat Ann betreft: haar luie krent, weet je nog?'

'Mensen veranderen', zegt hij. 'En gelukkig maar.'

'Toch geen interviews onder mijn naam, Wim!'

'Ik heb gezien wat ze voor *Adam* gemaakt heeft. Ze doet dat heel goed, of niet soms?'

'Natuurlijk', zegt ze. 'Waarom denk je dat ik haar zo graag wou?'

'Wel', zegt hij, 'dan zal je je niet voor haar hoeven schamen.'

Ik vertrouw jou niet, denkt ze. Ik vertrouwde je vroeger niet, en ik vertrouw je minder dan ooit, nu mijn intuïtie is versterkt door iets veel intiemers. Ze leunt voorover, kijkt hem strak in de ogen. 'Wim Schepens, zoiets doe je niet!'

Hij zet zijn voeten op de grond, leunt op zijn beurt naar haar toe. In zijn blik een vertrouwelijkheid, die refereert aan iets wat ze liever zou vergeten. Iets wat hier niet de minste rol zou mogen spelen. 'Weet je wat het probleem is met jullie journalisten?' zegt hij plagend. 'Jullie hebben toch zulke grote ego's!'

'Dat heeft er niets mee te maken! Het is gewoon niet eerlijk.'

'Ik dacht dat jullie vriendinnen waren.' Hij gaat rechtop zitten, haalt zijn schouders op. 'Je beseft toch dat dit voor Ann een unieke kans is. Beschouw het als een onderdeel van de stunt, Celia. Wij zijn niet oneerlijk, wij stellen het moment van de waarheid alleen eventjes uit.'

'Jij praat al net als Marcus', zegt ze neerbuigend.

'Dat beschouw ik als een groot compliment', zegt hij.

En zwaait zijn cowboylaarzen weer op het bureau.

Verantwoord sorteren

Ik hou ermee op. Laat ze maar iemand anders zoeken. Iemand anders om dat tijdschrift te maken, in plaats van iemand anders om die artikelen te schrijven. Reken maar dat het door haar hoofd gaat.

Zij, met haar grote ego. Maar ook: zij, met al haar moeite voor niets. Want dat is waar het dan op uit zal draaien: stoppen, in het midden van de Rubicon. Is dat zoveel beter?

Ze voelt zich misselijk. Maar is ze dat niet bij elke zwangerschap geweest? Eerst met Kamiel, daarna met Kassandra, waarom dan nu niet met *Adam*? Misselijk zijn en kotsen: een beroerde tijd waar je doorheen moet. Wat betekent het, achteraf bekeken?

'Volhouden', zegt haar moeder. 'Niets gaat zonder slag of stoot. Denk aan je vader, kind; hoe heeft die niet moeten knokken! Het lukt je wel, ik ben er zeker van. Maar je moet volhouden, je mag je niet van je stuk laten brengen. Die mannen hebben tenslotte ervaring. Ze hebben het vast goed met je voor. Ze hebben er toch alle belang bij dat jij slaagt.'

Bemoedigend, vol vertrouwen, overtuigd van de goede afloop. Zo heeft haar moeder zich altijd opgesteld, vroeger tegenover haar vader en nu tegenover haar. En wat dan nog als ze even weinig af weet van het werk van haar dochter als van dat van haar echtgenoot? Ze probeert het wel te volgen, en tot haar opluchting valt haar dat makkelijker met woorden dan met chemische formules. Maar het blijft meer goede wil dan belangstelling, meer interesse voor welzijn dan voor werk.

Geruststellen als mantra: 'Het komt goed, je zult zien, het komt wel goed.'

Mag Celia Borstlap, voor ze verdergaat, even op adem komen? Mag ze dat zichzelf gunnen, zichzelf en dat verwaarloosde vlees en bloed van haar? Het kan niet alleen papier zijn waar het hart voor klopt. In geen weken is ze zo vroeg naar huis gereden. Op de achterbank van de auto staat de tas met onaffe taken: drukproeven om na te lezen, brieven om te beantwoorden. Ergens tussen die stapel bevindt zich ook haar voornemen nooit werk mee naar huis te nemen. Een keer maar, ze doet het later op de avond wel.

Als spijbelen voelt het: het hele huis voor haar alleen, Tinus nog op zijn werk en de kinderen nog op school. Ze zal ze verrassen, iets lekkers voor ze koken, er is vast wat te vinden in de kast. Ze zal de tafel dekken met kaarsen en tot vliegtuigjes gevouwen servetten. En een toetje, een toetje zal er zijn – vanillevla met koekjeskruimels, daar zijn de kinderen dol op.

Als ze in de keuken komt, ziet ze de rotzooi. De vuilnisemmer is uit de kast gekanteld, de keukenvloer bedekt met troep. Fruitschillen, halfafgekloven ribbetjes, papierproppen en knutselresten, zand met keutels uit de konijnenbak, lege blikjes waar smurrie uit gesijpeld is, de korsten van de pizza's die Tinus gisteren heeft gehaald. Verdomme!

Verantwoord sorteren. Het is een terugkerend twistpunt tussen hen. Hij wil er niet aan, en zeker niet meer sinds hij gemerkt heeft hoe de witte en groene containers, waarin de buurtbewoners netjes respectievelijk licht en donker glas dumpen, door de ophaaldienst in een en dezelfde laadbak worden leeggemaakt. Laat ze eerst zelf maar eens het goede voorbeeld geven, laat ze maar eens beginnen met de grote overtreders. En vrolijk lapt hij alle voorschriften aan zijn laars en verklaart haar voor gek als zij, met een boos gezicht en plastic handschoenen aan, zijn nalatigheid ongedaan maakt.

Daar, afval tussen het afval, ligt het. Wit als de onschuld. Lijfje uitgetrokken, buikje kaal en roze. Rode oogjes gebroken en bloed tussen de ontblote tanden. Kwak braaksel in het verlengde van de kop en kleinere kwakjes eromheen. Toni, het dwergkonijn.

Ze hurkt neer, voelt aan het stijve koude lijfje, streelt de harde droge neus. Plots ziet ze in het braaksel iets glinsteren. Ze neemt een vork en peutert het eruit, kokhalzend. Twee nietjes.

Opbaren, is haar eerste gedachte. Op een kussen in het poppenbedje, met kaarsjes eromheen. En dan samen met de kinderen begraven, ergens buiten de stad, waar het mag of waar niemand het ziet.

Maar dat kan pas in het weekend en zolang kunnen ze onmogelijk wachten. Het beest ziet er nu al weinig vredig uit, met die opengesperde mond en dat in kramp verstarde lijfje. Hoe meer ze erover nadenkt, hoe minder geschikt het idee haar lijkt. En veel meer tijd om te denken rest haar niet: dadelijk staan de kinderen hier.

Weg dan maar, gewoonweg verdwijnen. Geen akelige beelden, geen nachtmerries achteraf. Kamiel en Kassandra zijn nog klein, ze hebben nog alle tijd voor de dood.

Ze scharrelt onder de gootsteen naar een plastic zak. Maar plastic is zo koud, zo onverbiddelijk. In de lade van de kleerkast vindt ze een sjaal die ze in geen jaren meer heeft gedragen. Wit bont in donkerblauwe zijde, en dan pas plastic eromheen: dat is beter. Ze sluit het pak met elastiek en neemt de lift naar de kelder.

Als ze voor de afvalcontainers staat, aarzelt ze: kan hij niet beter in de groene? Vergaan tot compost, samen met fruit en groenten en hier en daar een bloem, in plaats van weg te rotten tussen onverteerbaar gif? Maar dat betekent: hem uit het pak halen, hem bloot bovenop de gistende hoop gooien. Nee, dan toch liever bij het restafval.

In elke hoek, onder elke kast, achter elke deur zoeken de kinderen. Ze verzekert hun dat hij onvindbaar is, maar ze geven niet op. Ze scharrelen rond als krabben, op handen en voeten. Ze hoort ze roepen, terwijl ze Tinus toefluistert wat er gebeurd is. 'Toni!' 'Toni?'

'Ik heb het deurtje gesloten,' zegt Kassandra, 'ik weet heel zeker dat ik het deurtje vanmorgen heb gesloten.'

'Hebben we geen foto van Toni?' vraagt Kamiel. 'Dan kunnen we die ophangen in de supermarkt. Zoals met honden en katten.'

'We laten de kooi open', zegt Kassandra, 'En we leggen er hele lekkere dingen in. Misschien komt hij dan vanzelf wel terug.'

'En met kinderen', zegt Kamiel. 'Met kinderen die ze niet vinden.'

Ze heeft de keuken maar net op tijd opgeruimd gekregen. Aan een toetje is ze niet toegekomen, zelfs in koken heeft ze geen zin, en Tinus evenmin. Ze maakt thee, zet melk en brood en beleg op tafel. Er wordt amper gegeten, zelfs niet van de chocolade. Ze ziet de proppen in de wangen van de kinderen. Ze hoort ze slikken.

Later, als ze hen gaat toedekken, vindt ze hen samen in Kassandra's bed. Armen in elkaar gehaakt bovenop het dekbed, haar dikke zwarte krullen op zijn blanke kinderschouder. Ze heeft het hart niet Kamiel naar zijn kamer te sturen.

'Toni komt toch terug, mama?' vraagt Kassandra.

'Als hij niet terugkomt,' zegt Kamiel, 'dan wil ik nooit meer een dwergkonijn.'

'Misschien is hij wel dood', zegt Kassandra.

'Zoals de kippen', zegt Kamiel. 'Op de televisie bij oma Suzy.'

'Of zoals oma Suzy', zegt Kassandra.

'Oma Suzy is toch niet dood, meisje', zegt ze.

'Dat bedoel ik', zegt Kassandra. 'Misschien wordt hij wel weer levend.'

'Het is mijn schuld', zegt Tinus. Hij zit op de bank, ellebogen op zijn knieën, hoofd op zijn handen.

'Het deurtje van zijn hok stond open...' sust ze.

'Dat heeft hij zelf gedaan', zegt hij wanhopig. 'Heb je de tralies gezien, hoe verwrongen die waren? Hij moet uitgehongerd geweest zijn, ik heb hem niet te eten gegeven, vanochtend. Ik ben het gewoonweg vergeten.'

Ze kan maar beter zwijgen over de nietjes, en over het huisvuil al helemaal.

'Ik ben er niet bij met mijn gedachten.' Hij schudt zijn hoofd, ogen neergeslagen.

Ze gaat naast hem op de bank zitten. 'Wat is er?'

'Problemen op het werk', zegt hij.

'O!'

Niet nu, is het eerste dat bij haar opkomt. Nu even niet. Maar hij gaat al verder.

'Die hufters willen er niet van weten.'

'Welke hufters? Van wat?'

'De nieuwe Tuymansen. Van de feestjes.'

Het jaarlijks bal, het sinterklaasfeest voor de kinderen, de

reünie van de gepensioneerden, de zomeruitstap en het nieuw-
jaarsdiner... Beleggingen Tuymans & Zonen is een familiezaak en
de feestjes van Beleggingen Tuymans & Zonen zijn familiefeest-
jes. Bij Beleggingen Tuymans & Zonen is het salaris matig, maar
de sfeer goed: iedereen kent iedereen en tradities worden in-
standgehouden. Maar nu de oude Tuymans dood is en de Zonen
het roer hebben overgenomen, gelden er blijkbaar andere regels.

'Geen enkel feestje meer?'

'Jawel', zegt Tinus. 'Maar minder, en wij mogen ons er niet mee
bemoeien. Ze zullen worden uitbesteed aan een gespecialiseerd
bedrijf. Professioneel en fiscaal aftrekbaar, snap je.'

Een kind, denkt ze. Een kind dat nooit is opgehouden met spelen. Het geeft hem die lichtheid, maar ook die onredelijkheid.
Het heeft haar altijd vertederd, maar vanavond irriteert het haar.
Terwijl zij zich uit de naad werkt, kreunt hij onder een of andere
valse baard. Haar hocus-pocusman. Haar Joe Cocker.

'Kom Tinus,' zegt ze, 'er zijn ergere dingen.'

'Het is daar niet meer hetzelfde, Celia. Het is daar echt niet
meer hetzelfde.'

Hij zwijgt, kijkt nors naar de grond. Een kind, en ze hebben
zijn speelgoed afgepakt. *What do you see when you turn out the light?* Ze
voelt zich verschrikkelijk moe, ze wil naar bed, ze wil slapen.

'Er is overal wel wat', zegt ze. 'Denk je dat het voor mij van een
leien dakje loopt?'

Hij heft zijn hoofd op, kijkt haar aan. In zijn ogen is iets wat ze
er nooit eerder in gezien heeft en wat ze niet kan thuisbrengen.
Onrust? Teleurstelling? Wantrouwen?

'Ik weet het', zegt hij. 'Jij bent hier de enige met problemen.'

Schorten en spierballen

'Ik begrijp jou niet', zegt Tinus. Ze heeft een Woord Vooraf geschreven voor het eerste nummer en het ondertekend met De Hoofdredactie. Haar naam is ze voorlopig kwijt, maar haar pen laat ze zich niet afnemen.

'Ik begrijp jou niet', en hij geeft haar de tekst terug tussen duim en wijsvinger, alsof hij hem heeft opgevist uit het riool. 'Hier staat dat het allemaal anders zou kunnen en dat de tijd daar rijp voor is. Dat er dingen zijn in het leven waar mannen nooit aan toe zijn gekomen. Dat ze daar recht op hebben en dat ze daar tijd voor moeten maken. Waarom merk ik daar dan niks van?'

'Ik zie alleen maar dat jij jezelf voorbij holt en dat ik opdraai voor de rest. Wil je me dat eens uitleggen?'

'Ik begrijp jou niet', zegt Ann Cuylens. 'Waarom zou je iets veranderen aan je Woord Vooraf?' Ze is haar bureau aan het leeghalen. Ze heeft haar laatste stuk voor *Adam* ingeleverd: een interview met een seksuoloog over de stijgende impotentieproblemen bij mannen.

'Omdat ik me zo lullig voel', zegt Celia. Ze leunt tegen de vensterbank, rug naar het raam, en kijkt toe hoe Ann viltstiften en paperclips in een kartonnen doos laadt. 'Ik verkoop goede raad bij hopen! Maar ondertussen schuif ik wel alles af op Tinus. Hij heeft gelijk: als ik iets wil veranderen, kan ik beter beginnen bij mezelf. Ik heb nergens meer tijd voor, ik werk van 's ochtends tot 's avonds. Kamiel stopt al weken vuile onderbroeken onder zijn matras en Kassandra is twee melktanden kwijt en ik heb het niet eens gemerkt.'

'Waarom praat je niet eens met Marcus?' suggereert Ann. 'Hij moet toch inzien hoe onlogisch het is, wat hij van je vraagt.' Ze klemt de kartonnen doos in haar linkerarm, schept met haar rechter- een papierstapel op, met bovenop een foto van Tomaso. 'Sorry hoor, maar ik moet ervandoor, ik haal de rest morgen wel op. Wim heeft weer een van zijn fantastische ideeën en zoals je weet zijn die altijd urgent.'

'Ik hoop dat je me begrijpt', zegt Celia tegen Marcus W.E. Dubois.
'Jij bent een kaderlid, Celia', zegt Marcus. 'Kaderleden kennen geen uren.'
'Jij vraagt me een tijdschrift te maken voor de Nieuwe Man', zegt ze, 'Maar ondertussen maak je van mij een man van de oude soort.'
'Zo had ik het nog niet bekeken.' Hij grinnikt. 'Maar ik moet toegeven: er zit een verrassende logica in.'
'En volgens diezelfde verrassende logica is er voor een Nieuwe Man alleen maar plaats onder aan de ladder?'
'Onze missionaris!' lacht hij. 'Wij zijn niet bezig met de wereld te veranderen, Celia! Wij maken alleen maar een tijdschrift. En dat wordt een megasucces, geloof me, dat wordt een megasucces: het eerste nummer is niet eens uit en we worden al overstelpt door aanvragen voor interviews.'
'Jij', zegt ze. 'Niet: we.'
'Zo zie je maar', zegt hij. 'Ik neem je zelfs werk uit handen!'

Op alvast één vlak blijken Nieuwe Mannen niet anders dan Oude, en mannen niet eens zo anders dan vrouwen. Lessen uit de kindertijd groeien uit tot overtuigingen: 'Wees braaf en je krijgt een snoepje' tot 'Koop dit tijdschrift en we belonen je met een extraatje'. Geef de Nieuwe Lezer het gevoel dat hij meer krijgt dan waar hij voor betaalt. Lok hem met iets lekkers.
Pasta Cotta biedt 120.000 schorten aan. Verpakt in cellofaan, op formaat van het tijdschrift, evenveel stuks als de oplage. In het eerste nummer staan drie pagina's snelklaarrecepten van bekende mannelijke koks en een schort zou daar naadloos bij aansluiten. Geen kanten niemendalletje, maar een kloeke katoenen schort, een half mannenlijf groot en zo donker dat er geen vlek op te bespeuren valt. (Mannen lepelen niet zomaar wat in potten, zij verrichten noeste arbeid en dat mag worden gezien, zowel aan de staat van hun keuken als aan de efficiëntie van hun kleding – gemaakt om te werken, niet om te behagen.)
Ze zitten in het Zwembad rond de vergadertafel. Marcus W.E. Dubois, Guy De Maarschalk, Hans Tertilden, Wim Schepens en

Celia Borstlap. Vier mannen en een vrouw op zoek naar een lok-aas.

'Een wat?!' zegt Wim Schepens.
 'Een schort?' zegt Hans Tertilden.
 'Wel erg voor de hand liggend', geeft Celia toe.
 'Voor de hand liggend!?' echoot Hans Tertilden.
 'Noem jij dat voor de hand liggend?' vraagt Wim Schepens.
 'Nieuwe Man = schort', zegt ze. 'Niet bepaald origineel, toch?'
 'Promotieacties moeten niet origineel zijn', zegt Guy De Maar-schalk. 'Promotieacties moeten aanslaan.'
 'De plaats van de man is in de keuken: is dat de boodschap waarmee *Adam* naar zijn lezers wil?' vraagt Wim.
 'We zeggen niet dat ze moeten, we zeggen enkel dat ze kun-nen', zegt Celia. Een schort, begrijpt ze, is helemáál niet voor de hand liggend. Maar moet ze daarom zowel zichzelf verdedigen als een lokaas waar ze in oorsprong niet voor gewonnen was?
 'Ons doel is lezers te winnen', zegt Guy. 'Niet ze af te schrikken.'
 'Bedoel je dat Nieuwe Mannen bang zijn van schorten?' vraagt ze.
 'Ik zeg alleen dat wij ervaring hebben met dat soort acties', zegt hij.
 En dat ze het dus maar beter aan hen kan overlaten.

Ze had het kunnen weten. Niet de zwangerschap, maar de beval-ling is het zwaarst. Het komt ook door de manier waarop: dat je daar ligt en het zware werk moet doen, dat van jouw draag- en duwkracht afhangt of de entree in de wereld succesvol zal zijn of niet, maar dat ondertussen zowat iedereen die erop staat te kijken daar een mening over heeft die hoger wordt ingeschat dan de jouwe. Hop, op je rug, benen in de beugels en persen als wij het zeggen.

'Laten we constructief blijven', zegt Marcus. 'Misschien is een schort inderdaad wat eenzijdig. Maar waarom zo krenterig? Wat kunnen we nog meer weggeven? Iets totaal anders. Een tegenge-wicht.' Vragend kijkt hij de tafel rond.
 'Misschien is Memling grote kunst. Maar als je 't mij vraagt lijkt die Adam van hem op een koorknaap. Die kan best wat meer

97

body gebruiken...' zegt Wim Wonderboy met de brede, behaarde borst en de buik van beton.

Hans Tertilden grinnikt. Marcus W.E. Dubois trekt zijn wenkbrauwen op.

'Fitness!' zegt Wim.

In gedachten ziet Celia hem zwetend over de loopband joggen. Ze ziet hem gewichten heffen, zijn spieren trillen, zijn aders zwellen. Fitness – ook geen toonbeeld van originaliteit. Maar ze zwijgt.

'Mmmm', doet Marcus.

'Een trimsessie', zegt Hans. 'Daar zie ik wel wat in.'

'Nu komen we in de buurt,' zegt Guy, 'en daar wat redactionele ondersteuning bij...'

'Dat is Celia's afdeling.' Marcus W.E. Dubois knikt in haar richting.

'Ik dacht dat de promotie de redactie zou ondersteunen, niet omgekeerd', zegt ze.

'Jaja', zegt Marcus. 'Maar zo strak moet je dat nu ook weer niet interpreteren. Het is een kwestie van geven en nemen. Idealiter gaan die twee hand in hand.'

'Je gaat me toch niet vertellen dat je niet zo'n aftrimstuk hebt', zegt Wim. 'Na de feestdagen wil iedereen een pondje kwijt. Zelfs het eerste het beste damesblad heeft er in deze periode een.'

'*Adam* is niet het eerste het beste damesblad', weert ze zich.

'Kom, kom', sust Marcus. 'Dan kopen we toch een stuk waar dat abonnement bij past!'

De volgende dag valt in haar mailbox een bijdrage over het mannelijk uiterlijk door de eeuwen heen. De tekst is mager, de ondertekening beperkt tot initialen: B.L. Maar de illustraties zijn overvloedig en dat bevalt Hans Tertilden zeer. Gedreven gaat hij aan de slag met de David van Michelangelo, met Lord Byron en Alfred de Musset, met Gary Grant en Brad Pitt. Ooit, ergens in de loop van de geschiedenis, is om het even welk type man een Adonis geweest. Zelfs – kijk naar de sinaasappelbipsen van Rubens! – de directeur-generaal van Dubois Publishers & Co.

De ene Hans (Tertilden) zet de andere Hans (Memling) naar zijn hand. Hele avonden en het hele weekend werkt hij door, aangespoord door de aankoopcheques die Marcus W.E. Dubois hem heeft gegeven, om zijn afwezigheid bij vrouw en kind te verzachten. Hij bedekt Adams naaktheid met een kuitlange blauwe schort en geeft hem met een eenvoudige druk op de knop, wat hem in werkelijkheid wekelijks 3 sessies van 3 x 15 push-ups van 35 kg zou kosten: twee goedgevormde bovenarmen.

Kookkunst of kracht: de Nieuwe Man hoeft niet te kiezen. Als hij het startnummer van *Adam* koopt, maakt hij kans op alle twee.

En persen! Een twee drie! Daar is *Adam*!

Gedaan met verstoppertje spelen! Eindelijk geven de reclamepanelen hun geheim bloot. De affiches zoomen in op wat tussen heupen en dijen van de eerste (en elke volgende!) man ligt: zijn bron van kwelling en genot, zijn kwetsbaarheid, zijn trots. Kijk naar die bleke haarloze huid, die ranke meisjesachtige lendenen, die slanke vingers.

Maar wat houden deze vingers vast, waar bedekt deze man zijn geslacht mee? Dit is geen vijgenblad, dit is een tijdschrift – een tijdschrift dat zijn naam draagt. De eerste man als uithangbord voor de Nieuwe Man – alsof de evolutie niet heeft plaatsgevonden, alsof Darwin zich van theorie heeft vergist, alsof de man opnieuw moest worden uitgevonden.

Op Eva hoeft deze Adam niet meer te rekenen: zij is buiten het kader gevallen, van hem weggesneden, zoals ooit de rib waaruit zij werd geboren. Twee weken heeft ze op de affiches haar verleidingskunsten overgedaan, en nu is ze verdwenen – god weet waarheen. Adam staat er alleen voor, met zijn tijdschrift.

Voor eeuwig, tot de dood ons scheidt

Ze neemt het eerste nummer mee naar huis, legt het met een ietwat plechtig gebaar op tafel.

'Wat een rare meneer', wijst Kamiel, over de cover heen gebogen.

'Adam', wijst ze op de titel. 'Adam is zijn naam.'

'Mag ik ook eens kijken? Ik wil ook eens kijken!' Kassandra klautert op de stoel, wringt haar hoofd tussen hen in. 'Ken jij die mijnheer, mama?'

'Adam', verbetert Kamiel wijsneuzerig. 'Die mijnheer heet Adam.'

Kassandra port in haar zij, rukt aan haar mouw. 'Mamaaaaa! Kén jij die rare mijnheer?'

'Een beetje, schat', zegt ze. Want dat hoopt ze toch: dat ze hem, al was het maar een heel klein beetje, kent.

'En wat is dat?' Kassandra trekt het pakje in cellofaan van tussen de bladzijden.

'Een cadeautje', zegt ze.

'Voor ons?' roept Kamiel.

'Nee.'

'Voor wie dan? Voor wie dan, mama?'

'Voor papa', zegt ze.

Papa die in de fauteuil zit. Die daarnet een blik op de cover heeft geworpen: 'O, is dat hem?' Die het magazine ter hand heeft genomen, het heeft bekeken aan de achterkant en aan de voorkant, en het dan met een zucht heeft neergelegd. En die dan in de fauteuil is gaan zitten, en heeft geantwoord dat het er goed uitzag toen ze er naar vroeg, goed (niet: leuk, niet: geweldig; goed). Papa, die in zijn fauteuil zit te kijken naar een televisiequiz.

'Papa', roept Kamiel.

'Papa, een cadeautje voor jou', roept Kassandra.

Maar papa hoeft geen cadeautjes. Hij hoeft geen schort en hij hoeft ook geen fitnessbon, al zou hij best wat meer tonus kunnen gebruiken. Niet dat hij vroeger anders was, maar wat Celia toen omschreef als smal, is ze nu veeleer slapjes gaan vinden. Dat komt ervan als je begint te vergelijken – wat je niet hoort te doen maar onwillekeurig toch doet, aangezien gedachten zich minder goed laten intomen dan lust.

'En wij?' vraagt Kassandra. 'Wanneer krijgen wij een cadeautje?'

'Ja,' valt Kamiel zijn zus bij, 'wanneer krijgen wij een cadeautje?'

Zo doet Hugo zijn intrede. Hugo is een bruin en wit gevlekte hamster. Op zijn breekbare, altijd bezige schoudertjes rust een dubbele taak: Toni te doen vergeten en Celia's schuldgevoel af te kopen. Hugo is mannelijk, heeft de eigenaar van de dierenwinkel verzekerd, terwijl hij het diertje uit de houtkrullen scharrelde. Niet lang daarna later ontdekken Kamiel en Kassandra bij hun terugkeer van school in een hoek van het hok vier minuscule roze biggetjes.

Onder luid protest van de kinderen en met een voor hem ongewone onverbiddelijkheid, brengt Tinus de jongen terug naar de dierenwinkel: niet nog meer drukte in huis!

Hugo heet eigenlijk Huguette. Maar aan een naamswijziging komen ze niet toe. Wat doet het er ook toe voor een hamster, die een eenzaam en gekooid leven tegemoet gaat, hoe ze heet en of ze al dan niet teelballen heeft?

Hoewel. In sloten en rivieren zwemmen brasems met zowel sperma als eicellen in de kuit. Niet de natuur is daarvoor verantwoordelijk – de ongerepte, onschuldige, geduldige natuur – maar de vervuiling van de oppervlaktewateren. Met mest van veehouders, met chemische stoffen die de werking van oestrogeen nabootsten. Maar ook met het oestrogeen, afgescheiden door miljoenen vrouwen aan de pil. Vandaag brasems, morgen hamsters, overmorgen de man? Allemaal de schuld van de vetmesters en de fabrieken. En ook – hoe je het ook draait of keert – de schuld van Eva. Appel of pil – wat maakt het uit?

Aha! is de meest bekeken talkshow van het land. Presentatie: Patricia die in werkelijkheid Patrick heet, wat niets te maken heeft met de vervuiling van de oppervlaktewateren, maar wel haar weinig elegante manier van zitten verklaart, linkerkuit onder rechterbips.

Tegenover Patricia, in de roze kuipstoel die een baarmoedergevoel moet oproepen, heeft Marcus W.E. Dubois plaatsgenomen. Buik tussen wijdopen benen, jasje achteloos op de knie, in hemdsmouwen. Met grote ogen staren de eendjes op zijn bretellen de gastvrouw aan. Of er behoefte is aan een magazine als *Adam*, heeft Patricia gevraagd.

'Er zijn wel tijdschriften voor hondenliefhebbers, voor toeristen in Papoea Nieuw-Guinea, voor vegetariërs (*bah!* doet Patricia) en sm-adepten (*ooooh*, kirt Patricia)', zegt Marcus W.E. Dubois. 'Maar om op je vraag te antwoorden...'

Celia hoort hem herhalen wat hij destijds tegen haar heeft gezegd, maar van een afstand klinkt hij veel minder overtuigend. Wat voor haar een doorslaggevend argument was – dat hij haar een baan had aangeboden – speelt hier niet de minste rol. Hij verdedigt *Adam*, maar hij doet het heel anders dan zij het zou hebben gedaan, en ze weet dat zij na hem nooit meer van nul af zal kunnen beginnen. Als zij het straks van hem overneemt, zal in haar woorden altijd een echo doorklinken van de zijne. Altijd zal ze worden afgemeten aan hem.

'En nu de vraag die ons allemaal bezighoudt...' begint Patricia.

'Daar had jij moeten zitten', zegt Tinus en ze zou hem kunnen vermoorden omdat hij zegt wat ze denkt. Hij zit aan tafel en laat een balletje heen en weer rollen op een touw tussen zijn vingers. Hij kijkt maar zijdelings naar het programma, maar hij stopt niet met het leveren van commentaar. Zelfs niet tijdens de reclamespots.

Onze missionaris, had Marcus W.E. Dubois haar genoemd, op een toon die het midden hield tussen spot en sympathie. Maar onder de baard en de witte pij heeft ze bij zichzelf iets ontdekt waarvan ze tot voor kort niet wist dat ze het had, of toch niet in die mate: ambitie. De missionaris heeft zijn best gedaan en nu wil hij erkenning – niet alleen van Celia Bis, niet alleen van Tinus en van Marcus en zijn hele kliek, maar van de hele wereld. Mannen en vrouwen, oude en nieuwe, zelfs Patrick/Patricia's.

Waar het Tinus aan ontbreekt, heeft zij in overvloed. Misschien is zijn baan bij de bank te saai voor ambitie. Misschien heeft hij de zijne daarom verplaatst naar wat zich afspeelt in de rand daarvan: de collega's, de feestjes, de goocheltrucjes. Er wordt hem niet meer gevraagd om ze te vertonen, maar hij blijft ze koppig instuderen, alsof de zonen Tuymans hun beslissing zullen herzien als hij dat maar lang genoeg volhoudt. Tinus heeft genoeg aan een touw en een balletje. Zij niet.

Ze kijkt naar hem. Zijn haar is zandkleurig geworden, zijn slapen bijna grijs. Er lopen rimpels tussen zijn wenkbrauwen en dwars door de kuiltjes in zijn wangen. Zijn ooghoeken zijn gaan afhangen, wat zijn gezicht een vermoeide en lusteloze uitdrukking geeft. Een volstrekte vreemde zou alleen de Tinus hebben gezien die voor hem staat, maar vertrouwelijkheid zet daar voor haar de Tinus van vroeger achter. Ze herinnert zich hoe hij was, ze ziet de sporen die de tijd heeft getrokken. Het is alsof ze iemand tegenkomt, die ze in geen jaren meer heeft ontmoet.

Ze mist iets, beseft ze plots. Al geruime tijd, al lang voor er sprake was van Marcus of *Adam* of Patrick/Patricia. Het heeft te maken met die machine die stilaan in gang is gezet, vrijwillig en met geestdrift zelfs, maar die gaandeweg al het andere heeft overstemd. Geprogrammeerd als ze is op zorg en klusjes, op over en weer rennen, op het geraas van kinderen en altijd alles samen, op naschoolse opvang en verjaardagsfeestjes en kerstmis vieren bij oma en zullen we dan vandaag maar naar zee? Op de implosie van de tijd.

Waar is dat luie lentegevoel, waar het ooit mee begonnen is? Waar die geur van zweet en sperma, bier en sigaretten, die er ooit onlosmakelijk bij hoorde – zelfs roken doen ze geen van beiden meer: te ongezond en een slecht voorbeeld voor de kinderen! Waar het verlangen dat aanvoelt als warm water, met een tintelend oppervlak waarop je wil drijven en een bodemloze diepte waarin je wil wegzinken. Voor altijd, mijn lief, voor eeuwig, tot de dood ons scheidt.

'Heb jij ooit gewild dat vader anders was?'
Ondanks de drukte probeert ze wat vaker bij haar moeder langs te gaan. Het stelt haar niet alleen gerust, haar moeder is ook een beter klankbord dan Tinus. Meer bemoedigend, minder vooringenomen.

'Soms wel', zegt oma Suzy. 'Als ik voor de zoveelste keer het eten moest opwarmen, omdat de laboratoriumtesten mislukt waren en je vader maar bleef proberen.'

'Maar je hebt nooit een andere man gewild?'

Haar moeder houdt haar hoofd schuin, ze fronst haar wenkbrauwen: 'Cel? Is er iets mis met Tinus?'

'Wat ik bedoelde is: een ander soort man', verbetert ze haastig.

'Je vader was je vader.'

'Neemt niet weg dat je met een ander soort man een ander soort leven had kunnen leiden...'

'Ach... Hoe ging dat?' Oma Suzy haalt haar schouders op. 'Je trouwde, je kocht een huis, je kreeg kinderen...'

'Toen toch niet, mams. Toen toch niet meer. Er waren toch genoeg vrouwen die...'

'Ik niet', zegt haar moeder resoluut. 'Zo ben ik nooit geweest.'

'En je hebt er nooit spijt van gehad? Nooit gedacht: had ik maar...?'

'Ach...' Een zwak glimlachje. 'Ik dacht wel eens... Maar mannen verander je niet in een handomdraai, Cel. Zeker je eigen man niet.'

'Voel je je werkelijk beter, mams?'

'Natuurlijk', zegt haar moeder. 'Waarom?'

'Omdat je een beetje bleek bent.' Een beetje vaal, bedoelt ze, een beetje geel zelfs.

'Zeker die nieuwe foundation', zegt oma Suzy. 'Ze laten het je uitproberen op je hand, maar dat is natuurlijk niet hetzelfde. Maar jij ziet er ook niet bepaald uitgerust uit, hoor. Zeker dat ik niet kan bijspringen met de kinderen?...'

'Maak je maar geen zorgen, mams. Dat doet Tinus wel.'

'Jij mag van geluk spreken. Zoals Tinus werden er in mijn tijd geen gemaakt.'

Even verdenkt ze haar moeder ervan te willen zeggen: pas jij maar op dat die Tinus van jou niemand anders wil. Maar hoezeer Suzy Borstlap-Waterschoot haar schoonzoon ook op handen draagt, de kansen van haar dochter gaan voor. Dus zegt ze dat niet, natuurlijk zegt ze dat niet.

Het enige wat ze zegt is: 'Wanneer kom jij nou eens op televisie?'

Het leven zoals het was

'Wanneer wordt het leven weer zoals het was?' vraagt Tinus.

'Wat is er fout met het leven nu?' vraagt Celia.

'Alles', zegt hij. 'Ik dacht dat dit maar voor eventjes was.'

'Misschien moeten we er nog eens een weekend tussenuit', zegt ze.

'Ik hoef geen weekend', zegt hij. 'Een doodgewone dag zoals vroeger is voor mij goed genoeg.'

'Maar we kunnen het ons veroorloven', zegt ze. 'We kunnen een ander soort leven leiden, nu. Wat meer genieten van de leuke kanten, wat vaker naar een restaurant of op reis gaan...'

Hij zet zijn koppige kindergezicht op. 'En wanneer zou jij dat doen? Je hebt nu al nergens meer tijd voor.'

'Dat komt wel weer, zegt ze. 'Dat komt straks wel weer. En we hoeven toch niet alles zelf te doen. We kunnen toch ook tijd maken. Een werkster nemen. Of een kindermeisje...'

'Een vreemde in huis? Ik denk niet dat ik dat wil.'

'Jij wil niks', valt ze uit, geïrriteerd. 'Jij wil alleen maar dat alles blijft zoals het is.'

En dat ik doe wat ik vroeger deed, denkt ze. Zodat jij dat niet meer hoeft te doen, of maar een klein beetje. En dat het balletje heen en weer rolt over een touw, zonder dat iemand merkt dat er parallel met dat touw nog een tweede draad loopt, dat wil jij.

'Wat is er daar verkeerd aan?' vraagt hij. 'Was het misschien niet goed zoals het was?'

Ja, het leven was goed zoals het was, maar daarom wil zij nog niet terug.

Een vijgenblad voor vijgen van venten. Zo noemt de columniste van een stoer mannenblad *Adam*. Waarom staat de eerste man weer aan de poort van het paradijs, vraagt ze zich af in haar column, waarom heeft hij opnieuw behoefte aan een schaamlap?

Want dát is wat dit nieuwe tijdschrift is, niet meer en niet minder: een schaamlap voor mannen, die het niet aandurven om open en bloot zichzelf te zijn, die bereid zijn hun paradijselijk bestaan op te geven omdat gefrustreerde vrouwen dat van hen verlangen.

'Prachtig', zegt Marcus W.E. Dubois, 'Zo wil ik het hebben! Van dat mens is toch bekend dat ze voor de concurrentie schrijft? Het is net als met die straatinterviews, iedereen wéét dat als je maar lang genoeg zoekt je wel iemand vindt die om het even wat verklaart! Láát ze zeggen, het doet er niet toe wát ze zeggen. Als ze er maar over praten. Dáár gaat het om.'

De feiten geven hem gelijk. Iedereen wil *Adam* zien, iedereen wil hem in zijn handen houden. En er wordt niet alleen gebladerd en gekeken, er wordt ook gekocht; door jong en oud, door mannen en – jawel! – ook door vrouwen. Stapels slinken zienderogen – in kiosken en krantenwinkels, benzinestations en supermarkten. Binnen de kortste tijd is de eerste oplage uitverkocht.

Marcus W.E. Dubois geeft een feestdronk. Hij houdt een speech vol superlatieven, waarna hij Celia zoent met een even onverwachte als onprofessionele heftigheid. Hij ruikt naar meiklokjes en oude rozen en laat op haar wang een plak koud zweet achter, die ze niet durft af te vegen waar iedereen bijstaat.

Alles wat bij wijze van felicitatie wordt afgegeven aan de receptie, laat hij haar bezorgen. Ze leest de gelukstelegrammen en schikt de ruikers in vazen en ziet hoe zich op haar toch al kleine vergadertafel een wildgroei ontwikkelt van wijn (flessen en kistjes), champagne (gewoon formaat en magnum), cognac en sigaren (zo te zien hebben mannen – Oude of Nieuwe, in of uit het paradijs – tradities waar ze niet van afwijken).

'Wees blij dat het niet allemaal bloemen zijn', zegt de receptioniste. 'Waar zou je ze zetten, Celia? Op de gang, zoals in een ziekenhuis?'

Niet lang daarna volgen de andere cadeautjes, al word je niet geacht ze zo te noemen. Stalen of proefpakketten is de term – of beter nog, kort en zakelijk: persinfo. Van geschenkverpakking is trouwens geen sprake: de afzenders hebben een zwak voor vastgeniet karton, ijzersterk nylondraad, balen noppenfolie en bergen piepschuim.

Het meest lijken deze colli's nog op de surprises die bij ouderwetse kerst- of nieuwjaarsfeesten horen. De wonderlijkste dingen komen eruit tevoorschijn: sneeuwschoenen, een stoomstrijkijzer, antitranspiratiesokken, een video over krachttraining, een keukenrobot, een handboek voor Kama Sutra, een scheerapparaat, condooms met passievruchtensmaak, een megafles superpower wasgel, drie bokalen met voedingssupplementen, een zweetband met ingebouwde hartslagmeter, een set voor huidverzorging in vijf stappen, met lippen en hartjes bedrukte strings, sokophouders, fopspenen met Dracula-tanden op het afdekplaatje, voldoende verantwoorde tussendoortjes om alle hoofdmaaltijden te kunnen schrappen, en lichtgevende manchetknopen (wie, behalve Marcus W.E. Dubois, draagt er nog manchetknopen?)...

Met de Nieuwe Man, zoveel is duidelijk, kun je alle kanten op. Afgaand op de variatie van wat haar wordt aangeboden, laat zelfs Guy De Maarschalk zijn argwaan varen. Misschien kunnen ze ook de jongerenadvertentiemarkt aanboren, niet alleen Adam lokken maar ook Eva en – 'waarom niet, Celia?' – het hele gezin.

Samen met de pakketten komen de uitnodigingen. Voor persconferenties, voorstellingen en demonstraties, modeshows en beautyfarms, beurzen en tennistoernooien, woestijnrally's en verre reizen. Kortom, voor alles wat Adam ook maar enigszins zou kunnen interesseren.

Bij de post zit een invitatie voor de galapremière van *La Traviata*. Ze had al lang naar de Nationale Opera gewild, maar tickets waren duur en beschikbare plaatsen schaars. Aangezien Tinus een hekel heeft aan sopranengekweel en toch iemand op de kinderen moet passen, vraagt ze haar moeder mee. Ze herinnert zich hoe die thuis altijd hele bedrijven meezong.

Stijf gekapt en zwaar opgemaakt zit oma Suzy naast haar dochter zachtjes mee te hummen. Ze draagt een Jackie Kennedy-achtige avondjurk die toevallig opnieuw in de mode is, maar haar nu veel te ruim zit. Haar hakjes staan naast haar kousenvoeten op de vaste vloerbedekking en de tranen stromen over haar wangen. *Ah! Gran Dio! Morir sì giovine, Io che penatoho tanto!*

Na afloop vindt in de foyer een receptie plaats. Spiegels weerkaatsen kristallen luchters, op het plafond zweven putti boven de hoofden van de gasten. Celia installeert haar moeder op een stoel met vergulde spijlen en een roodfluwelen zitje. Champagne in de hand, wurmt ze zich tussen de gasten door, op zoek naar een glas water voor haar.

Ze is bijna bij de bar, als zich uit de massa een rijzige man losmaakt. Ze ziet een zwarte smoking, een parelgrijze zijden T-shirt, een krachtige kaaklijn. En de brede glimlach waarmee hij haar een hand toesteekt.

'Moet je me niet opnieuw komen interviewen?' Stevige handdruk, vaag bekend gezicht.

'Opnieuw komen interviewen?' Ze stelt zich hem voor in een andere omgeving, in andere kleren.

'Voor dat mannenblad', zegt hij. 'Dat nieuwe mannenblad. Je weet wel?'

Desprez, dat is het, de echtgenoot van Gisèle Desprez, die wel weer haar handen vol zal hebben met overbemesting of mond- en klauwzeer. Weet hij ergens van? Weet hij iets wat hij beter niet zou weten – hij niet en niemand hier aanwezig?

'Celia!' roept een stem achter haar. 'Waar heb jij zo lang uitgehangen? Je leek wel van de aardbodem verdwenen...'

Marina De Winter. Werkt voor een concurrerende krant. Tot voor kort liepen ze elkaar om de haverklap tegen het lijf, nu zien ze elkaar haast nooit meer.

'Kennen jullie elkaar?' vraagt ze. 'Eric Desprez, Marina De Winter.'

'Aangenaam', zegt Eric Desprez.

'Aangenaam', zegt Marina De Winter.

De grootste roddeltante van het westelijk halfrond. Voor de laatste nieuwtjes moet je bij Marina De Winter zijn. Als je wil dat iets uitlekt, neem dan Marina De Winter in vertrouwen.

'Excuseer me een ogenblikje.' Ze wil doorschuiven.

Maar dan zegt Marina: 'Dit is Lucas Kleinjans, perschef van de Nationale Opera.' Naast haar verschijnt een kale jongeman met een zilverkleurige stropdas. 'Ik heb hem verteld voor welke krant jij werkt', zegt Marina. 'Maar hij kende jou niet. Dat kan toch niet?'

'Ik dacht dat mijnheer Vieuxtemps voor jullie opera volgde', zegt de kale jongeman.

'Wie?' zegt ze.

'Vieuxtemps', zegt de jongeman. 'Fernand Vieuxtemps.' Hij steekt zijn kin uit naar de andere kant van de foyer. Onder een wandlamp van koperkleurige artisjokken staat een spichtig grijs mannetje dat ze nooit eerder heeft gezien, maar dat argwanend in haar richting kijkt.

'O ja, natuurlijk', zegt ze met haar meest minzame glimlach. 'Vieuxtemps. Jaja. Maar nu moet u me echt excuseren.'

Ze laat haar glas champagne achter op het dichtstbijzijnde tafeltje en baant zich een weg terug naar haar moeder die nog steeds op hetzelfde stoeltje zit. 'Voor mij hoef je je niet zo te haasten, hoor kind', zegt ze. 'Ik heb alle tijd van de wereld.' Ze heeft haar bolle voeten bovenop haar schoenen gezet.

Tinus kijkt niet eens op als ze binnen komt. Maar hij lijkt ook niet echt naar het snooker te kijken. Ze hangt haar jas over een stoel en legt haar tasje op tafel. 'Het was prachtig', zegt ze. 'Ik weet dat het niets voor jou is, maar het was prachtig. Mams heeft er zo van genoten...' Hij reageert niet.

Ze strijkt haar jurk glad. Ze heeft geen zin om hem uit te trekken. Hij is van olijfkleurige tafzijde, ze heeft hem speciaal voor deze gelegenheid gekocht. Ze heeft het altijd zonde gevonden dat ze niet vaker zulke jurken kon dragen, maar ook dat wordt binnenkort anders: hij zal haar nog van pas komen. Ze houdt van het geruis, van de stijve en statige vormen die de stof aanneemt. Stof voor een sprookjesprinses.

'Alleen heb ik me overhaast uit de voeten moeten maken', zegt ze. 'Opmerkingen over Adam, vragen over mijn functie... Ik kan niet eens meer onder de mensen komen.'

Sprookjesprinses? Of Assepoes? Maar wacht tot Marcus haar muiltje ophaalt!

Tinus staart nog steeds voor zich uit.

'Boeiende break?' probeert ze.

Hij antwoordt niet.

'Tinus?'

Hij zegt het somber en hij slist, alleen zijn mond beweegt: 'Ga jij maar naar de opera! Maak jij maar plannetjes met je vrienden! Loop maar te paraderen met je jurken en te pronken met je verkoopcijfers!'

Ze laat zich zakken in de stoel tegenover hem. Ritselend bolt de rok op, om haar middel vormt zich een ballon die zachtjes leegloopt. Op de salontafel, tussen hen in, staat een glas en een halflege fles bourbon.

'Je bent dronken', zegt ze.

'Dat moet jij zonodig zeggen', zegt hij. 'Jij lééft op champagne!' Hij knippert een paar keer met zijn ogen, trekt ze dan wijdopen. Het wit is rooddoorlopen.

'Tinus, zou je me alsjeblieft willen zeggen wat er aan de hand is?'

'Ik mag het niet, maar zij mogen het wel', bokt hij verbitterd.

'Mogen wat?'

'Goochelen', zegt hij. 'Met adressen, met boekhoudingen, met miljarden. Verhuizen, van het ene land naar het andere, winsten veranderen in verliezen. Maar op ons sturen ze zo'n clown af. Zo'n' – hij slaat met zijn hand in de lucht – 'pipo die elke cent ronddraait en ons behandelt alsof we kleuters zijn. Die alle afdelingen afgaat, een voor een. Telt hoe vaak we koffiedrinken en hoelang, hoeveel fotokopieën we maken en of we dan alleen aan het apparaat staan of met een collega, en of we dan tegen elkaar praten of niet... Zo'n' – en hij slaat opnieuw met zijn hand in de lucht – 'crisismanager!' En al die tijd blijft hij naar de televisie kijken, als was zijn tirade bestemd voor de ballen die over het groene laken rollen.

'Hoelang is dat al bezig?' vraagt ze.

'Ik kan er niet tegen', zegt hij. 'Ik word er ziek van...'

'Toe nou, Tinus...'

Hij trekt de fles naar zich toe, de bodem krast op de tafel. 'Dit is het einde', zegt hij wanhopig. 'Dit is het einde, Celia, geloof me.'

'Zo zijn crisismanagers altijd, Tinus. Dat is hun werk.'

'Natuurlijk!' Hij kantelt de fles bijna ondersteboven. Een forse scheut kolkt in zijn glas, een nog forsere op de tafel. 'Jij bent een overloper!' roept hij. 'Jij staat aan hun kant, nu!'

Als egels, denkt ze later, zo liggen we naast elkaar. Elk opgerold aan zijn kant van het bed, er voor zorgdragend de ander niet te raken. Omdat alles – elk woord, elk gebaar – toch maar verkeerd zou vallen. Omdat de ene verwarring de andere meebrengt. Ze kan de slaap niet vatten.

Ze glijdt het bed uit, loopt op haar tenen de slaapkamer uit. Ze luistert aan de deuren van de kinderkamers, kijkt onder de handdoek naar Hugo die met trillende snorharen in een hoek van zijn hok scharrelt. Ze steekt de schemerlamp aan, schenkt zichzelf de rest van de Bourbon in en neemt de krant van de salontafel. Hij ligt opengevouwen op de lezerspagina. Drie brieven heeft Tinus omcirkeld. Steeds groter wordende kringen heeft hij er rond getrokken. Stenen, in stil water gegooid.

Eén lezer noemt het interview 'onbegrijpelijk en ondermaats'. Een tweede dreigt ermee zijn abonnement op te zeggen, als er nog meer van zulk soort onzin verschijnt. Een derde is van mening dat Celia Borstlap haar beste tijd had gehad en besluit kort en krachtig met: 'Afvoeren!' Ze leest en herleest de brieven. Zoals in een zere tand peuteren is het: het maakt het erger en toch kan ze het niet laten.

Ze had zich er in kunnen verkneukelen dat Ann Cuylens beter gepresteerd had bij haar dan bij Wim Schepens, dat Wim minder goed af was met Ann dan hij had gehoopt. Als haar naam maar niet onder dat interview had gestaan!

De volgende dag laat Marcus W.E. Dubois op haar kantoor een kuip afgeven. In de kuip liggen met mos bedekte keien en uit een van die keien sputtert water op als je de stekker in het stopcontact steekt. Hij heeft er een kaartje bij gedaan: 'Ik heb een verrassing voor je!'

Mensen vertellen om het even wat

De verrassing geurt naar leder en kamperfoelie. Ze staat naast de directeur-generaal van Dubois Publishers & Co voor het raam van het Zwembad en bewondert het panorama. Als ze binnen komt, draait ze zich samen met hem om.

Bleke huid. Nog blekere haren, opgestoken in een wrong. Kniehoge laarzen, glimmend zwart T-shirt met transparante hals en mouwen. En een hertsleren wikkelrok die achteloos openvalt als ze met uitgestoken hand op Celia toe stapt.

'Ik hoef jullie niet aan elkaar voor te stellen', zegt Marcus W.E. Dubois.

De hand drukt de hare, een ring bezeert haar handpalm. Door een ivoorkleurig vlindermontuur kijken twee ijsblauwe ogen haar aan. Een berookte stem zegt: 'Ik kijk er echt naar uit.'

'Je nieuwe medewerkster!' zegt Marcus.

B.L., die alles af weet van de mannelijke schoonheid door de eeuwen heen. L van Laermans en B van Barbara – of van barbiepop, zoals Tinus er Celia aan herinnert, met een misprijzen dat op een of andere manier ook op haar afstraalt.

'Ben je zeker dat ze kan schrijven?' vraagt hij.

'Ze werkt zeer snel en is zeer goed gedocumenteerd', zegt ze.

'En zeer goed in bed', zegt hij. 'Waarom zou ze anders die baan gekregen hebben?'

'Waarom denk je dat ik mijn baan heb gekregen?' zegt ze. 'Of ben ik misschien ook heel goed in bed?'

Natuurlijk, zou hij vroeger gezegd hebben. Natuurlijk ben je dat, en hij zou haar gezoend hebben in haar hals. En ze zouden gelachen hebben om zoveel onnozelheid en de discussie zou gesloten zijn geweest. Of als ze al ergens toe leidde, zou dat de proef op de som zijn geweest, waardoor de aanleiding volledig naar de achtergrond zou zijn verschoven.

Af gaat Ann Cuylens, op komt Barbara Laermans. Ann is klein en mollig, Barbara groot en benig. Anns rondingen verzinken in een golvend landschap, Barbara's rondingen vallen op. Alles aan Barbara Laermans valt op.

Ann was vaak afwezig – indien niet fysiek, dan toch in gedachten. Ze deed wat ze moest doen, maar een stuk van haar leek altijd elders – bij Tomaso, nam Celia dan maar aan, in die wereld waar zij niets mee te maken had. Barbara daarentegen is nadrukkelijk aanwezig. Ze is een wervelwind, opgewekt en onvermoeibaar. Ze ratelt aan een stuk door, ze dartelt van hier naar daar. Als ze niet onderweg is of bij iemand staat te kletsen, hangt ze uren aan de telefoon. Misschien bestaat er ook voor haar ergens een andere wereld, misschien loopt daarin een heel andere Barbara rond – maar waar dan en wanneer? Celia kan er zich in elk geval niks bij voorstellen.

Alleen bij *Adam* lijkt Barbara tot leven te komen – en dat is uitermate handig. Barbara is er als je haar nodig hebt, ook als ze niet lijkt te werken. En ze is niet zuinig op haar tijd, integendeel. Soms wekt ze zelfs de indruk hem graag te verspillen.

Door de muur heen hoort Celia haar rauwe stem en haar langoureuze lach, haar hakjes die over en weer tikken, kantoor in en kantoor uit. In het begin vraagt ze zich af of het dan nooit ophoudt: wanneer denkt Barbara, wanneer schrijft ze? Maar blijkbaar doet ze dat terloops, tussen alle getetter en gekletter door. Misschien maakt ze van denken wel net zo min een staatszaak als van schrijven: als zij een tekst van haar onbevredigend vindt, herschrijft Barbara hem met de glimlach; is hij te lang – wat uiterst zelden voorvalt – dan schrapt Barbara zonder hartzeer.

'Ze komt van *Uniek*', zegt Guy De Maarschalk respectvol. *Uniek* is een glossy tijdschrift met een ruggengraat van advertenties, gratis verspreid bij kappers, in wachtkamers en fitnesscentra. Wie van *Uniek* komt, begrijpt Celia, doet niet flauw: die maalt niet om een letter meer of minder, die schaamt zich niet omdat haar naam onder een tekst staat die niet de hare is. Waarschijnlijk beschouwt Barbara Laermans de telefoonnummers in haar palmtop als het voornaamste wat ze ooit heeft geschreven.

Geef haar ongelijk! Barbara kent iedereen en smoest zich overal binnen. Ze gaat ervan uit dat niemand haar iets kwalijk zal nemen en merkwaardig genoeg gebeurt dat ook niet. Wat uit andermans mond brutaal zou overkomen, klinkt bij haar spontaan. Ze lacht tegen iedereen en aan een stuk door, maar in tegenstelling tot Ann die zoveel zuiniger was op haar glimlach, noemt men haar niet vriendelijk maar charmant. In plaats van een oppervlakkige indruk te wekken, roept het gefladder van Barbara Laermans het beeld op van een opvallende en zeldzame vlinder.

'Als vliegen moest ik ze van me afslaan', zegt Barbara. Ze zit op de vergadertafel in Celia's bureau, benen gekruist en kokerrok opgeschort tot halverwege de dijen. Ze komt net terug van de officiële opening van een Outdoor- en Survivalcomplex. Wie kan er, in afwachting tot het mysterie wordt onthuld, Adam beter vertegenwoordigen dan zij?

'En maar aan mijn kop zeuren!' zucht ze. 'Wie nou die geheimzinnige hoofdredacteur is? En dat ik ze dat toch wel even kan verklappen...'

'En wat zeg jij dan?' vraagt Celia.

'Ik zeg geen stom woord', zegt Barbara. 'Wat dacht je? Ik ben niet gek!'

Ze neemt de ingelijste foto die naast het documentenbakje staat en bestudeert hem aandachtig. Tinus en de kinderen, op een van die zondagse uitstappen die ze niet zolang geleden wel eens vaker maakten. 'Wat een dotjes', zegt ze vertederd. 'Soms wou ik echt dat ik ook zulke monstertjes had.'

Je moest ze nu zien, Barbara! Kamiel heeft gevochten op de speelplaats, en Kamiel is niet goed in vechten. Onder zijn rechteroog is de huid gescheurd, er zit een witte pleister overheen, dat heelt mooier dan hechtingen. Als hij ouder wordt, valt het litteken in de eerste lachrimpels, verzekert de dokter. Je merkt er niets meer van.

Bij Kassandra zit de verandering onderhuids. In het huiswerk dat ze vergeet te maken, in de dromerigheid waarover de juf zich beklaagt. In de konijnen met vleugels die ze tekent en de strengheid waarmee ze Hugo toespreekt. Dat hij nooit mag weglopen, dat hij bij haar moet blijven, voor altijd.

Kleine kindervoorvallen, geen drama's. Maar misschien, als ze zich wat meer om hen bekommerde... Dat geloof je toch zelf niet, spot Celia Bis, maar dat doet ze wel. Zoals ze gelooft in horoscopen en ladders: baarlijke nonsens. Maar ze leest ze wel, ze loopt er omheen.

'En hoe maakt het grote monster het?' vraagt Barbara.

Getemd, is het eerste wat Celia invalt. Ooit, denkt ze, deed Tinus me aan jou denken: ook zo'n overjaars veulen. Dezelfde ontwapenende vrolijkheid, dezelfde onbezorgdheid en onbezonnenheid soms. Zo vederlicht als hij toen was, en hoe hij alles om zich heen daarmee aanstak. En hoe verkwikkend dat kon zijn, voor wie zoals ik neigt tot somberheid.

Maar Tinus is zijn luchthartigheid kwijt. In plaats daarvan is wrevel gekomen die hij niet eens probeert te verbergen of te bedwingen. Zeker niet nadat de overname bekend is geworden van Beleggingen Tuymans & Zonen door de Deutsche Häuserbank. Afgeschafte personeelsfeestjes, crisismanagers die onrust zaaiden, meer had hij er vooraf niet van geweten. De rest heeft hij net als iedereen moeten horen op de radio en lezen in de krant.

'Mensen, behandeld als meubelstukken', murmelt hij zuur. Maar hoeveel mededeelzaamheid mag je redelijkerwijze verwachten van een multinational, als een minionderneming bestaande uit man en vrouw er niet eens in slaagt aan de praat te blijven?

Maar dat kan Celia onmogelijk vertellen aan Barbara – laat nooit merken dat je niet alles onder controle hebt, toon nooit de zwakte in je privé-flank! Dus antwoordt ze dat het grote monster het uitstekend maakt.

'Zijn jullie overigens nog lang gebleven, daar in Versailles?' vraagt Barbara.

'Wij zijn diezelfde nacht vertrokken', zegt Celia, verwonderd. 'Mijn moeder was onverwacht onwel geworden. Ik dacht dat je dat wist.'

'Hoezo?'

'Omdat wij niet aan het ontbijt waren', zegt ze. 'En jullie?'

'Jullie?' herhaalt Barbara.

'Marcus en jij.'

'Marcus?!' zegt Barbara. 'Ben je gek? Ik was toevallig in de buurt. Een modespecial voor *Uniek*, ik logeerde in Parijs. Marcus had me uitgenodigd om met hem te dineren. Meer niet. Misschien had hij toen al een oogje op me – professioneel, bedoel ik.'

Wat moet ze daarop zeggen?

'Geloof je me niet?' vraagt Barbara met een plagerig lachje. 'Nou ja, dromen zijn vaak beter dan de werkelijkheid. Laat de waarheid nooit in de weg staan van een goed verhaal.' Ze zet de foto terug op haar plaats. 'Maar hoe zit dat nu tussen Wim en jou?'

'Pardon?'

'Wim Schepens', zegt Barbara. 'Je weet toch wat er wordt verteld?'

Ze haalt haar schouders op. Haar hals gloeit, haar oksels worden klam.

'Kom, kom,' zegt Barbara, 'er bestaat zoiets als een avondploeg. En als je dan samen wegrijdt en je staat daar in het holst van de nacht weer op de parkeerplaats... Nou ja, ik was er niet bij en het zijn ook mijn zaken niet. Maar dat er dan geroddeld wordt...'

Ze denkt: ik zou moeten zwijgen. En vraagt: 'Wat zeggen ze dan?'

Barbara schokschoudert. 'Van die overhaaste conclusies. Dat hij jou wilde, dat je daarom die baan kreeg...'

'Dat zou wel erg dwaas van hem zijn', zegt ze koel.

'Reken maar', zegt Barbara. 'Zo zie je maar hoe vlug verhalen de ronde doen. Mensen vertellen om het even wat. Maar los daarvan: hoe is hij eigenlijk?'

'Ik zou het niet weten', zegt ze ontwijkend.

'Jij kent hem toch al langer', zegt Barbara. 'Niet in bed, bedoel ik. Daarbuiten.'

Celia aarzelt. Haar blik dwaalt naar de foto van Tinus. Hij ligt op zijn rug in het gras, Kamiel en Kassandra zitten op zijn buik. Hij heeft zijn hoofd naar haar toe gekanteld en hij lacht. Er zit een grassprietje tussen zijn tanden.

'Iemand waar je moeilijk hoogte van krijgt', zegt ze. En ze denkt: iemand zoals jij.

Twee dagen later stuurt het Outdoor- en Survivalcomplex een cadeaubon als bedankje voor de belangstelling. De omslag is geadresseerd aan Barbara Laermans, hoofdredactrice van *Adam*. De daaropvolgende weken komen er nog meer van zulke brieven.

'Verbaast me niks', zegt Barbara. 'Altijd en overal diezelfde vraag. En of ik soms die hoofdredactrice ben, komt er dan meestal achteraan. Ontkennen helpt niet; ze blijven er maar op los gissen. Mag ik nog een sigaartje van je?' Zonder het antwoord af te wachten, klapt ze de doos op Celia's bureau open en neemt er een Romeo y Julieta uit. 'Het stoort je toch niet?' vraagt ze, een dikke rookwolk uitblazend.

'Ik ben gestopt toen Kassandra klein was', zegt Celia. 'Het arme kind hoestte zich te pletter.'

'Ik bedoel de brieven', zegt Barbara. 'Ik begrijp dat het vervelend voor jou is, Celia. Maar geloof me: je kunt beter post op naam krijgen, ook al is het niet de juiste. Dat bewijst dat ze méér van je tijdschrift kennen dan alleen maar de titel.'

Op de vergadertafel staat het zoveelste proefpakket. Barbara vist een zakje chips met zeewier uit de kartonnen doos, trekt de minikoelkast open en haalt een fles Crozes Hermitage 1995 tevoorschijn. 'Zullen we? Anders raakt die cadeauvoorraad nooit op. Hebben we niet ergens twee plastic bekers? En kijk niet zo verontrust, Celia. Effe relaxen! Jij werkt veel te hard.'

Waar een bomalarm al niet goed voor is

De huid van een man moet licht en zacht zijn, zijn hals rank en zijn voorhoofd hoog, zijn haar lang en strak en netjes gevlochten. Dunne lippen moet hij hebben en smalle vingers, gelijke tanden en grote sprekende ogen. Een man moet groot zijn, met slanke ledematen. Hij moet sierlijk bewegen. Zo moet een man zijn, zal een Fulani-meisje zeggen.

Op het jaarlijks Geerolfestival verleiden de Fulani-mannen de meisjes met hun uiterlijk. Ze dragen leren rokken en geborduurde tunieken en tulbanden met veren. Ze tooien zich met halssnoeren, vlechten schelpen en kralen door hun haar, maken hun ogen en lippen op met houtskool. Ze scheren hun haarlijn om hun voorhoofd hoger te doen lijken, schilderen een streep op hun neus om hem langer te maken. Ze zingen en dansen, hollen hun wangen uit en rollen met hun ogen. En waarom niet?

Doe de proef. Vraag waarvoor Joséphine de Beauharnais of Jackie Kennedy zijn gezwicht. Macht, zal men antwoorden – en terecht. Verstandig is: leren leven met wat je krijgen kan, maar ook: woekeren met wat je hebt om te krijgen wat je wil. Met macht, als je Napoleon of Onassis bent. Met je uiterlijk, als je een vrouw bent. Of een man uit Niger. Een Fulani.

Macht erotiseert, maar muskus ook. Waarom zouden vrouwen daar niet gevoelig voor zijn? Hoe mannen ruiken, hoe ze aanvoelen, hoe ze eruitzien. Het is niet omdat Joséphine of Jackie genoegen hebben genomen met minder, dat ze niet dankbaar zouden zijn geweest voor meer.

'Heel mooi', vindt Barbara Laermans.

Uitgespreid op de vergadertafel liggen de foto's van de Fulani.

'Maar als je 't mij vraagt, meer iets voor een reismagazine', voegt ze eraan toe.

'Het gaat niet om de bestemming', zegt Celia. 'Het gaat om de mannen.'

'Je wilt ze dit toch niet voorschotelen als voorbeeld?' Barbara trekt grote ogen.

'Waarom niet?' zegt Celia. 'Wie weet brengt het ze op ideeën...'

'Ideeën?!' roept Barbara uit. 'Wil jij gezien worden met zo'n vogelverschrikker?'

'Ze hoeven het daarom niet letterlijk te nemen', zegt Celia. 'Maar dat eeuwige grijs en donkerblauw, die saaie pakken, nog altijd... Verlang jij nooit naar wat meer kleur, naar een beetje meer fantasie?'

'Daar hebben we Marcus voor, met zijn bretellen', zegt Barbara met een fijn glimlachje. 'Straks denken ze nog dat we van mannen travestieten willen maken.'

Maak een tijdschrift voor mannen, zoals jij denkt dat vrouwen ze graag willen, heeft Marcus gevraagd. Maak een *Adam* op hun en jouw maat. Maar als Barbara en zij al zo verschillend denken over een minderheidsgroep uit een ver continent, hoe verschillend moet het merendeel van de vrouwen dan niet denken over het merendeel van de mannen binnen handbereik?

Vandaag Fulani, gisteren seks, morgen zuigflessen. Barbara en zij zijn het zelden met elkaar eens. Maar dat heeft ook zijn goede kanten. Ze hoeft maar de verbazing in Barbara's blik te zien om te weten hoe haar plannen op de stafmeeting zullen worden onthaald. Je bent weer te voortvarend, verraden die ogen vol ongeloof, jouw ideeën gaan ons veel te snel en veel te ver.

Omgekeerd is zij zelden enthousiast over Barbara's voorstellen. Ze lijken haar weinig steekhoudend en niet erg origineel. Maar ofwel is Barbara zich niet bewust van enig gebrek aan logica en vindingrijkheid, ofwel ontbreekt het haar daarbovenop aan elk schaamtegevoel. Want op vergaderingen steekt Barbara de ene vuurpijl na de andere af, en daar vinden haar suggesties meer genade dan bij Celia.

Zo verandert wat op het eerste gezicht een nadeel lijkt, uiteindelijk in een voordeel. Barbara's reacties laten Celia toe die van de anderen te voorspellen en haar plannen bij te sturen, en dankzij de reacties van de anderen kan zij Barbara meer toegeven dan ze uit zichzelf zou hebben gedaan. Geen betere barometer dan Barbara Laermans.

'Ik ben Ann in de supermarkt tegen het lijf gelopen', zegt Tinus. 'Ann hoe heet ze ook weer, die met dat kontje. Je weet wel. Ze denkt dat je boos op haar bent, is dat zo? Het schijnt dat je niet meer tegen haar praat.'

'Zij praat niet meer tegen mij', verbetert Celia.

Ann Cuylens ontloopt haar. Ze hoort of ziet haar niet meer. Nooit kruisen ze elkaar nog in de hal of in de gangen, nooit staan ze een keertje samen in de lift. Ze ontloopt haar, een andere uitleg is er niet, want zij houdt zich niet bezig met Ann te ontlopen (tenzij onbewust misschien: benen die de andere kant op gaan, vingers die op een andere liftknop duwen).

'Vrouwen!' zegt Tinus schamper. 'Ik dacht dat jullie zo goed konden samenwerken?'

'Dat is ook zo', zegt ze, al weet ze dat hij haar niet gelooft.

En toch. Ann gaf haar minder tegenstand dan Barbara. Ze was gedweeër – te gedwee, dacht ze wel eens. Maar ze schoot beter op met Ann dan met Barbara, ze zaten meer op dezelfde golflengte. Soms heeft ze heimwee naar die begindagen. Soms mist ze Ann.

En als die nou eens zelf verveeld zit met haar ondermaats geschrijf onder andermans naam? Als ze er daarom over begonnen is tegen Tinus aan de afdeling droge voeding? Een tussenpersoon, neutraal terrein. Een toenaderingspoging.

Brand, is het eerste wat Celia invalt als een snerpende sirene door de gangen van het bedrijf loeit. Vrijwel gelijktijdig licht haar computerscherm op: op de redactie van de krant is een bommelding binnengekomen. Het hele gebouw moet worden ontruimd.

Als een buffelkudde roffelen tientallen werknemers de trappen af. Sommigen in bloes of hemdsmouwen, anderen met een wolletje of een regenjas omgeslagen, nog anderen met een tas of een laptop of zelfs met volledige dossiers onder de arm geklemd. Bij bosjes scholen ze samen op de parkeerplaats, lachend en tetterend als spijbelende schoolkinderen. Hier en daar staat er iemand, hoofd in de nek, beklemd te staren naar het bedreigde beton.

Alarm als karakterstudie, denkt Celia, om zich heen kijkend. En het hare zal vergevingsgezind zijn, besluit ze, als ze in de roze jersey voor zich de rug herkent van Ann Cuylens.

Even later laat de politie het parkeerterrein ontruimen en nog even later zitten ze samen in Celia's auto op een parkeerstrook langs de weg. Niet meteen de meest gezellige plaats, en ook niet de meest rustige met al die voorbijrazende vrachtwagens. Maar toen ze daarnet wilden uitstappen bij het dorpscafé, bleek dat ingenomen te zijn door uitgelaten collega's. Zodat ze maar rechtsomkeer hebben gemaakt.

'... Dus toen dat impotentie-interview niet verscheen, dacht ik...' Op de schoot van Ann Cuylens ligt een nylontas, half handtas en half aktetas. Gedachteloos draait ze het slot in het rond. Horizontaal: tas open, verticaal: tas dicht. Nagels kort afgebeten, nagelriempjes ingescheurd. 'Ik dacht dat je 't niet wilde publiceren', zegt ze tegen Celia. 'Dat je boos was, dat je 't me kwalijk nam...'

'Het is uitgesteld', zegt Celia. 'Het is alleen maar uitgesteld. Eerst moest dat stuk van Barbara erin. Dat over de mannelijke schoonheid...'

'O dat?'

De hele tijd heeft Ann voor zich uit zitten staren, maar nu draait ze haar hoofd naar Celia toe. Zo vastbesloten als Barbara is, zo aarzelend is Ann. Barbara's ogen maken statements, Anns ogen stellen vragen.

'En hoe is het met Tomaso?' vraagt Celia.

'Goed', zegt Ann Cuylens. 'Heel goed, zelfs.' Ze grinnikt, ze leeft helemaal op. 'Hij heeft gisteren helemaal alleen soep gegeten. En maar zwaaien met zijn lepel, de halve keuken hing vol.' Ze doet het hem na, met molenwiekende armen. 'Maar hij heeft het toch maar mooi gedaan...' En vergenoegd schudt ze haar hoofd.

Daarom zou Ann haar nooit zoveel weerwerk geven als Barbara, beseft Celia plots. Daarom zou ze wellicht ook nooit de eerste stap gezet hebben tot dit gesprek. Omdat alles wat te maken heeft met werk – opdrachten, de houding van collega's, eigen professionele tekortkomingen – haar hoogstens stoort, maar niet echt van haar stuk brengt. Omdat er voor haar maar een ding is dat echt telt. Owawowawowa!

Luid toeterend zoeft een auto vol collega's voorbij. Op hetzelfde ogenblik rinkelt Celia's mobiel. De telefoniste meldt dat het bomalarm is afgeblazen. Speeltijd voorbij, paarden naar de stal. In stoet rijden auto's het bedrijfsterrein op. Celia zet de hare bij het bordje met haar nummerplaat. Samen met Ann loopt ze naar de ingang.

Een auto kruist hen, hij vertraagt. Aan het stuur zit Wim Schepens, naast hem Hans Tertilden. Het achterraampje zoeft naar beneden. 'Wacht op mij, ik kom eraan!' roept Barbara Laermans. Hoofd half naar buiten, hand op en neer wuivend.

'Ik ga alvast naar binnen', zegt Ann. En ze zet er een stevige pas in. Verbluft kijkt Celia haar na.

Maar daar is Barbara al. Barbara, nooit afwezig, hoogstens op een andere golflengte. Barbara, die man noch kinderen heeft, maar in wiens boekhouding dat genoteerd staat bij de activa: meer tijd, meer handen vrij, meer plaats in je hoofd. Barbara, op wie ze altijd kan rekenen, die op haar toeloopt met haren en rokken in de wind, en met een brede glimlach aankondigt dat ze alweer een schitterend idee heeft. 'Waar een bomalarm al niet goed voor is!'

Kelders en kantoren zijn doorzocht. Bij Dubois Publishers & Co is geen bom gevonden. Stop het bloedvergieten in het Midden-Oosten, had de bommelder gewaarschuwd. Stop het, of ik zal jullie leren wat bloedvergieten is.

Enkele uren later wordt hij opgepakt. Negentien, niet politiek actief, niet onderlegd in het aanmaken van bommen. Aan de onderzoeksrechter verklaart hij dat beelden op televisie hem hebben aangespoord tot zijn daad – televisie doet zulke dingen met mensen, en soms nog ergere.

Werkloos, verward in zijn hoofd, altijd al een beetje vreemd geweest. Schamel kamertje, verwaarloosd en vervuild, etensresten en stapels knipsels over gezinsdrama's en gewapende conflicten. A.v.D. zal ontoerekeningsvatbaar verklaard en geïnterneerd worden en in het Midden-Oosten zal het bloedvergieten onverminderd verder gaan – ongehinderd door radeloze jonge mensen die moeite hebben een plaats te vinden in de wereld en een plaats voor de wereld in hun hoofd.

Beelden van de ontruiming halen het televisiejournaal. Een cameraploeg is Wim Schepens komen interviewen op zijn kantoor. Zakelijk, haast ingetogen, doet hij het relaas – hemdsmouwen opgerold, cowboylaarzen onder de tafel. Morgen zal de oplage van de krant fors worden verhoogd – maar dat zegt hij er niet bij. Nieuws met jezelf in de hoofdrol: Wim Schepens zal je niet horen klagen.

De zevende dag

Noem het de zevende dag. Schepping volbracht, recht op rust. Windstil, de zee glad, wolken die langzaam voorbijglijden. Kalmte die misschien geen kalmte is, maar op kalmte lijkt door de drukte die eraan voorafgaat. Vrede die misschien geen vrede is, maar enkel wapenstilstand. Wie zal het zeggen?

Tinus bindt de promotieschort voor en probeert een van de kooktips van *Adam* uit.

'Papa, ik lust dit niet', zegt Kamiel.

'Mama, ik heb buikpijn', zegt Kassandra.

'Er klopt iets niet aan het recept', zegt Tinus.

Of aan jouw kookkunst, denkt Celia. Maar, slecht geplaatst als ze is om daar opmerkingen over te maken, houdt ze haar mond. Toen hij daarnet aan het fornuis stond met zijn schort, had ze zich al afgevraagd hoe ze dit moest interpreteren: als gebaar van goede wil of als pesterij, verpakt in een gebaar van goede wil. Het eerste, had ze maar besloten.

Hij is trouwens minder nors, de laatste dagen. De crisismanager heeft zijn rapport opgeleverd en is verdwenen, van de ene dag op de andere. In de nieuwe onderafdeling van de Deutsche Häuserbank is de rust teruggekeerd, alles is er weer zoals vroeger – op de personeelsfeestjes na. En het iets hogere werktempo misschien, maar daar is niet eens op aangedrongen, dat is er vanzelf gekomen: even wakker schudden, en kijk.

Alles op zijn pootjes. Zoals Celia wel had verwacht, maar niet hardop heeft gezegd. Zij was niet in paniek geraakt zoals Tinus, maar ze heeft hem ook nooit zo in paniek gezien. Er viel gewoonweg niet met hem te praten, toen. Nog steeds niet, of nauwelijks.

De paniek is gaan liggen. Maar de toegangspoort tot de Tinus, die alleen voor haar bestond, blijft op slot. Door de deur van de dienstmededelingen moet ze, de deur van de gewone woorden.

'Hoe laat zullen we de wekker zetten?' 'Zal ik naar de ouderavond gaan of ben jij vrij?' 'Wat zal ik meebrengen van de supermarkt?'

Mannen en vrouwen, niet zoals ze altijd zijn geweest, of niet wat men er altijd onder verstaan heeft. Niet echt oud meer, maar ook niet helemaal nieuw: ergens onderweg – naar elkaar? Zo leiden verschuivingen tot nieuwe evenwichten – in mensen, gezinnen, bedrijven. Waarna nieuwe evenwichten op hun beurt verschuiven, binnen de kortste tijd. Maar eerst is er de Zevende Dag. Even pauzeren, even ademhalen. Iets als evenwicht. Iets als vrede.

Het is februari. De maand van de Waterman, open voor veranderingen in de samenleving, gevoelig voor al wat nieuw is. De maand waarin, met twee jaar en zeven dagen verschil, Kamiel en Kassandra zijn geboren; kinderen van de toekomst. Hun moeder heeft het minder druk nu, met *Adam* in de steigers en Barbara als haar rechterhand, en ze heeft wat goed te maken. Ze besluit een verjaardagsfeestje te organiseren.

De kinderen nodigen hun vriendjes uit, Celia haar moeder. Voor elke gast, inclusief oma Suzy, koopt ze een verrassing die kan worden verloot. Ze versiert het huis met slingers en lampions, dekt de tafel met papieren bekers en borden en servetten, bedrukt met Harry Potter (Kamiel) en Diddle (Kassandra). De avond tevoren bakt ze twee taarten met vanillevla, kersen en room. Ze versiert ze met schuimpjes en glaceert ze met chocolade. Geen beter bewijs van huiselijkheid en toewijding dan zelfgemaakte taarten.

Ze heeft de namen van de kinderen in roomletters op de taarten gespoten en is bezig er de kaarsjes in te pluggen, als Kamiel en Kassandra de keuken binnenstormen, vriendjes in hun kielzog.

'Mama, kom kijken!' Stomend trekt Kassandra aan haar mouw.

'Uit de keuken', roept ze lachend.

'Kom kijken', bralt Kamiel, amper verstaanbaar.

'Wat heb jij in je mond?'

'Kom kijken, vlug', gilt Kassandra.

'Jij ook!' zegt ze. 'Wat zijn jullie aan het eten?'

'De truc', roept Kamiel, hoogrood en zwetend.

'De truc van papa!' roept Kassandra, op en neer springend.

'Kei-tof!' Een vriendinnetje van Kassandra.
'Ja, cool!' Een vriendje van Kamiel.
En joelend stormen ze de keuken uit. Ze hebben allemaal van die hamsterwangen, ziet ze.

Het applaus komt uit de slaapkamer. Daar zitten ze, in bosjes op het bed en op de grond. Van haar kaptafel heeft Tinus zijn werktafel gemaakt. De haarborstel en de flacons heeft hij vervangen door dozen bakmeel, eieren, een maatbeker en een lepel. Plechtig en glunderend staat hij naast de tafel, hoge hoed in de hand.
'Nog!' roepen de kinderen, opgewonden op en neer wiebelend. 'Nog een keer!'
Tinus neemt een ei, kijkt strak van het ene kind naar het andere. Het wordt muisstil. Hij breekt het ei boven de hoed, schikt de schelpen op de kaptafel. Daarop neemt hij een doos met bakmeel. Wit stof wolkt op uit de hoed. 'Ziezo', zegt Tinus triomfantelijk. Hij zet de doos terug, neemt de lepel alsof hij zijn sabel trekt, en begint in de hoed te roeren.
'Kijk...', zegt Kamiel.
'Kijk nou, mama!' zegt Kassandra.
'Hocus pocus pats!' zegt Tinus, een korte stilte latend tussen elk woord. Hij likt van de lepel, houdt hem opgestoken als een scepter in zijn hand. Dan draait hij de hoed om, recht boven een diep bord dat midden op de kaptafel stond. Het regent koekjes.
De kinderen zijn door het dolle heen. 'Bravo!' ze juichen, ze klappen in hun handen. En graaien gretig in de schotel, die door Tinus meteen wordt doorgegeven. In een oogwenk zijn de koekjes op. Koekjes met kokosvulling – een nieuwigheid, net op de markt. Drie pakken heeft Celia er vorige week van gekocht, uit medelijden met de demonstratrice die in de volle supermarkt de lof der zoetheid zong als een prediker in de woestijn. Drie voor de prijs van twee. U, mevrouwtje?

Een halfuur later, aan tafel. Kaarsjes worden uitgeblazen. Kamiel in een keer: een wens. Kassandra in twee: toch ook maar een wens. Taarten worden aangesneden, kinderhanden aan het mes. 'Voorzichtig, Kassandra!' 'Pas op, Kamiel!' Te laat... de schuimpjes brokkelen, het chocoladeglazuur barst, in de zachtgele vla tekent zich een donkerrood fruitspoor af. Haar kunstwerk, haar zoete moederschap, haar getuigschrift van huisvlijt. Wie wil er een taartpunt?

'Ik heb geen honger meer', zegt Kamiel.

'Mag ik dit laten liggen?' vraagt Kassandra.

'Ik krijg dit echt niet meer op', zucht een van de andere meisjes.

'Ik ook niet', zegt een jongen, handen op zijn buik. 'Straks barst ik nog.'

Verslagen op eigen terrein. Want wat is een oven, vergeleken bij een toverhoed? Waarom deeg kneden en room kloppen en chocolade smelten als een magische vingerknip volstaat? Welk kind wil er, gesteld dat er straks weer plaats zou zijn in zijn maag, smoezelig verkruimelde verjaardagstaart?

'Geef mij maar een hapje', zegt oma Suzy bemoedigend. 'Het ziet er heerlijk uit.'

Celia schept een punt op het bord van haar moeder. Suzy knipoogt, prikt een stukje aan haar vork, brengt de vork naar haar mond en...

... stopt.

Er gaat er een schok door haar heen. En nog een. Langzaam, als hing ze aan een valscherm, zakt haar hand.

'Mams!' roept Celia.

Het dessertvorkje kantelt en blijft hangen tussen oma Suzy's vingers. Het stukje taart valt op de tafel.

'Mams!'

Kinderen slurpen aan rietjes, rennen achter de stoelen door, lachen en gillen. Een jongetje zit gehurkt voor de kooi van Hugo, zijn vingers tussen de tralies. 'Tijd voor de tombola!' kondigt Tinus aan.

Celia heeft het zich altijd afgevraagd, als ze moest uitwijken of aan de kant gaan staan voor sirenes. Hoe het zou voelen om zelf in een ambulance te zitten, als een razende rode lichten te negeren en tussen files door te zigzaggen, passagier op leven en dood. Een kleine wereld in versnelde beweging, op die grote, wriemelende wereld.

Ze zit naast haar moeder en houdt haar hand vast. Tegenover haar zit de ziekenbroeder. Met een hand houdt hij het zuurstofstofmasker op Suzy's mond, met de andere omklemt hij de bloeddrukmeter die hij nauwlettend in het oog houdt. Ze voelt zich duizelig, maar misschien komt dat meer door de schok dan door de snelheid en het slingeren.

Thuis is Tinus begonnen met het verloten van de surprises. Kleurpotloden, tattoostickers, een kaartspel, kralen, een jojo,... Een pakje zal er overblijven, het pakje van haar moeder. De kleine verrassing van het grootste kind, dat zelf voor de grootste verrassing heeft gezorgd.

Tijd voor de tombola: dat is maar het beste, in afwachting dat de ouders hun kroost ophalen. Programma afwerken, kalmte in huis halen, vermijden dat paniek zich van de kinderen meester maakt. Zoals het tot nu toe is gelopen, hebben die het in hoofdzaak spannend gevonden: een moeder in alle staten, een grootmoeder die schokkend op de grond ligt, en dan die invasie van witte jassen. Een supernummer van supergoochelaars: zelfs koekjes uit een hoge hoed kunnen daar niet tegenop.

We hebben een probleem...

'Wij hebben een probleem', zegt Marcus W.E. Dubois. Zijn huid is bruinverbrand, zijn haar een tint lichter. Hij is even overgewipt naar Bali, waar de winters zijn zoals de zomers hier, en oosterse onverstoorbaarheid de westerse onrust tempert. Hij ziet er uit- gerust uit en vol energie, het soort dat je krijgt als je wordt opge- tild uit het leven van elke dag, zodat je erop kan neerkijken met de onthechte en verfrissende blik van een buitenstaander. 'We hebben de verkoopcijfers van *Adam*.' Hij wacht, kijkt naar Guy De Maarschalk.

Haar moeder had zelf de diagnose gesteld. 'Mams, blijf nou lig- gen', had ze nog gesmeekt. Maar Suzy Borstlap-Waterschoot was al opgestaan en naar de wastafel gelopen. Ze had in de spiegel ge- keken die daarboven hing, met haar vingertoppen volume in haar kapsel geduwd, een blos op haar wangen geknepen. Lacherig aan haar vinger gelikt en met speeksel haar mondhoek schoon- geveegd: 'Kijk nou, chocolade!'
    Het was die stekende hoofdpijn, zei ze. Waar die op haar beurt vandaan kwam, vroeg de stagiaire die binnen kwam voor een voorbereidend gesprek. Nergens, die was er gewoon. Al geruime tijd. Geïrriteerd had ze de dokter van de eerste hulp aangekeken, toen die aanvullende tests voorstelde. Zeven jaar weduwe, zeven jaar geen avondmaal meer opgewarmd, en daar had je dat refrein over bijkomende proeven weer!
    Maar ze had zich er bij neergelegd, gezwicht voor de autoriteit van de dokter, de bezorgdheid van haar dochter, haar eigen onrust: wie zal het zeggen? Ze had zich onderworpen aan de on- derzoeken, ze had zich in de scanner laten schuiven – 'het maakt behoorlijk wat lawaai, maar dat is normaal, rustig blijven, me- vrouwtje!' Zo was de vlek aan het licht gekomen.

'Niet slecht', zegt Guy De Maarschalk.

Op tafel liggen de eerste nummers van *Adam* op een stapel.

Niet slecht?! De cijfers zijn meer dan behoorlijk, beter dan Celia had verwacht.

'Maar niet goed genoeg', zegt Guy. 'Nu speelt het verrassingseffect van de start nog in ons voordeel. Maar lang kan dat niet meer duren, en de terugval die dan onvermijdelijk volgt, moet worden opgevangen. Wij hebben nieuwe lezers nodig, die dit' – en hij klopt op de stapel – 'niet alleen kopen omdat het nieuw is. Die het kopen voor wat het is.'

Hij kijkt opnieuw naar Marcus W.E. Dubois: pingpongblikken.

'Dus zullen we moeten bijsturen, Celia', zegt Marcus.

Hij zegt: we. Hij bedoelt: jij.

'Al mijn haar weg', zei haar moeder. 'Dat vind ik nog het allerergste. Moet dat echt?'

Op het kastje naast haar bed stonden twee glazen. Het ene was gevuld met water om haar lippen te bevochtigen, in het andere had ze de knikkers gekiept. Daar hadden Kamiel en Kassandra haar mee verrast: voor jou, oma: gewonnen, bij de tombola! Ze had het zakje mee naar het ziekenhuis genomen, bij wijze van talisman. Haar knikkerkleinkinderen.

Als laders met lichtbeelden, zo stelde ze het zich daarboven voor. 'Ik vind het helemaal geen leuk idee', zei ze, 'dat wildvreemden zomaar in je hersens zitten te wroeten. Daar ligt toch je hele leven in opgeslagen, al je herinneringen aan vroeger en je gedachten. Die zijn van mij, denk ik dan. Daar hebben jullie je niet mee te bemoeien.'

Bijsturen, zegt Marcus. Alsof de carte blanche die hij haar had gegeven, nog maagdelijk was. Alsof dat al niet gebeurd is met de eerste nummers van *Adam*. Bijgestuurd, maar dan buiten haar wil om, om redenen en voorkeuren die niet de hare zijn.

Ze probeert het voorzichtig aan te brengen. En die fitnessactie dan, en de mannelijke schoonheid door de eeuwen heen, en het uitgestelde impotentie-interview, en de Fulani... Dat daar wel gegronde redenen voor zullen zijn geweest, voegt ze er tactvol aan toe. Maar niettemin...

Maar Guy De Maarschalk staat al breeduit in de goal. 'Die kleine correcties, bedoel je? Als je het er niet mee eens was, had je dat maar moeten zeggen, Celia.'

'Dat heb ik gedaan', zegt ze. 'Vraag maar aan Barbara.'

Vier uur eerder had de chirurg de scalpel in de schedel van haar moeder moeten planten. Maar ofwel was de vorige ingreep uitgelopen, ofwel was voorrang gegeven aan een andere en nog veel dringender ingreep. Want oma Suzy zat nog altijd rechtop in bed, kalmeermiddel nagenoeg uitgewerkt, hoofd kaal maar ongeschonden. 'Je hoeft toch niet te blijven, Cel', zei ze. 'Je kan er toch niks aan veranderen, kind. Waarom zou je dan wachten?'

Omdat ik je al eens heb voelen wegglippen, had ze gedacht. Omdat ik er niet gerust op ben, omdat ik bang ben dat het opnieuw gebeurt. Omdat ik om de een of andere dwaze reden geloof dat het toch iets uitmaakt of ik hier zit of niet. Omdat ik bij jou in de buurt wil zijn. 'Gewoon', zei ze, 'voor de gezelligheid.'

Geen schijn van kans dat ze nog tijdig op kantoor zou komen. Die avond werd de nieuwe *Adam* gedrukt en het nummer was nog niet persklaar. Teksten en foto's te laat binnen, op het laatste nippertje van alles en nog wat veranderd. Zo ging het op de krant ook altijd, en met een tijdschrift was het niet anders.

Haar gsm had ze uitgezet. Haar laptop had ze geïnstalleerd op de formicatafel bij het raam. Tussen het gebabbel door probeerde ze wat teksten na te lezen en te voorzien van quotes, maar ze was er niet bij met haar gedachten en telkens als haar iets leek in te vallen, liep er een verpleegster binnen: 'Nog even geduld, mevrouwtje!'

Ja, het was bij haar opgekomen dat iemand met haar verantwoordelijkheid zich dit niet kon veroorloven. Dat zakenlui zelden of nooit zieke vrouwen hebben, dat politici wier kind verongelukt de dag daarna het parlement toespreken, dat frontsoldaten doorvechten met zieltogende strijdmakkers aan hun zijde. En jij, vroeg Celia Bis, wat doe jij?

Ik zit hier! Ik zit hier en ik blijf hier, tot dit achter de rug is. Ik wil me niet die weg laten opjagen – de weg van zakenlui, politici, frontsoldaten. Ik wil een andere weg – voor mezelf, voor jou, voor iedereen.

Zodat ze zich uiteindelijk dubbel schuldig had gevoeld: aan de ene kant omdat dit haar keuze was, aan de andere kant omdat ze – heel even – een andere keuze had overwogen.

Als een koningin in een koets tijdens een feestparade. Zo had haar moeder haar toegewuifd toen ze uiteindelijk naar de operatiekamer werd gereden. Ze had haar gsm en haar laptop mee naar de cafetaria genomen en zich geïnstalleerd in een hoekje met koffie en een broodje kaas. Barbara's stem sloeg door toen ze haar eindelijk aan de lijn kreeg.

'Celia! Ik dacht dat we je nooit zouden horen. Ik doe mijn best, ik doe wat ik kan, maar het loopt hier wel wat uit de hand. Nog een geluk dat Wim er is, om af en toe mijn hand vast te houden. En hoe gaat het met je moeder, is het daar allemaal achter de rug?'

'De operatie is net begonnen. Je zal mij niet meer zien vandaag, vrees ik. Luister Barbara...'

En ze had met haar de nieuwe *Adam* doorgelopen. Net zoals ze het, in een hotelkamer, op een avond die ze had geklasseerd als volstrekt onbelangrijk, Wim Schepens had zien doen. Ze had fouten verbeterd, titels en inleidingen verzonnen, artikelen naar voor en naar achter geschoven, foto's gekozen op basis van de beschrijving die Barbara haar ervan gaf. Ze had orders gegeven, vanaf afstand, met gezag en kennis van zaken.

'Hoe doet de foto van de Fulani het op de voorpagina?'
Barbara was haar barometer, maar zij bleef de baas.
'De voorpagina is veranderd', zei Barbara.
'Hoe bedoel je?' had ze gevraagd.
'Er staat geen foto van de Fulani op de voorpagina.'
'Maar we hadden toch afgesproken... Wat staat er dan op?'
'Patrick/Patricia', zei Barbara.
'Patrick/Patricia?!?'
'We hebben een interview met hem', zei ze.
'Hoe komen we daaraan? Wie heeft dat gemaakt?'
'Ik', zei Barbara Laermans.
'Jij?! En wanneer heb jij...'
'Vandaag', zei ze. 'Marcus drong erop aan.'
'Patrick/Patricia! En waarom, als ik...'
'Het was een wederdienst', zei Barbara.

'Een wederdienst?!?'

'Voor dat gesprek. Weet je nog? Marcus in *Aha!*'

Wederdiensten. Ruiladvertenties. Bijsturen.

'En dat kon niet wachten?' zegt ze. 'Dat moest nu? Meteen?'

'Marcus vond van wel. En die Fulani... Ik had je gewaarschuwd, Celia, dat ze er niet aan zouden willen. Die halve travestieten...'

'En Patrick/Patricia dan?' Ze had het geroepen. 'Dat is niet eens een halve, dat is een hele travestiet!' (Niet dat ze iets tegen travestieten had. Dat kwam er nog bij. Ze had in 't geheel niets tegen travestieten!)

'Ja, hoor 's,' zei Barbara, 'voor mij was het ook hengsten, hoor. En wees eerlijk: Patrick/Patricia kent iedereen. Terwijl die Fulani – had ik ook nooit eerder van gehoord! Dus als je 't er niet mee eens bent, zeg het dan maar tegen Marcus!'

'Dat zal ik doen', had ze gezegd. 'Dat zal ik zeker doen!'

'Blijkbaar heb je dat niet duidelijk genoeg gedaan', zegt Marcus. 'Je moet op je strepen staan, Celia, je moet je stelling leren verdedigen. Aan een onderhandelingstafel krijgt niet noodzakelijk wie gelijk heeft gelijk.'

Waar wil hij heen? Is hij bezig haar terecht te wijzen of zijn eigen ongelijk te bekennen? Haar stelling verdedigen, op haar strepen staan, is dat wat hij van haar verwacht? Oké, daar gaat ze dan. 'In de scheepvaart is er een regel', zegt ze. 'Ook al zijn er meningsverschillen aan boord, als het erop aankomt, volgt iedereen de kapitein.'

'In de scheepvaart is er nog een regel', zegt Wim Schepens. 'Een goede kapitein verlaat nooit zijn schip. Op het ogenblik dat dit nummer moest worden gesloten, was jij niet eens bereikbaar, Celia.'

'Wim heeft gelijk', zegt Marcus. '*Adam* liep meer dan een uur achter op het drukschema. We hebben de helft van de distributie gemist, we hebben het de volgende dag met eigen vervoer moeten inhalen. Besef je wat zo'n vertraging kost?'

Achter hem, grijzig onder de grauwe en druilerige hemel, glimmen de daken van de stad. Een door mensenhanden gevormde rotspartij, een schors van leien en asfaltpapier. Afschrapen, denkt ze, de daken openklappen, en de schedels die eronder schuilen. En dan kijken. Naar die kronkels, naar al die ideeën en meningen. Naar een vlek, hier en daar.

'Maar mijn moeder...' zegt ze.

'Het spijt me', zei de neurochirurg. 'De tumor was minder welomschreven dan we hadden verwacht. We hebben zo'n tien procent verwijderd voor biopsie, de rest zullen we proberen onder controle te houden of te reduceren. Maar we kunnen u niets garanderen.'

En de oncoloog had een bestralingsschema opgesteld, dat ze had genoteerd in haar agenda, want van bestralingen word je moe en daarom moet haar moeder na afloop worden opgehaald en naar huis vervoerd.

'Ik kan toch ook een taxi nemen', zei haar moeder.

'Ben je gek?' had ze gevraagd – hoewel een taxi wel handig zou zijn geweest, want toen al waren in haar agenda niet veel vakjes meer vrij. En dus was het slalommen geworden tussen de afspraken door of, met een beetje geluk, hier en daar een afspraak verplaatsen...

'Dat weet ik', zegt Marcus. 'En als mens heb ik daar alle begrip voor, Celia. Maar als bedrijfsleider stelt mij dat wel voor problemen. Ik hoop dat jij dat van jouw kant ook begrijpt.' Hij neemt het jongste nummer van *Adam* van de stapel – het nummer met Patrick/Patricia op de cover. Er zit een gelukstouwtje om zijn pols, ziet ze, gevlochten in robijnrood en hyacintblauw. Hij heeft het meegebracht uit Bali, het is groezelig en rafelig geworden. Maar gelukstouwtjes mag je niet zelf doorknippen. Ze moeten uit zichzelf kapotgaan.

Tranen bevatten dertig maal meer mangaan dan bloed. Huilen voert het mangaan in de hersenen af, en dat is een goede zaak. Wie te veel mangaan heeft, wordt namelijk depressief. Je kan dus maar beter een potje janken.

Daar zit Celia Borstlap dan, thuis op de sofa. Te snikken, redeloos en onbeheerst, helemaal de stijl van Tinus. Maar hij wordt niet ongemakkelijk van haar huilen, zoals zij van het zijne. Hij maakt ook geen aanstalten om haar te troosten en, hoewel ze nog liever zou sterven dan erom te vragen, is dat wat ze het liefst zou willen. Maar hij zit tegenover haar, met een onverschilligheid die tussen het snikken door in haar doorsijpelt.

Mangaan. En proctaline. Tranen voeren ook proctaline af. Vrouwen hebben meer proctaline dan mannen. Daarom huilen ze ook meer dan mannen – sommige vrouwen, sommige mannen.

'Je houdt niet meer van me', jankt ze. Zo banaal, die woorden; zo huilerig, haar stem. Maar als ze dan toch bezig is, kan dat er nog wel bij. Dan is er ten minste één onheil dat kan worden afgewend. Want zo meteen zal Tinus dat wel even rechtzetten.

Maar dat doet hij niet. 'Als dat zo is, dan heb je het er zelf naar gemaakt', zegt hij. Hij kruist zijn armen, kijkt haar aan met iets van spot, en wacht tot ze terugkijkt met rooddoorlopen ogen. 'Je beseft toch, Celia,' zegt hij, 'dat er een probleem is?'

... maar we komen er wel uit

'Maar we komen er wel uit', zegt Marcus W.E. Dubois. De brainstormsessie zal plaatsvinden in een kasteel, niet zo ver en niet zo groot als dat van Versailles, maar toch ook met een zekere allure. Afzondering om afleiding te vermijden, gezamenlijke maaltijden om de teamgeest te versterken, een slok wijn om de sfeer erin te houden – maar niet te veel, want anders loopt het uit de hand. 'Het derde weekend van de maand', zegt hij. 'Noteer dat in je agenda.'

Geen: ben je vrij? Kunnen je kinderen je missen? Moet je toevallig niet je moeder ophalen uit het ziekenhuis? De enige die plannen maakt, is hij: anderen doen wat hij wil en wanneer hij dat wil. Zoals heren in lang vervlogen tijden aanspraak maakten op de bruid van horigen, mag hij als allereerste aanspraak maken op haar. Misbruik, nog steeds; maar lust vervangen door business.

Ze kijkt er nog nauwelijks van op. Bovendien is de volgorde van belangrijkheid herschikt. Groot gevaar in de buurt maakt kleine gevaren verwaarloosbaar. Als het maar goed komt met haar moeder – de rest, ach...

Ze heeft zich er bij neergelegd dat ze niet alles in een keer voor elkaar krijgt. Dat winnen de som is van onooglijke en onopvallende overwinninkjes. Een kind in een rolstoel op kantoor. Een vrouw die toestemming krijgt om thuis te werken. Een interview over impotentie dat wordt uitgesteld, maar er uiteindelijk wel zal komen. Een opgesmukte man – Fulani of Patrick/Patricia, wat maakt het uit, al met al? Puzzelblokken zijn het, die je moet kantelen, een na een. Soms is iemand je voor, soms maakt een ander jouw keuze ongedaan, soms draai je zelf zo'n blok de verkeerde kant op. Maar als je niet afgeeft, als je maar volhoudt, liggen op zeker ogenblik alle blokken juist, heeft zich een nieuw en sluitend beeld gevormd.

'Het komt wel goed, je zal zien, het komt wel goed.' Haar moeders dwaze mantra – als hij maar werkt voor háár. De rest volgt vanzelf wel, een zaak van geduld en doorzettingsvermogen, van beetje bij beetje. Rotsblok na rotsblok, handgreep na handgreep, voet na voet: wordt zo niet de hoogste berg beklommen?

We're gonna take the beginning of this song and do it easy. In het begin, jazeker; maar dan: holderdebolder en geen stoppen aan. Ze draait de volumeknop van de autoradio open. Tina Turner, braaf geweest en bont en blauw gemept, maar kijk hoe ze daar nu staat. Zweet en zwiepende leeuwenmanen, bomen van benen en een beukend bekken.

Ze slaat de maat op het dashboard, zingt het luidkeels mee. *We're gonna do the finish rough.* Vergeet Scarlatti. Vaarwel getokkel, gezapig als een huisklok. Voorbij, de lamme uren met hun stramme waarden. Dit is het tempo van deze tijd, het tempo van oma Tina. Dezelfde leeftijd als oma Suzy, maar met één hak in haar eigen generatie en de andere al in de volgende. De spreidstand van buitenbeentjes.

Rollin', rollin'. Tot oma's verwonderd over hun schouder kijken, naar wat vroeger vreemd was en nu zo vanzelfsprekend. *Rollin' on a river.* Tot de dochters van die oma's de vruchten plukken, en hun kleindochters zich niet eens meer vragen stellen. *Proud Mary keep on burnin'.* En vervang nu oma's door opa's, dochters door zonen, kleindochters door kleinzonen.

All right, oh, yeah! Daar staat de man van morgen. Daar staat Kamiel!

Maar dit is vandaag en Kamiel is een mannetje van negen. Gehoorzamen moet hij, gehoorzamen en zich goed gedragen. Geen domme streken uithalen, zoals nu, en dan nog wel in het geniep. Dubbel op, zodat zijn vader dubbel zo boos is, misschien zelfs meer.

Celia merkt het meteen. Ze heeft tickets gekocht voor de zondagmatinee van het circus. Moeders van de overgangsgeneratie mogen uithuizig zijn, als ze zich daar maar schuldig over voelen en dat schuldgevoel passend weten af te kopen. Met jongleurs, hobbelende olifanten, halsbrekend trapezewerk en ballerina's op galopperende paarden, bijvoorbeeld: vertier dat zowel de kinderen als hun vader zullen smaken. Twee uur in de circustent in ruil voor twee dagen brainstormen op het kasteel. Met de tickets als een waaier in haar hand, stapt ze naar binnen.

Daar heerst een stilte om te snijden. Kamiel en Kassandra zijn nergens te bespeuren en het gezicht van Tinus staat op onweer. Te veel buien en bliksems, terwijl zij snakt naar wat zon om de neerslachtigheid te verdrijven, die zoals bekend het gevolg is van te lang bewolkte hemels. 'Vraag het hem zelf maar', zegt Tinus. 'Dat hij het je maar vertelt, die zoon van jou.'

'Ik heb het niet gedaan', pruilt Kamiel verongelijkt. 'Ik wist het niet, ik was het vergeten.'

Hij zit op zijn bed, weggedoken in een hoek. Hoofd tussen hoge schouders, knieën opgetrokken als een schild. Hij verschanst zich niet, zoals anders, in haar armen. Vertrouwt hij haar niet of wordt hij daar stilaan te groot voor? Is hij begonnen met zich te pantseren – nu al?

'Ik had die lippenstift in mijn zak gestopt', zegt haar mannetje-in-wording. 'Ik wilde aan papa vragen of ik die hebben mocht. Maar dat ben ik vergeten en toen zijn we naar buitengegaan. En hij zat nog altijd in mijn zak.'

'Hij deed het niet opzettelijk', zegt ze tegen Tinus.

'Wablief?!' En hij stuift de kamer uit, naar Kamiel. 'En nog liegen ook!' Hij grijpt Kamiel bij de arm en trekt hem van het bed en schudt hem door elkaar. Bungelend als een lappenpop, zonder zich te verweren of een krimp te geven, laat die hem begaan. Hoofd afgewend, om de klap te ontwijken die hij elk ogenblik verwacht, maar die niet komt.

'Sta op!' roept Tinus. 'En kijk me aan! Zo is het wel genoeg geweest. Geen park, geen vriendjes, geen feestjes of wat dan ook. Niet dit weekend en niet de volgende weekends. Begrepen? Hou jij je maar eens kalm, blijf jij maar eens een poosje binnen. Begrepen? Antwoord! Ik hoor je niet. Begrepen?'

'Ja', piept Kamiel. Onder zijn arm door gluurt hij naar de deuropening. Naar zijn zus die tegen zijn moeder aanleunt en naar haar opkijkt, en naar zijn moeder die over het hoofd van zijn zus heen naar hem kijkt, maar die niets zegt en niet tussenbeide komt, omdat ze ooit met zijn vader is overeengekomen dat ze in aanwezigheid van de kinderen nooit ruzie zullen maken en ze altijd één lijn zullen trekken, ook al denkt ze nu bij zichzelf: Shit, de tickets voor het circus!

Maar dat zegt ze pas later, als de kinderen naar bed zijn en zijn woede wat gezakt lijkt.

'Ik had het ze beloofd, Tinus.'

'Ik hoor het al', zegt hij. 'Straks ben ik nog de boosdoener.'

'Wie zegt dat hij het niet echt vergeten is?'

'Dat geloof je toch niet', zegt hij. 'Dat geloof je zelf toch niet, Celia?'

'Allemaal voor een lippenstift...', zegt ze hoofdschuddend.

'Een lippenstift, ja. Wat moet zo'n jongen daarmee? Heb je je dat al eens afgevraagd?'

Ze haalt haar schouders op. 'Je overdrijft, Tinus...'

'Jij...', en in zijn stem komt de donder aangerold. 'Jij gaat mij niet vertellen wat ik moet doen....'

'Geen straffen waar anderen de dupe van zijn: het was jouw vuistregel, weet je nog? Als Kamiel niet mee mag, is de pret er voor Kassandra ook af. En zelf heb ik al zo weinig tijd voor hen.'

'En hoe zou dát komen?!' Dreigend. Kauwend op elke lettergreep. Alsof hij een cursus in welsprekendheid volgt. De donder hangt nu pal boven haar hoofd, de woorden kletteren uit zijn mond: 'Jij denkt dat je weet hoe de wereld in elkaar zit. Maar ik zeg je, Celia Borstlap: jij begrijpt er geen sikkepit van. Lippenstift, punaise, volledige video-installatie: het kan me niet schelen. Die jongen steelt, Celia. Jouw zoon is een dief!'

'Een dief...'

'Ja, een dief. Leuk hoor! Je passeert de kassa, je duwt je wagentje vol boodschappen naar buiten, en dan tikt er zo'n vent op je schouder en vraagt of je even mee wil komen. Discreet natuurlijk, maar intussen heeft iedereen het wel gezien. Naar dat glazen hok boven de klantendienst. Als een misdadiger.'

'In godsnaam, Tinus! Je bent jezelf niet meer. Dadelijk worden de kinderen wakker.'

Maar dat laatste hoort hij niet. Hij raast maar door. 'Jij ook niet! Jij ook niet, Celia! Wij zijn allemaal onszelf niet meer! Het gaat hier naar de kloten, het gaat hier allemaal naar de kloten, maar jij trekt je daar niks van aan. Jij komt en gaat wanneer je wil, en ondertussen leest mevrouw mij de les, mij en die andere Adammen van haar. En als ze daar zin in heeft, komt ze nog een potje janken ook, omdat het een beetje moeilijk gaat op haar werk, of omdat haar moeder kanker heeft...'

'Zo is het wel genoeg!' Ze draait zich om, ze is weg. De kamer uit. Naar bed.

In de gang staat Kassandra, in nachtpon. Het deurtje van het hamsterhok staat wijdopen, Hugo ligt tegen haar schouder aan gevleid. Eén hand houdt ze om zijn lijfje, met haar wang en haar andere hand aait ze afwisselend over zijn vacht. 'Wij konden niet slapen', fluistert ze.

Wij, Hugo en ik: wie troost hier wie?

'Het is niets, meisje', zegt Celia. 'Het is voorbij, het was niets.'

Samen zetten ze Hugo in de kooi, en daarna dekt ze haar dochtertje toe. Ze strijkt de haren van haar voorhoofd, geeft haar een zoen en knipt het licht uit. En hoort haar zeggen, in het donker: 'Ik heb hem gekozen.'

'Wat gekozen, lieverd?'

'De lippenstift.' Stilte. 'Kamiel heeft hem uit het rek genomen. Maar ik heb hem gekozen, ik vond de kleur zo mooi.' Weer stilte, heel even maar, en dan: 'Het was een cadeautje voor jou.'

Aan haar zijde van het echtelijke bed staat de foto. Vader, moeder en twee kinderen, aan zee. Haren in de wind, bruin en breedlachend, in een trapwagen op de zeedijk. Pannenkoeken gegeten, herinnert Celia zich, en Kassandra's pamper vol. Een pamper toen nog! Happy family!

Binnen hoort ze Tinus rondbanjeren. Hij heeft de televisie aangezet, stemmen als vogelgekwetter. Ze trekt het donzen dekbed over haar ogen, balt haar vuisten en bokst ze omhoog. Ademruimte, anders stikt ze nog, hoewel ze dat op dit moment niet eens zo erg zou vinden.

'Heb je dat aan papa gezegd?' – zij. 'Papa was zo boos. We waren bang.' – Kassandra. 'Zie je dan niet wat er gebeurt, Celia, zie je dat dan niet?' – Tinus.

Gaan we naar het circus, mama? Wanneer gaan we naar het circus? En het tromgeroffel zwelt aan en de trapezeacrobatenzwaaien naar elkaar toe, hoger en hoger, en hij steekt zijn armen naar haar uit en zij lost en grijpt en... O, roept het publiek en het gaat rechtop in de bank zitten en het slaat de handen voor de mond en kijkt naar boven met opengesperde ogen, ontzet. Oooo!...

Enkele dagen later vergezelt Tinus haar moeder naar het ziekenhuis. Ergens – in de auto, in de wachtzaal, na afloop bij haar thuis – moet het gesprek hebben plaatsgevonden. Dat veronderstelt Celia, omdat haar moeder de eerstvolgende keer dat zij haar ophaalt, informeert of het nu al wat beter met Tinus gaat.

De wereld op zijn kop, denkt ze: niet naar het welzijn van Tinus, maar naar het jouwe moet worden geïnformeerd. Maar haar moeder blijft zich gedragen alsof er met haar niks aan de hand is, en aan de manier waarop ze de bestraling doorstaat, zou je het nog gaan geloven ook. Als er niet die sjaal was op haar hoofd, en dat litteken daaronder.

'Ik begrijp het', zegt ze. 'Ik begrijp dat het voor Tinus niet altijd even gemakkelijk is. Jij hebt het toch ook af en toe moeilijk op je werk? Waarom zou hij het dan thuis niet af en toe moeilijk hebben? Geef hem wat tijd, Cel, wees blij dat jouw man niet zo opgaat in zijn werk als je vader.'

Zodat jij daar wel de kans toe krijgt, hoort Celia er haar in gedachten aan toevoegen. Maar dat zegt haar moeder er niet bij, zoals ze er ook niet bij zegt dat Tinus haar om raad heeft gevraagd of bij haar zijn hart heeft uitgestort. Misschien heeft hij dat ook niet gedaan, misschien heeft ze met hem wel een van die onuitgesproken gesprekken gevoerd die ze al haar hele leven voert – ook nu weer. Ze slikt woorden in, ze praat eromheen, ze gaat meteen over naar haar besluit. Ze zegt: 'Weet je wat jullie zouden moeten doen? Jullie zouden er eens met z'n vieren tussenuit moeten. Dát zou jullie goed doen, kind. Geloof me.'

Het circus breekt zijn tenten op en het is alsof met het roodwitte zeildoek ook de boosheid van Tinus inzakt. Zijn gelijk is niet meer aan de orde, zodat het voor eeuwig een raadsel zal blijven of hij dat al dan niet had. Hij praat ook niet meer over de straf van Kamiel, en die zou wel gek zijn om erover te beginnen. Een ongewone opgewektheid is het enige wat verwijst naar de herrie van die avond. Tinus is opvallend vriendelijk, de kinderen opvallend gehoorzaam en wellevend. En Celia doet alsof haar niets van dat alles opvalt.

Een volslagen verrassing is het dus niet, hoewel Tinus het wel als zodanig aankondigt. 'Ik heb een verrassing', zegt hij gewichtig. 'Wat zouden jullie ervan zeggen als we eens op stap gingen met zijn vieren?' Twee paar kinderogen kijken van hem naar haar, en dan naar elkaar. Kamiel gaat wat rechter zitten, toch nog een beetje op zijn hoede. Kassandra ontvouwt een verwachtingsvolle glimlach, met twee ontbrekende tanden onderaan en een sliertje spinazie tussen de bovenste.

Er is nog vruchtensla toe, maar die kan nu wel wachten. Eerst het vervolg, een beter toetje is er niet! Tevreden kijkt Tinus de tafel rond, trots op zijn nieuwe toverformule. 'Naar het Aquapark', zegt hij.

'Jaaaa!' juicht Kamiel.

'Nu?' vraagt Kassandra.

'Nee', zegt Tinus. 'Volgend weekend.'

Ze hoeft er haar agenda niet op na te slaan. Volgend weekend is het derde weekend van de maand. Het weekend van de brainstormsessie, waarover ze tegen Tinus nog met geen woord gerept heeft. Omdat het toch weer zou uitdraaien op wrevel en een woordenwisseling en ze die zolang mogelijk wilde uitstellen. En daarbovenop was die aanvaring gekomen en dit broze bestand, dat koste wat kost moest worden bewaard, maar dat zij met wat ze zo dadelijk gaat zeggen in één klap weer zal opblazen.

Zo en niet anders. Punt

Wijde kameelkleurige pantalon en ruimzittende ivoorkleurige bloes, wolletje losjes over de schouders en driedubbele parelketting om de hals: Barbara Laermans heeft Marlène Dietrich gekruist met Coco Chanel. Partijtje golf? vragen de kleren van Barbara Laermans, en Barbara Laermans zelf zegt: 'Hiho! Wat leuk jullie te zien op zaterdagochtend. Waarom doen we dit niet vaker?'

Niemand die weet of ze het meent of niet. Maar dat doet weinig ter zake, de toon is gezet: op dit kasteel verblijven is een voorrecht, en daar past enige vrolijkheid bij. Ook al zijn de muren opgetrokken uit sombere grijze steen, de boogramen klein en donker. Ook al is dit werk, ook al zijn dit collega's.

Het is de eerste keer dat Celia Marcus W.E. Dubois ziet zonder pak. Hij draagt een donkergrijze broek, een wijnrode polo en bretellen met roze varkentjes. Hij lijkt wel een ander mens, net als Guy De Maarschalk die even later arriveert, wollen vest over fluwelen hemd over T-shirt. Alleen Hans Tertilden ziet eruit als altijd – wellicht te zeer begaan met het voorkomen van publicaties om nog tijd over te houden voor het zijne.

Met de regelmaat van de klok worden werkweekends als dit gehouden – over *Nieuws?!* over *Lola*, over een van de andere titels van de groep. Tot nu toe kende ze er alleen de achterkant van: de plotse en absolute onbereikbaarheid van de grote Manitoe, het spottende toontje van de zinspelingen daarop. En de veranderingen die na afloop als manna uit de hemel vielen: de stelligheid waarmee werd beweerd hoe baanbrekend die wel waren, de veelbetekenende blikken waarop die bewering werd onthaald. Weer was het onmogelijke mogelijk gemaakt, weer kringelde witte rook uit de schoorsteen. Habemus papam.

Nu staat zij hier, een Manitoe als de andere, in een wintertuin tussen de potpalmen. Vanzelfsprekend vindt ze het nog altijd niet, na al die weken blijft het haar verrassen. Maar misschien verandert dat – straks, als ze uit haar schaduwbestaan is getreden. Een palmblad kriebelt aan haar oor, ze duwt het weg, zet een stapje opzij.

Niemand die, zoals zij, nieuwsgierig en een tikkeltje onwennig om zich heen kijkt. Er wordt gekletst over koetjes en kalfjes, er wordt thee gedronken uit porseleinen kopjes met een puntje taart of een plakje cake erbij. Een familiereünie, daar doet dit haar nog het meest aan denken. Ze had het zich enigszins anders voorgesteld. Niet zo losjes en niet zo vriendelijk. Gewichtiger, een tikkeltje genadelozer, ook.

Een serveerster haalt de kopjes en de borden op. De maître d'hôtel meldt dat het blauwe salon klaarstaat. Marcus W.E. Dubois werpt een verstoorde blik op zijn horloge.

En dan zwaaien de deuren open en komt hij binnen waaien. Te groot en te breed voor dit huis van glas, te brutaal in zijn lederen pak met zijn helm onder de arm, te laat – hoe dan ook. Te veel van alles; maar veel, zo niet alles, wordt hem vergeven.

Opgetogen klopt Marcus hem op de schouder: 'Wim! Ik begon al te wanhopen!'

Volle, voldane glimlach. 'Ik ben met de motor gekomen.' Een verdienste, geen verontschuldiging.

Hoe had ze, heel even en tot haar opluchting, kunnen veronderstellen dat Wim Schepens er niet bij zou zijn? En hoe komt het toch dat alles ineens opleeft, als hij bezweet en briesend zijn entree maakt? Dat keurigheid ophoudt een kwaliteit te zijn en iedereen, vergeleken bij hem, dodelijk saai lijkt? Iedereen – behalve misschien Barbara Laermans.

Het blauwe salon ontleent zijn naam aan de strepen op het behang en de zitjes van de stoelen. Voor elke stoel staat op de tafel dezelfde set klaar: een blocnote en een balpen, een glas en twee flesjes, een met mineraalwater en een met vruchtensap, en de tot nu toe verschenen nummers van *Adam*.

'Ga toch zitten', zegt Marcus W.E. Dubois. Zelf gaat hij bij de flip-over staan. Hij slaat met een breed gebaar het eerste vel van het klemblok om. Tekent een cirkel, daaronder een wat grotere cirkel, onder de grote cirkel twee verticale strepen en aan weerszijden ervan twee horizontale strepen. Een kleuterventje met een buik zo bol als de zijne. Op de buik zet hij de letters N en M.

'Oké!' Hij draait zich om, werpt een blik over zijn schouder op zijn creatie, tikt met de viltstift de letters aan. 'Dit is wat we zoeken. Dit is waarvoor we hier zijn. En dit is wat we missen.' De kop van de viltstift piept als hij boven het kleuterventje in grote drukletters het woord schrijft. PROFIEL.

'Het blijft te vaag', zegt hij. 'Het is niet uitgesproken genoeg. Als we hier morgen vertrekken, moet het ingevuld zijn.' Hij legt de stift neer, neemt zijn plaats in aan de kop van de tafel. 'Wij zijn hier om jou te helpen, Celia. Maar wij luisteren natuurlijk in de eerste plaats naar jou.'

Vijf hoofden kijken afwachtend in haar richting.

'Wel...' begint ze. Haar stem te breekbaar, te dun om te overtuigen. Ze schraapt haar keel, vervolgt. 'Ik vrees dat het profiel nog wel enige tijd vaag zal blijven. Van de Nieuwe Man wordt beweerd dat hij gevoelig is en behulpzaam en dol op kinderen, enzovoort... Maar hij is in de eerste plaats op zoek naar zichzelf. Hoe kan je dan verwachten dat hij eenduidig is? Misschien wordt hij dat wel nooit. Wat is daar mis mee?'

Wim Schepens zucht. Hans Tertilden werpt hem een blik toe. Guy De Maarschalk drukt zijn balpen in en uit. Barbara Laermans is even nadrukkelijk afwezig als ze anders aanwezig is.

'Je klinkt als mijn psychiater', zegt Marcus W.E. Dubois.

'Is het een goede psychiater?'

'Dat weet ik niet', zegt Marcus. 'Maar ik heb er wel een fortuin achtergelaten.'

'Dan zijn we misschien niet zo slecht bezig', zegt ze fijntjes.

Even lijkt Marcus uit zijn lood geslagen. Wim Schepens bestudeert de spots in het plafond. Barbara bedekt met een perfect gemanicuurde hand haar parelsnoer. Klik-klik doet de balpen van Guy De Maarschalk.

'Dat neemt niet weg dat we suggesties kunnen doen', herneemt ze. 'Een richting aangeven. Helpen...'

'Wij doen niet aan ontwikkelingshulp', zegt Marcus. 'Ik dacht dat ik dat al eens had gezegd.'

'Het waren nochtans jouw woorden, Marcus: help hem!'

'Jaja...' zegt hij.

'Dat was toch de bedoeling', dringt ze aan.

'Onze bedoeling was een nieuw tijdschrift', zegt hij.

'De ideale Nieuwe Man is een gat in de markt', zegt Wim.

'Maar die Nieuwe Man bereiken we niet', zegt Guy. Klik-klik, klik-klik.

'O nee?' Ze neemt haar dossier, haalt er de lezersbrieven uit. Ze heeft ze al zo vaak gelezen dat ze ze haast van buiten kent. Ze herinnert zich hoe opgetogen ze was met de eerste, temeer omdat de afzender niet een van die briefschrijvers bleek te zijn met veel – te veel – vrije tijd en weinig – te weinig – hersens: zijn brief was net, zonder fouten, goed geformuleerd. Later waren er nog meer gevolgd, lezersbrieven die haar hadden overtuigd dat ze op de goede weg was.

Langzaam, pauzes inlassend en met de juiste intonatie, leest ze de belangrijkste passages voor. Dan legt ze het stapeltje naast zich en kijkt de tafel rond. 'Dit zijn er maar enkele', zegt ze. 'Maar geëxtrapoleerd' – dat heeft ze geleerd van Guy De Maarschalk – 'betekent dit dat er heel wat meer lezers zo over *Adam* denken.'

'Hoeveel?' zegt Wim Schepens. 'Vijfduizend?...'

'Neem tienduizend', zegt Guy De Maarschalk gul.

'Vanaf wanneer maken we winst?' vraagt Wim.

'Honderdduizend', zegt Marcus.

'En er zijn ook andere brieven', zegt Wim. 'Gisteren nog in de krant. Mannen die dat weke gedoe niet zien zitten... Die een heel ander idee hebben over de Nieuwe Man.'

'En vrouwen', valt Hans hem bij. 'Vrouwen, die geen softie willen...'

'Daar heb ik alle begrip voor', zegt Barbara.

Alle hoofden draaien naar haar toe. Er valt een stilte.

'Ik bedoel', zegt Barbara. 'Je zal mij dit nooit hardop horen zeggen, zeker niet nu ik werk voor *Adam*. Als ik dat hier wel doe, is het omdat ik weet dat ik jullie kan vertrouwen. Ik zeg ook niet dat ik er trots op ben. Maar als je 't mij eerlijk vraagt: geef mij maar een echte man! De vaat doe ik zelf wel!'

Het hoofd van Wim Schepens wiebelt. De rechtermondhoek van Hans Tertilden krult omhoog. Guy De Maarschalk slaakt een zucht en gaat wat gemakkelijker zitten. Marcus ritst met zijn duimen achter zijn bretellen, van aan zijn broeksband tot aan zijn schouderbladen.

'Wat niet wegneemt', herneemt Barbara, 'dat Celia volgens mij wel degelijk een punt heeft. Iedereen herinnert zich toch nog de enquête van *Lola*...'

Het was een van de marketingstrategieën van Guy De Maarschalk. Een onderzoek naar het verwachtingspatroon van vrouwen, uitgevoerd in opdracht van *Lola*. Het aangezochte bureau was professioneel, het had ervaring in zowel wasmiddelen als verkiezingsuitslagen. Het had honderd vrouwen geselecteerd waarvan het beweerde dat ze representatief waren, en hun evenveel vragen voorgelegd waarvan het beweerde dat ze relevant waren.

Vraag aan de Fulani-meisjes hoe een man moet zijn en ze zullen het je zeggen. Maar vraag het aan vrouwen op de wip tussen oud en nieuw, noord en zuid, macht en muskus? Wij willen kinderen, had 35 procent van de lezeressen geantwoord; romantiek en vriendschap, antwoordde 32 procent; avontuur en seks, antwoordde 33 procent. Verleiden is een zaak van veel geld, vond 15,6 procent; zin voor humor, vond 25, 4 procent; een goed lijf, vond 25,8 procent; fantasie in bed, vond 25,2 procent. Sommigen vielen voor ogen en benen, anderen voor schouders en bipsen, weer anderen voor welgevormde penissen. Een nipte meerderheid rilde bij de gedachte aan mannen met borsthaar, een nipte minderheid knapte af op een meisjeshuid. En hoewel volgens dezelfde enquête vrouwen haast dertig uur besteedden aan het huishouden tegenover nog geen tien uur bij de mannen, achtte slechts 27 procent van de ondervraagde vrouwen een beetje meer hulpvaardigheid een belangrijke eigenschap. Als hij maar trouw is, zei 19 procent; en gevoelig, zei 22 procent. Als hij maar een aangenaam karakter heeft, zei 23 procent, en een aantrekkelijk uiterlijk, zei 26 procent. Dan mag hij blijven zoals hij is, dan klaren wij die klus wel, zoals we dat altijd al hebben gedaan.

'Die moeite hadden we ons kunnen besparen!' zegt Marcus W.E. Dubois schamper.

'Vrouwen die niet weten wat ze willen', zegt Wim Schepens. 'Als er één ding is waar ik onwel van word, dan is het van vrouwen die niet weten wat ze willen. Nu eens dit, dan weer dat. Naargelang het ze uitkomt.'

Hij kijkt niet naar Celia. Hij kijkt naar niemand, hij kijkt naar de tafel. Hij herschikt de blocnote en de balpen, het glas en de flesjes. Maar ze kan zich niet ontdoen van de indruk dat hij het maar zijdelings heeft over de enquête, dat hij zinspeelt op een wispelturigheid die hij elders heeft vastgesteld. Bij haar, veel eerder al, en niet met betrekking tot haar vak.

'Kijk,' zegt Hans Tertilden, 'ik ben geen expert, toch niet als het op inhoud aankomt. Maar als mannen niet weten wat ze willen, en vrouwen niet weten wat ze willen, en als dit tijdschrift niet weet wat mannen en vrouwen willen... Dan weet ik het ook niet meer!'

'Ik wel!' zegt Celia. Ze staat op, loopt achter Marcus langs en neemt de vilstift. 'Dit is wat we nodig hebben' – en ze schrijft de vier letters op de buik van het kleuterventje. Als ze zich omdraait, ruikt ze meiklokjes en oude rozen. Marcus heeft zijn stoel een kwartdraai achteruitgeschoven. Hij zit nu vlak naast haar en kijkt langs haar heen naar het bord.

Ze begint het uit te leggen, ze probeert het nog een keer. De Oude Man heeft afgedaan, bij een nieuwe eeuw hoort een Nieuwe Man. Maar hoe kan je keuzes maken, als je de tijd niet wordt gegund? In een vingerknip wordt van hem verwacht waar vrouwen meer dan honderd jaar over hebben gedaan.

Lees er de vrouwentijdschriften maar op na – niet een, maar talloze. Op het ogenblik dat suffragettes zich vastketenden aan ijzeren hekken, vroegen vrouwentijdschriften heel wat anders dan gelijke rechten. Ze vroegen: welke kousenophouders houden je korset op de juiste plaats? Welke bontmantel verwarmt je als een ijsbeer? Welke zeep redt je leven? Twee wereldoorlogen later werden vrouwen, wegens hun verdiensten aan het thuisfront, verheven in de adelstand: huishoudapparaten en babydolls maakten van hen keukenprinsessen en schoonheidskoninginnen. Als confetti werd over de daaropvolgende vijftig jaar de pil uitgestrooid: minirokken en doorkijkblouses bezongen het genot, mantelpakken met brede schouders predikten het gezwoeg. Met de nieuwe eeuw in zicht, stond voor de lens van topfotografen een nieuwe vrouw klaar: stilettohak op de blote bips van een man, gsm in de linkerhand en laptop onder de linkerarm, en op de rechter een huilende zuigeling waar ze zich geen raad mee wist. Druk had deze vrouw het, veel te druk! Een oplossing drong zich op en, zoals zo vaak, voorspelde de reclame de werkelijkheid en niet omgekeerd. In advertenties verschenen voor het eerst mannen met baby's op de arm. En bij hen waren die baby's wél braaf!

Meer dan honderd jaar van zeuren en protesteren, van dromen en depressies en toch doorgaan. Van nu eens dit willen en dan weer dat, zoals Wim zou zeggen. Van vrouwen vond men dat normaal: dat hoorde erbij. Waarom moet de Nieuwe Man dan een instantman zijn?

'Tijd', zegt ze. 'Geef hem wat tijd. En geef *Adam* wat tijd. De rest volgt vanzelf wel.' Ze legt de viltstift neer, gaat zitten.

Marcus draait zijn stoel terug naar de tafel. De poten kraken en krassen op het parket. Hij legt zijn beide armen op het tafelblad, aan weerszijden van zijn blocnote. Het gelukstouwtje is van zijn pols verdwenen, ziet ze. Vanzelf of doorgeknipt? Geluk of ongeluk?

'Ze heeft gelijk', zegt hij. 'Celia heeft gelijk, laat daar geen twijfel over bestaan. Er is maar een probleem: wij hebben geen tijd. En dus moeten wij de knoop doorhakken, hier en nu. Als hij het niet kan...' – vinger over zijn schouder, richting ventje – '... dan moeten wij het doen in zijn plaats. Wij moeten durven zeggen: zo ben je. Zo en niet anders. Punt.'

'Je bedoelt', zegt Celia, 'dat wij een gat in de markt moeten máken?'

'Zo zou je 't kunnen stellen', zegt Marcus geamuseerd.

'Een gat dat er niet is, dat er misschien nooit is geweest?'

Wim Schepens klakt met zijn tong en draait geërgerd zijn hoofd weg.

'Dat is de hele kunst', zegt Guy De Maarschalk. 'Mensen doen verlangen naar iets waarvan ze niet eens wisten dat ze ernaar verlangden. Als er zoiets bestaat als de kunst van het verkopen, dan is dit kunst met een grote K.'

'Als we het nou eens heel concreet aanpakten', zegt Barbara. 'Iedereen heeft de nummers voor zich die tot nu toe zijn verschenen. Als elk van jullie nu eens begon met te zeggen wat hem daar niet aan zint en waarom.'

'Dit is zowat het meest zinnige voorstel dat ik tot nu toe heb gehoord', zegt Marcus W.E. Dubois. Hij maakt een kruis over het ventje, slaat het blad om en deelt het op in twee kolommen. Boven de eerste zet hij een plus-, boven de tweede een minteken.

'Oké! Wie begint?'

'Niet stoer genoeg', zegt Hans Tertilden. 'Ik vind *Adam* niet stoer genoeg.'

'Te ernstig ook', zegt Guy De Maarschalk. 'Te zwaar op de hand.'

'De praktische tips', zegt Wim. 'Niet sexy! En wat niet sexy is, verkoopt niet.'

En Barbara Laermans friemelt aan haar parelsnoer en windt een loshangende haarlok rond haar wijsvinger en zet haar lippen in zoenhouding: 'En als we die tips nou een beetje sexy verpakken?'

'Wat doet een blad draaien?' zegt Wim. 'Dromen! Wat biedt *Adam* zijn lezers? Het recept van aardappelpuree en het besef dat ze hem moeilijk omhoog krijgen. Ik wil de man zien die daar een tijdschrift voor koopt. En de vrouw die zo'n man wil. Nietwaar, Barbara?'

Zo gaat het verder. Celia luistert en noteert. Verweert zich, vaak tegen beter weten in. Ze lijken zo zeker van zichzelf, ze bespeurt bij hen niet de minste twijfel. Alsof hun meningen stoelen op grondig onderzoek, alsof ze deze oefening al eens eerder hebben gedaan.

Soms valt haar, plompverloren in de discussie, een beeld te binnen van haar leven thuis. Ze herkent het wel, maar het lijkt zich af te spelen in een andere wereld en een andere tijd, en de vrouw die erbij hoort, lijkt een andere vrouw dan zij. Een soort voorouder, een afsplitsing uit een vorig bestaan waaraan ze vage herinneringen bewaart, maar dat voor het overige zijn tastbaarheid heeft verloren, zijn geuren en zijn kleuren.

Met elk uur dat verstrijkt, lijkt het er meer op dat dit haar echte leven is. Deze vier muren, deze vijf mensen, deze stortvloed van woorden en wisselende stemmingen. Een bestaan, bepaald door wetten die ze niet heeft opgesteld, maar waar ze zich wel aan moet houden. Een leven dat ze niet heeft gekozen, maar dat haar geen andere keuze laat dan het te leven.

Er is koffie en daarna lunch en daarna weer koffie. En aanhoudend verschuift de toon: van familiair naar formeel, van bemoedigend naar sceptisch, van vertrouwd naar vijandig. En terug.

Tot een fijn gepiep het gesprek onderbreekt. Marcus W.E. Dubois drukt een van de vele knopjes van zijn polshorloge in. 'Zo! We hebben goed gewerkt vandaag. Tijd voor het aperitief! Over een uurtje in de bar?'

De kolom onder het minteken is goed gevuld, die onder het plusteken mager. Maar morgen is er weer een dag, een hele dag om de andere kolom in te vullen. Wat er positief aan is, welke richting *Adam* verder uit moet.

Celia trekt haar kleren uit, laat het bad vollopen. Ze voelt zich zowel uitgeput als opgezweept. Ze snuift aan de bodymilk waarmee ze zich zo dadelijk zal inwrijven. Niemand anders om voor te zorgen, niemand die haar aandacht opeist. Op zichzelf, zonder iemand die aan haar knabbelt.

Alweer een poos geleden is dat. Van reportages waar men haar op uit stuurde, vroeger, toen ze nog geen kinderen had. En van lang daarvoor, toen ze studeerde en Tinus nog niet had ontmoet. Ze geniet ervan, en tegelijk geeft het haar een gevoel van verlatenheid.

Ze neemt de kaart met telefooninstructies van de nachttafel, draait de buitenhuiscode en haar thuisnummer. Een vrouwenstem aan de andere kant van de lijn. 'Sorry, verkeerd verbonden', zegt ze. Ze draait het nummer opnieuw. Weer de vrouwenstem. Ze hangt op. Nog één keer.

'Hallooo?'
    'Kamiel?! Het is mama!'
    'Daaag!' Onwennig, verrast.
    'Wie is dat?' Kassandra's stem, vlakbij.
    'Mama!' Kamiel, tegen Kassandra.
    'Dag mama!' Kassandra in de hoorn, flemend.
    Waarop een vrouwenstem, uit de verte: 'Wie is dat?'
    En opnieuw Kamiel en Kassandra, in koor: 'Mama!'
    'Wie is die mevrouw?' vraagt ze.
    'Annick!' zegt Kamiel. Iets te enthousiast naar haar zin. 'Annick bakt pannenkoeken voor ons.'

'Geef papa eens.'

'Papa is weg.'

'Weg?! Waar naartoe?'

'Ik weet niet.'

Gerommel aan de telefoon.

'Heeft papa dan niets gezegd?'

Nog meer gerommel.

'Kassandra, laat nou.' Kamiel.

'Nee, het is mijn beurt!' En dan Kassandra's stem. Parmantig, uitdagend bijna, op dat wijsneuzige toontje van haar. 'Papa is weg voor zijn werk. Omdat hij niet zo hard wil werken als jij. Omdat er dan niemand meer thuis is voor ons.'

Van huis weg om vaker thuis te zijn? Meer werken om minder te werken? En dat op een vrijdagavond?

Ze staan in een kring aan de bar. Het gesprek gaat over de prijs van zware motoren. Barbara Laermans stuift binnen als allerlaatste. Ze heeft bloes en pantalon geruild voor een glimmende halter-jurk. 'Heb je hem gezien, Celia?' vraagt ze. 'Heb je Tinus gezien?'

Het gesprek stokt. Vragende blikken in haar richting.

'De Deutsche Häuser bank', zegt Barbara, 'dat is toch waar Tinus werkt?'

'O', zegt Hans Tertilden. 'Die betoging op televisie?'

'Heb ik een glimp van opgevangen', zegt Guy De Maarschalk. 'Ingegooide ruiten en al.'

'En was jouw echtgenoot daarbij?' Marcus W.E. Dubois trekt zijn wenkbrauwen op.

'Het was maar een flits', zegt Barbara. 'Maar volgens mij was hij het.'

'Betoging waarvoor?' vraagt Marcus.

'Vraag liever: waartegen', verbetert Wim.

'Te hoge werkdruk', zegt Hans

'Bijkomende besparingen', zegt Guy.

'En globalisering natuurlijk', zegt Wim. 'De nieuwe hippies. Je weet wel.'

Celia hoort de afkeuring in hun stem. Een beetje kaderlid protesteert hier niet tegen. En een beetje partner van dat kader-lid, bij uitbreiding, evenmin. Maar ze is al opgelucht dat de anderen iets antwoorden, want zij had niet meteen wat kunnen bedenken. Niet alleen betoogt Tinus tegen iets waar zij geacht wordt achter te staan, hij heeft er tegen haar met geen woord over gerept. Zodat ze er nu verwezen en enigszins lullig bij staat en niets beters weet te verzinnen dan: 'Ruiten ingooien: zoiets zou Tinus nooit doen.'

'Werkelijk?' zegt Marcus W.E. Dubois. 'Zozo.'

Naar haar kamer, de televisie aanzetten, nu meteen! Dat is wat ze het liefst zou willen.

Maar eerst moet er worden gegeten, een halve kreeft en lamszadel met groentekrans en nogaijs met geroosterde amandelschilfers. Witte en rode wijn moeten daarbij worden gedronken, en naar keuze bruisend of niet-bruisend mineraalwater, en daarna koffie met versnaperingen en een afzakkertje in de bar. Bij voorkeur luchtige en pittige anekdotes moeten worden opgedist over Bali, aquariumvissen, studententijd en legerdienst, bijeenkomsten van motorclubs, de betrouwbaarheid van biovoeding, de onstuitbare opwarming van de aarde. Over alles en nog wat, behalve over *Adam* of thuis.

Niemand die terugkomt op wat vanmiddag is gezegd of er nog iets aan toe wil voegen. Niemand die rept over een partner of over kinderen – als die al bestaan, lijken ze er niet toe te doen of lijkt het onkies erover te praten. Dit is speeltijd, dit is een vrijplaats.

Na elven is het als ze ten slotte op haar kamer is. Ze neemt de afstandsbediening en begint te zappen. Het late-avondjournaal staat in hoofdzaak stil bij het aangerichte vandalisme. Herrieschoppers, weet de nieuwslezer, die zich hebben gevoegd bij de antiglobalisten, die zich op hun beurt hebben gevoegd bij de werknemers van de Deutsche Häuserbank, die niet toevallig haar kantoren heeft in een wijk vol multinationals met gevels van veel en breekbaar spiegelglas.

Hij schakelt over naar de reporter ter plaatse. Die staat in een donkere en nagenoeg verlaten straat. Achter hem: stukgegooide ruiten, besmeurde auto's, voetpaden vol plastic en papier. Ze hoort hem zeggen hoe het in kroegen in de buurt tot hoog oplopende discussies en zelfs handgemeen is gekomen tussen herrieschoppers en betogers die niet te spreken waren over de wijze waarop hun actie werd misbruikt en uit de hand liep. Er worden beelden getoond van een berookt en overvol café, glazen bier en gebalde vuisten, verhitte gezichten die boze woorden brallen. Wacht eens, die blauwgeruite rug daar... Zo'n hemd heeft Tinus!

Ter afronding volgen shots van de betoging waar alles mee begonnen is. Ze speurt tussen koppen en ruggen, probeert een spandoek te lezen dat zo weer voorbij is. Langs de zijlijn duiken eensklaps dezelfde blauwe ruitjes op. Zijn arm steekt een pamflet naar haar uit, hij roept haar iets toe. Dan is hij weg, uit beeld.

Ze zet de televisie uit. Staart een poosje naar het grijze scherm, wezenloos.

Draait dan het nummer van thuis. De vrouwenstem, nog steeds.

Nee, dank je. Ze haakt in.

Veel vanille en een beetje patchoeli

In huis hangt een onbekend parfum, veel vanille en een beetje patchoeli. Op de wastafel ligt, in een gestolde vernisvlek, een slecht gesloten flesje nagellak. Als ze de keukenkast opentrekt, valt de koekenpan eruit. Ach, babysitters!

Annick is haar naam. Met suiker én met siroop, antwoorden Kamiel en Kassandra glunderend, als ze ernaar vraagt. Maar de dag erna zijn ze al vergeten dat Annick pannenkoeken voor hen heeft gebakken. Zo zijn kinderen – en gelukkig maar.

Volwassenen zijn anders. Ze vergeten ook, maar anders dan kinderen. Ze vergeten wat ze niet willen onthouden – uit wrok of boosheid, lafheid of gemakzucht. Ze doen alsof ze iets niet weten, en wachten tot hun wil werkelijkheid wordt en hun geheugen vanzelf wordt gewist – wat in sommige gevallen nog lukt ook. Tinus vraagt niet aan Celia hoe haar weekend is verlopen en Celia zwijgt in alle talen over de betoging.

Maar brainstormsessies laten zich minder makkelijk vergeten dan babysitters. Bij babysitters is wat voor en na komt hetzelfde: de aanwezige ouder. Babysitters worden betaald om de overgang van weg naar terug zo soepel mogelijk te maken. Brainstormsessies daarentegen worden opgezet omdat wat geweest is plaats moet maken voor iets anders. Hoe groter de breuk tussen beide, hoe beter het resultaat.

'Daar zijn dit soort weekends voor', zegt Ann Cuylens die ze in de hal tegen het lijf loopt.

'Maar ik weet niet of ik hier nog wel achter sta', zegt ze.

Ann haalt haar schouders op. 'Dan bekijk je het toch gewoon pragmatisch. Je hebt een bepaalde opdracht en die moet je zo goed mogelijk zien te vervullen. Het gaat per slot van rekening niet over honger in de derde wereld of een of andere oorlog in Afrika. Het gaat over...'

'Mannen', vult Celia aan. 'Moet je 't daar ook niet een beetje goed mee voor hebben?'

'Hebben zij het zo goed met ons voor?' vraagt Ann schamper. 'Ik kan voor de zoveelste keer achter mijn alimentatie voor Tomaso aan. Nu mijn ex weet heeft van mijn nieuwe baan, vindt hij dat het iets minder mag, en wat hem betreft liefst helemaal niets.' Ze lacht wrang. 'Begrijp je?'

Ann is veranderd, vindt Celia. Ze oogt zelfverzekerder de laatste tijd. Groter ook, al is dat natuurlijk onzin. Grote mensen houden op met groeien, ook als ze klein zijn. Kleine grote mensen blijven klein en zien er ook zo uit. Zeker als ze wat aan de mollige kant zijn, zoals Ann Cuylens.

Misschien kan ze Anns raad beter opvolgen. Zich pragmatisch opstellen en verder puzzelen, want er moet nog wat worden afgepuzzeld! De loodgieter zijn die lekken dicht in oude leidingen en verbindingen maakt in nieuwe. En ondertussen zelf de tijd nemen waar ze zo op heeft aangedrongen.

Waarom moet ze zonodig in haar eentje de wereld verbeteren? Waarom altijd zo voortvarend, waarom zo naïef? Wat ik je zeg, fluistert Celia Bis haar toe. Wat ik je zeg, al meer dan dertig jaar!

'Goed stuk, dat laatste van je in de krant', zegt ze tegen Ann.

Ze bedoelt: beter dan de vorige, minder gênant voor mij. Eindelijk!

Ann glimlacht, met iets van trots: 'Vanaf volgende week mag ik ze zelf ondertekenen.'

Natuurlijk! Ze had er niet meer bij stilgestaan. Haar naam hoeft niet langer onder de artikelen van Ann Cuylens. Hij verhuist voorgoed naar de enige plaats waar hij thuishoort: boven aan de colofon van *Adam*. Misschien is het tijdschrift nog niet zoals het zou moeten zijn, omdat de lezers nog niet zijn zoals ze zouden moeten zijn (en de peetvaders nog veel minder). Maar zij zal tenminste zijn wat ze officieel al lang had moeten zijn en officieus ook was: hoofdredactrice.

Guy De Maarschalk heeft haar entree voorbereid. Op het Grote Mysterie volgt de onthulling van het Grote Mysterie: twee stunts voor de prijs van een. Weer duikt op aanplakborden de Adam van Hans Memling op, en weer heeft Hans Tertilden hem naar zijn hand gezet. Ditmaal heeft hij hem gekruist met het fresco van

Michelangelo, bekend van de Sixtijnse Kapel (en posters en place-mats en geschenkpapier): god die de mens zijn hand reikt.

Die hand, meer krijg je van god op de affiches niet te zien. De rest is buiten het kader gevallen, net als Eva bij de vorige editie. Onzichtbaar geworden, zoals het een beetje god past. De mens echter zie je wel, hij ligt voluit op zijn rug en strekt zijn hand uit naar zijn schepper, hij wacht om door hem overeind te worden geholpen. Maar zijn originele hoofd heeft Hans Tertilden vervangen door dat van de Adam van Memling.

De vraag luidt niet meer: kent u deze man? Die wordt zo langzamerhand iedereen geacht te kennen – waar waren anders die publiciteitscampagnes voor? De vraag is: wie heeft deze man gemaakt? Wie is de onzichtbare god? Het antwoord komt niets te vroeg. Speculaties gaan al geruime tijd hun gang, geheimen kunnen niet onbeperkt worden bewaard.

'Tweemaal champagne', zegt Marcus W.E. Dubois. Hij heeft Celia mee uit lunchen genomen in La Gare Centrale. Een stationsbuffet uit de vorige eeuw, gerestaureerd en erg in trek. Brasserie-interieur en fusion kitchen, licht en gezond. Bekend om zijn zakenmenu's. Maar Marcus kiest van de kaart.

'Voor mij tarbot met morilles au vin jeaune. Kan ik je aanbevelen, Celia! Geen voorgerecht, nee dank je. Maar misschien wil mevrouw...? Celia?...'

Niemand die nog is teruggekomen op de brainstorm. Geen hints, geen bijbedenkingen, geen terloops opgerakelde anekdotes. Familie verbonden, familie weer ontbonden, zoals je dat hoort van filmploegen na de laatste shot.

'Nee? Tweemaal tarbot, dan.'

Ook geen conclusies. Terwijl dat volgens haar toch de bedoeling was. Maar misschien gaat Marcus ervan uit dat zij die wel zal trekken, misschien verwacht hij dat van haar. Daar is ze tenslotte voor, daar wordt ze – om het in zijn woorden te zeggen – voor betaald.

'En een Ramlösa en een Viré Clessé. Halfje wit, ja toch, Celia?'

Van het sombere kasteel naar dit restaurant, zonder oponthoud onderweg. Alsof ze over een te wijde sloot zijn gesprongen, zo voelt het. Alsof aan de overkant iets onuitgesproken is blijven hangen – zo'n beetje als tussen Tinus en haar. Niets voor haar: zij houdt van klare taal. Te klaar, soms.

'Proost, Celia', klinkt Marcus.

Ach, het voornaamste is wat hij zo dadelijk zal zeggen: ze hebben immers reden tot vieren.

'Zo!' Marcus klakt met zijn tong en zet zijn glas neer.

Champagne went. Ze zou niet meer kunnen zeggen of ze het lekker vindt of niet.

'Wij moeten eens praten, nietwaar?' begint hij. 'Wij moeten eens dringend met elkaar praten.'

Waarom zo gewichtig? Alsof ze niet weet wat eraan komt. Hoe lang zijn ze dit al niet overeengekomen?

'Om eerlijk te zijn...' Hij leunt achterover. 'We missen jouw pen, Celia. Ook in de krant, natuurlijk. Maar dat heeft zichzelf opgelost. Dat meisje Cuylens heeft zich gelukkig hersteld. Neenee: we missen jou in *Adam*. Niet dat Barbara slecht is, dat zeker niet. Maar vergeleken bij jou... Barbara is meer iemand van ideeën, nietwaar. Van contacten. Dat type.'

En dan brengt de ober de tarbot met morilles, die inderdaad aanbevelenswaardig is, en hij laat de Viré Clessé proeven die daar uitmuntend bij smaakt. Marcus zegt dat het zonde zou zijn daar niet van te genieten en zij kan moeilijk anders dan dat beamen. Zodat ze eerst eten, en zwijgen of praten over koetjes en kalfjes.

De ober heeft net hun glas bijgevuld, als hij ernaar vraagt. Plompverloren, tussen een koetje en een kalfje in. Hoe het nu met haar moeder is?

Ze ziet het hoofd voor zich, verpakt als mummie. De naald in de arm van perkament. De geelblauwe vlek eromheen, de purperen aders. 'Ze heeft het niet gemakkelijk...' zegt ze.

'Tssss.' En zorgelijk schudt Marcus zijn hoofd.

'... Maar ze houdt zich goed.'

'Een positieve instelling is de helft van de genezing', knikt hij.

Ze zwijgt en drinkt van haar wijn.

'Dat was een beetje onhandig van me', zegt hij.

'Onhandig?'

'Die opmerking, toen. Over je onbereikbaarheid...'

'O!'

'Het was natuurlijk wel waar', zegt hij. 'Maar ik zou hetzelfde hebben gedaan. Ik zou ook onbereikbaar zijn geweest.' En hij steekt een verhaal af over zijn voorvaderen van Franse landadel en over zijn stamboom die teruggaat tot de zestiende eeuw. 'Dan krijg je al vlug wat bijeen aan geschiedenis, en niet alleen daaraan', zegt hij. 'Mijn taak is het ervoor te zorgen dat daar niets of zo weinig mogelijk van verloren gaat. Daarom kan ik me geen verlieslatende spelletjes veroorloven, begrijp je? Een vrouw en kinderen heb ik niet – jammer genoeg. Maar dit is mijn verantwoordelijkheid, tegenover mijn familie.'

Ze knikt.

Over naar andere koetjes en kalfjes.

Bijna gelijktijdig leggen ze hun bestek neer. Marcus veegt zijn mondhoeken schoon en legt de servet naast zijn bord. 'Maar om terug te komen op ons gesprek van daarnet. Wat zou je ervan zeggen als we je vroegen om meer voor *Adam* te schrijven?'

Dat meent hij niet? 'Daar heb ik de tijd niet voor', zegt ze. 'Dat weet je, Marcus. Nu minder dan ooit.'

'De bedoeling', zegt hij, 'is dat je méér tijd zou overhouden.'

'Meer werk én meer tijd?' Zoiets als water veranderen in wijn? Marcus de Mirakelman.

'Niet méér werk. Minder werk', zegt Marcus de Mirakelman. 'Je gaat door een moeilijke periode. Je kan die tijd goed gebruiken, Celia.'

Ze kijkt hem aan, verbluft.

'Je zou alleen maar hoeven te schrijven', zegt hij. 'Reportages, interviews, columns. Noem maar op. Als het maar ophef maakt, als het maar wordt verslonden.'

'Ik geloof niet dat ik je begrijp', zegt ze.

'Barbara zal de rest wel doen', zegt hij. 'Dat zal ze trouwens veel beter doen.'

Ze begrijpt hem hoe langer hoe minder. 'Beter dan ik, bedoel je?'

'Beter dan schrijven', zegt hij.

'Weet Barbara hiervan?'

'Maakt weinig uit', zegt Marcus.

De overgangsregeling die hij voor haar had bedacht, was al niet mis. Maar wat hij nu van plan is met Barbara, gaat nog een stap verder. 'Dat kan je van haar toch niet verwachten?' zegt ze.

'En waarom niet?' vraagt hij.

'Dat ze het werk doet van hoofdredactrice, als ze geen hoofd...?'

Haar stem stokt. Ze hapt naar adem. Kriebels kruipen uit haar buik in haar keel. Er is wel nagepraat over de brainstormsessie, maar niet met haar. Er zijn wel conclusies getrokken, en dit is de conclusie.

Barbara Laermans, hoofdredactrice!

Het is alsof er een berg zand over haar wordt uitgekiept. Ze stikt er net niet in, maar wordt er wel goeddeels onder bedolven, zodat ze zich nog amper kan verroeren. Haar lippen zijn droog, haar tong is van karton. 'Is dit een voorstel of een ultimatum?'

'Dat hangt volledig van jou af', zegt Marcus. 'Als je er wat voor voelt is het een voorstel.'

'En als ik er niets voor voel?'

'Tja', zegt hij. 'In dat geval...'

'Koffie?' vraagt de ober.

Ze knikt.

'Twee', zegt Marcus.

Ze krijgen er een amaro van het huis bij.

'Uitstekend spul', zegt Marcus. 'Ideaal om te helpen verteren.'

En waarom ze plots zo stil is?

En dan steekt woede in haar op als een windhoos, ze perst haar de woorden door de strot. 'Hoe zou dat komen, denk je? Je biedt me een baan aan, je laat me al het werk doen. En als de klus geklaard is, word ik feestelijk bedankt!'

'Niet bedankt!' zegt Marcus W.E. Dubois. 'Of ja, juist wel, heel erg zelfs. Je hebt fantastisch werk geleverd, Celia. Alleen...'

'Alleen...?' Ze wenste dat haar stem niet zo trilde

'Jij bent niet gelukkig met de weg die *Adam* opgaat. Je hebt het er moeilijk mee.'

Geen antwoord: geen zin.

'Of vergis ik me?'

'Dat ik mannen in hun waarde liet', zegt ze. 'Dat was toch wat jullie zo beviel aan mij? Jou én Wim? Dat ik respect voor ze had. Of vergis ik mij?...'

'Dat bevalt me nog steeds', zegt Marcus W.E. Dubois. Hij schudt zijn hoofd, laat de kruidenbitter walsen in het glas. 'Maar wat heb je aan respect, Celia, als respect niet verkoopt?'

Van alles en nog wat zou ze kunnen zeggen. Dat niet alle respect koopwaar is, het hare bijvoorbeeld niet. Dat er mannen zijn die niet in hun waarde kunnen worden gelaten omdat ze geen waarde hebben. Dat ze zich ellendig voelt, en misbruikt en bedrogen. Dat...

Maar wat zou dat veranderen? Al wat ze zou zeggen, weet hij nu ook al. Omdat ze het al gezegd hééft, met andere woorden of zonder woorden. Het enige wat er zou veranderen, is dat ze zich nog ellendiger zou voelen, nog meer misbruikt en bedrogen. Van dweil naar doorweekte dweil.

En dat gunt ze hem niet.

'Dat was erg lekker', zegt ze koel.

'Je bent geschrokken, Celia. Ik zie dat je geschrokken bent.'

'Een adresje om te onthouden.'

'Daar is geen reden toe', zegt hij. 'Wat we net besproken hebben,...'

– Wat jij besproken hebt, echoot het in haar hoofd – '... doet niets af aan mijn waardering voor jou. Geloof me. Het is gewoon beter, voor iedereen. Je zal zien.'

Weer doet hij het. Net als met zijn planning voor het kasteeloverleg. Hij vraagt niets, hij regelt en organiseert, en neemt voetstoots aan dat zoiets kan en mag. Dat hij het recht heeft alles voor anderen te beslissen: wat ze doen, hoe ze dat doen, wanneer ze dat doen. Hun bezigheden, hun tijd, hun leven. Wat ze lezen. Wie ze zijn.

'Ik weet niet of ik het wel wil zien', zegt ze. 'Ik denk namelijk niet dat ik veel voor je voorstel voel.'

'Wacht.' Hij legt zijn hand op de hare.

Alsof het een schorpioen was, zo snel en schichtig trekt ze de hare terug.

'Beslis niet te snel', zegt hij. 'Denk er eens over na, overweeg het rustig... Wacht tot morgen, tot overmorgen desnoods...'

'En als ik er dan nog niets voor voel?'

'Dan zullen we een ander voorstel moeten formuleren', zegt hij. 'Maar dat zou jammer zijn.'

'Voor wie? Ook voor iedereen?'

Onverstoorbaar. Het gemak van de macht. Ze haat hem erom en ze benijdt hem erom. Ze wou dat ze ook zo was, niet voor altijd maar voor eventjes. Eventjes gelijke wapens, net lang genoeg om het hem betaald te zetten.

Hoe hij afrekent, tussen twee kwinkslagen door, en de ober een fooi toestopt. De hand drukt van de kok die in witte schort en met koksmuts op uit de keuken komt. Haar in haar jas helpt die hij van de vestiairejuffrouw heeft overgenomen. Naast haar plaatsneemt op de achterbank van zijn auto en aan de chauffeur vraagt om hen terug naar kantoor te rijden.

En dan de zin herneemt die hij daarnet heeft afgebroken toen de ober de rekening bracht: 'We zouden het wel...'

'We zouden het wel op prijs stellen als je het hoofdartikel bleef schrijven', zegt hij. 'Ze doen het goed, die pittige standpunten van je. Een tikkeltje dwars en controversieel, dat is wat we nodig hebben. Het gezicht van de hoofdredactie...'

Heel even twijfelt ze. Zou het kunnen, roept Celia Bis uit de verte, dat jij weer te hard van stapel loopt? Dat Marcus je helemaal niet wil onttronen, dat Barbara alleen maar wat werk van je zal overnemen? Zou het kunnen dat jij dit totaal, maar dan ook totaal, verkeerd hebt begrepen?

'Mijn standpunt?' vraagt ze.

Hij knikt.

'Met mijn naam eronder?'

'Nee,' zegt hij, 'met Barbara's naam natuurlijk.'

Celia Bis. Voor één keer hoopvol en bemoedigend. En bang, met haar volle Bis tegen de muur.

'Waarom niet?' vraagt hij verwonderd.

En het toppunt is dat ze niet eens weet of zijn verwondering gespeeld is of niet. Wim Schepens had het tenminste nog over ego's, hij probeerde nog te argumenteren. Marcus doet daar niet eens een poging toe. Hij heeft het over niets.

'Of we zetten er gewoon "de hoofdredactie" onder', zegt hij. 'Zoals we tot nu toe altijd hebben gedaan. Dan verandert er niets.' Hij schokschoudert, spert zijn ogen open: zo eenvoudig is dat. Wel?

Wel! Het gebeurt, van het ene ogenblik op het andere. Alsof het een van de goocheltrucs van Tinus was. Tik met het toverstokje, en hop! Weg is de woede, weg ook de hitte van de woede. In de plaats ervan komt ijzige kilte, en volstrekte kalmte. En zekerheid, scherp als een mes.

Ze vraagt de chauffeur even te stoppen bij haar auto. Portaal open, benen in gesloten orde naar buiten, hakken op het asfalt en blik over haar schouder. Dat ze niet terugkeert naar de redactie, zegt ze tegen Marcus W.E. Dubois, op die zakelijke toon die bij dienstmededelingen past. Dat ze naar huis gaat, zegt ze, naar haar zieke moeder en naar haar kinderen.

En dat doet ze ook. Onderweg stopt ze bij een winkelcentrum. In een speelgoedzaak koopt ze twee tekenblokken en een doos met drukstempels en inktkussens in zes verschillende kleuren. Aan een bloemenkraam kiest ze dieproze tulpen en rozen voor haar moeder.

Oma Suzy doet open, bleek en kaal. Ze verontschuldigt zich, ze lag net even te soezen, en snel knoopt ze een sjaal rond haar hoofd. 'Bloemen! Dat hoeft toch niet. Ik zet ze meteen in water. En dan maak ik een potje koffie.' Maar als haar dochter in haar plaats het boeket in de vaas schikt en het blik met de bonen uit de kast haalt, laat ze haar begaan zonder spoor van protest.

Na de koffie rijdt Celia naar huis. Ze denkt aan de rust die haar daar wacht en aan wat ze zal klaarmaken voor het avondeten en aan de verrassing van de kinderen als zal blijken dat ze er al is en dan nog wel met cadeautjes. En ook aan wat ze zal zeggen tegen Tinus, later, als de kinderen naar bed zijn: dat Nieuw en Oud het maar moeten zien te redden, dat ze Barbara de eer en de last gunt, dat ze ermee stopt.

God met de zeemeerminharen

Er is iemand in huis, weet ze meteen. Tinus ligt in de slaapkamer op het bed, ogen gesloten. Ze denkt aan het parfum, veel vanille en een beetje patchoeli, aan de babysit en de betoging. Dat er soms dingen gebeuren onder je neus zonder dat je er iets van weet, denkt ze, dat het een verdomd cliché is, maar daarom niet minder waar. En dat het niet minder clichématig is dat dit uitgerekend nu door haar heen gaat.

'Tinus! Hoe kom jij zo vroeg thuis?'
Hij opent zijn ogen, kijkt haar aan, blijft liggen zonder zich te verroeren.
'Moest jij niet op je werk zijn?'
'Nee', zegt hij.
En na een korte stilte: 'Ik moet daar niet meer zijn.'
En na een wat langere stilte: 'Nooit meer.'

Tinus is ontslagen.

Hij, en een vijftigtal andere collega's. En dan hebben de vakbonden nog het maximum gehaald uit het herstructureringsplan. Meteen uitbetaald, een opzegtermijn hoeft hij niet uit te zitten, hij zou daar toch maar in de weg lopen en demotiverend werken op de anderen.

Noch Celia noch Tinus hebben hierom gevraagd. Maar aangezien de situatie zich toch voordoet... Een ontslag kun je bezwaarlijk een geluk noemen, maar een geluk bij een ongeluk: zoiets? Tijd zat. Hij om zich bezig te houden met het huishouden en de kinderen, zij om zich volledig toe te leggen op haar baan. Hij, niet zo meteen iets anders om handen, maar toch een zinvolle bezigheid. Zij, bevrijd van kleine en minder kleine verantwoordelijkheden, van dat eeuwig knagend schuldgevoel.

Maar zoals de zaken er nu voor staan, heeft geen van beiden oog voor geluk: hij wil zijn baan terug, zij wil de hare kwijt.

'Blij te horen dat je je hebt bedacht', zegt Marcus W.E. Dubois. 'Dat ik niet moet overgaan tot onaangename maatregelen. Want we willen je liever niet kwijt, Celia. Dat weet je toch, nietwaar?'

En of ze de eerste weken Barbara Laermans wat wil helpen? 'De publiciteitscampagne is een hit, de telefoon van dat arme kind staat niet stil. Iedereen wil haar zien en spreken, ze moet opdraven op alle mogelijke plaatsen tegelijk. Veel tijd om zich in te werken heeft ze voorlopig niet. Gelukkig ken jij het klappen van de zweep.'

Hoe kan ze weigeren? De titel van hoofdredactrice draagt ze niet, maar het salaris van hoofdredactrice krijgt ze nog steeds – met winstaandeel en bedrijfswagen. Zo staat het in haar contract, en daar kunnen ze niet zomaar onderuit, al vraagt ze zich af of ze het mettertijd toch niet zullen proberen. Kalmer aan is niet voor morgen, ze zal zich schrap moeten zetten. Werken voor twee, of voor drie, als ze er Tinus bij telt.

'Laten we mannen hun zelfrespect teruggeven', zegt de kersverse hoofdredactrice in haar maidenspeech. 'Laten we ophouden met meewarig te doen. Ze te behandelen alsof het sukkels zijn, alsof ze op krukken lopen en moeten worden geholpen als gehandicapten. Mannen lopen niet op krukken en als ze dat toch doen, moeten wij ervoor zorgen dat ze die zo snel mogelijk weer in de hoek gooien.'

Barbara Laermans staat aan de oever van de Rubicon, aan de zijde van Marcus W.E. Dubois. Dadelijk zal hij het applaus inzetten, weet Celia, hij zal Barbara zoenen zoals hij haar destijds heeft gezoend. Zelf heeft ze plaatsgenomen bij de uitgang, maar het is alsof ze zijn klamme wang voelt, de viooltjes en oude rozen ruikt.

De scheidingswand tussen het Zwembad en de feestzaal is opengeschoven. Er zijn beduidend meer genodigden dan bij de voorstelling van het nulnummer of op de receptie die Marcus heeft gegeven na de succesvolle start van *Adam*. Maar discretie is ook niet langer noodzakelijk, er hoeft niets meer geheim gehouden te worden. Iedereen mag weten wie de hoofdredactrice is. Iedereen moet het weten.

Zeemeerminharen, los en glanzend. Lippen rood en vol, geplooid in een Mona Lisa-glimlach. Husky-ogen met pretlichtjes erin, blauwer dan ooit en niet afgeschermd door een vlinderbril. Hand losjes gevouwen onder de kin, nagels als robijnen en een ring waaraan de flits sterrenspetters ontlokt. Zo staat Barbara Laermans op de affiches – de laatste in de Memling/Tertilden-reeks, de ultieme oplossing van het ultieme raadsel. Deze vrouw heeft *Adam* gemaakt, blokletteren de publiciteitsborden bij de foto van Barbara. En wie zal het tegendeel beweren? Barbara Laermans is God.

Hoe zou Celia daar tegenop kunnen? Met haar haren die noch licht noch donker zijn, krullerig als die van haar vader en dun als die van haar moeder. Met haar lippen die als ze lacht twee schuine hoektanden ontbloten (maar als ze niet lacht lijkt ze streng als een schooljuf, dus wat kies je dan?). Met die lichtjes rimpelige walletjes onder haar groengrijze ogen.

Zij is geen verre droom, zoals Barbara. In het beste geval is zij het niet onaardige buurmeisje: eenvoudig, recht door zee, vol goede bedoelingen. Kwaliteiten die helaas niet te merken zijn op affiches, zoals op affiches ook niet te merken is dat zij en niet Barbara Laermans aan de wieg van *Adam* stond.

'Was dat nou niet wat jij zou gaan doen?' vraagt haar moeder. 'Ging jij niet hoofdredactrice worden van *Adam*?'

'Dat is veranderd, mams', zegt ze.

'Er verandert zoveel en het gaat allemaal zo vlug', zegt haar moeder. 'Ik kan het niet meer zo best volgen. Zou het komen door dat ding in mijn hoofd, Cel? Wat denk je, zou het dat zijn?'

'Power', zegt god. 'We moet mannen power geven. Vrouwen hebben power gekregen, nu is het de beurt aan de mannen. Wie herinnert zich niet de schoudervullingen van de jaren tachtig? Vrouwen moesten niet alleen sterk zijn, ze moesten er ook sterk uitzien. Welnu, dat geldt ook voor mannen! Vergeet de slappelingen, de ingedeukte borstkassen, de lange haren. Denk aan Brad Pitt, Russel Crowe, Johnny Depp...'

Gemurmel en gelach, geamuseerde blikken en knipogen.

'Ik weet het', vervolgt de god van de Nieuwe Man. 'Ik weet wat jullie denken. Niet elke man is een Adonis. Maar is elke vrouw Madonna of Jennifer Lopez of Britney Spears? Niet alle vrouwen zijn modellen uit magazines, maar magazines staan wel vol modellen. Waarom zouden er voor mannen dan andere regels gelden? Of gaan wij ons bezondigen aan positieve discriminatie?'

Voldaan kijkt Marcus rond. Zijn ogen kruisen die van Celia – en kijken verder, op zoek naar andere ogen, met een even voldane uitdrukking als de zijne.

'Anderzijds', en god lacht haar Mona Lisa-glimlach en schudt haar zeemeerminharen. 'Wie zou durven beweren dat knappe vrouwen geen hersens hebben? Waarom zouden dan alleen schlemielen van mannen verstandig en gevoelig zijn? Waarom kan een adonis niet net zo goed intelligent zijn, niet alleen emotioneel intelligent maar intelligent zonder meer?'

Na de schoonheidskoninginnen, de schoonheidskoningen. Na de supervrouw, de superman – en straks ook het superras? Barbara organiseert een fotosessie, geënt op de power woman van het einde van de vorige eeuw. Maar de kostuums zijn aangepast, de rollen herschreven.

De mannelijke fotomodellen zijn jong en gespierd, ze hebben volle lippen en ruw geschoren wangen en half dichtgeknepen broeierige ogen. Ze dragen ouderwetse onderhemdjes en onderbroeken met pijpen, broeken met losgegespte ceintuurs of half opengeknoopte gulpen die van hun knokige heupen zakken, overhemden die hun torso veeleer onthullen dan bedekken. Eén man is bewapend met deegrol en klopper, een ander proeft met een houten lepel uit een pan, nog een ander trekt als een bootsleper een stofzuiger bij de slang over zijn schouder, weer een ander zet het op een lopen met een baby op de arm.

Op de foto's komen ook vrouwen voor. Ze dragen smalle rokken en vervaarlijke pumps en vlinderbrillen zoals die van Barbara. Laptops en aktetassen en mobiele telefoons beperken als een harnas hun bewegingsvrijheid. Ze kunnen zich niet verweren, hoewel dat hoognodig blijkt, en het resultaat is ernaar. Eén vrouw probeert zich tevergeefs tussen de deur te wringen waar de man met de deegrol en de klopper met zijn volle gewicht tegenaan leunt. Een tweede zit geknield naast de man met de kookpot, haar armen om zijn kuiten geslagen, en steekt haar tong uit in de hoop een lik van het lekkers op te vangen. Een derde vrouw wordt achter de stofzuiger aan over de vloer gesleept, de vierde steekt snikkend haar handen uit naar de baby die haar zo te zien daarnet is ontnomen.

'Bravo!' roept Wim Schepens enthousiast. 'Precies wat we nodig hadden!'

Zo erotisch als deze huisvaders zie je huismoeders zelden, zo klungelig als deze zakenvrouwen ogen zakenmannen nooit.

De man zit op de fiets met de vrouw op zijn schouders. Hij fietst over de dunne kabel met de evenwichtsstok in zijn handen en haar handen op zijn hoofd. Ze kijken geen van beiden links of rechts, ze kijken strak voor zich uit. Ernstig en bezorgd, naar hetzelfde onzichtbaar punt. Eén beweging, één zuchtje maar, en...

Celia trekt de punaises uit de muur, houdt de poster bij de bovenste hoeken voor zich uit, tussen duim en wijsvinger. Tinus gaf haar nog posters, toen. Op de vergadertafel en op de grond staan de kartonnen dozen waarin ze haar spullen heeft gepakt. Ze verhuist naar een kantoor verder op de gang, het poppenhuis zal voortaan dienst doen als vergaderlokaal. Van twee aangrenzende lokalen is de scheidingsmuur gesloopt om er een kantoor van te maken voor Barbara.

Barbara heeft niet alleen het grootste kantoor en een vergaderlokaal, ze heeft ook een eigen secretaresse en een parttime vormgever, en straks komt daar naar verluidt ook nog een eindredacteur bij. *Adam* zit in de lift en, zoals Wim Schepens had voorspeld, heeft Marcus W.E. Dubois woord gehouden. Voor wat hoort wat.

Celia heeft net een stapje achteruit gezet en wil de poster oprollen, als ze de druppel voelt. Hij is dik en koud en valt midden op haar hoofd. Het verrast haar zo, dat ze haar hand sluit om de punaises. De punten prikken in haar handpalm, in een reflex spreidt ze haar vingers. Half opgekruld blijft de poster hangen aan haar rechterhand. De punaises vallen op de grond.

Ze laat de poster los, bukt zich om de punaises op te rapen. Ze liggen in een plas, en op datzelfde ogenblik valt er midden in die plas weer een druppel. Ze kijkt naar het plafond: er hangt al een volgende druppel klaar.

In steeds sneller tempo volgen de druppels elkaar op. Ze kiept de inhoud van haar papiermand op haar bureau en zet ze onder de lek. Maar het water spettert lustig over de rand, en even later begint het ook op de vergadertafel te lekken. Tegen de tijd dat ze de huisbewaarder heeft gewaarschuwd, zijn de druppels aaneengeregen tot een straal.

Ze hevelt de dozen over van de tafel naar stoelen die ze aan de kant heeft geschoven, trekt de dozen die op de grond staan bij de dekselflappen naar buiten. Opgeschrikt door haar gestommel, komt Barbara toegesneld. 'Mijn god!' en tot Celia's verbazing stapt ze uit haar hakken, sjort haar kokerrok op en begint mee te sjouwen. Ze is snel en sterk, torst torens van karton en boeken als een equilibrist van het Chinese staatscircus.

De grootste doos proberen ze samen op te tillen. Ze schuiven hun handen eronder, tellen tot drie en staan recht, kreunend als bouwvakkers. Zacht geworden door het water, scheurt de bodem. Ze bukken zich gelijktijdig om hem tegen te houden, stoten met hun hoofd tegen elkaar. Te laat, de inhoud tuimelt eruit. Ringmappen, viltstiften, kaartjes en knipsels, paperclips...

Het volgende ogenblik zitten ze lachend tegenover elkaar op hun knieën. Barbara's neus glimt, haar wangen zijn roze als varkentjes van marsepein. De haarlok die ze probeert weg te blazen, blijft stug hangen op haar voorhoofd, aaneengeklit van water of zweet. Haar rok is nat en vuil en er zit een ladder in haar nylons, maar dat schijnt ze niet erg te vinden. 'Als je 't mij vraagt, ben jij hier net op tijd weg', zegt ze.

Het Zwembad is lek. De Rubicon is buiten zijn oevers getreden. Tegen de tijd dat de klusjesman komt om hen een handje te helpen, is het bureau zo goed als leeggehaald. De huisbewaarder heeft de hoofdkraan dichtgedraaid en het is opgehouden met druppen. Maar de vaste vloerbedekking golft en smakt onder hun voeten en op het plafond hebben zich donkere kringen gevormd. Aan de muur, verschoten door de zon, is een witte plek op de plaats waar...

'Er was nog een poster...' zegt Celia, om zich heen kijkend.

'O die?' zegt Barbara. 'Die was helemaal nat en verkreukt. Ik heb hem bij het afval gedaan. Je had hem toch niet meer nodig, Celia?'

'Niet echt,' zegt ze, 'niet echt, veronderstel ik.'

Papa is weer boos

'Werk jij nu voltijds voor dat mannenblad?' vraagt Marina De Winter.

Celia knikt. Ze gaat opnieuw naar persconferenties. Ze houdt haar persmap onder de arm en drinkt samen met Marina een kopje welkomstkoffie.

'En valt het een beetje mee?' vraagt Marina.

'Jaja.' Met zuinig getuite lippen.

Ze gaat naar persconferenties en maakt interviews, ze schrijft hoofdartikelen en volgt de lopende zaken. Ze doet het allemaal – wat ze moet doen en wat Barbara moet doen, maar waar Barbara niet aan toekomt wegens te groot succes. Zodat ze nog minder tijd overhoudt dan voorheen.

'Ze hadden je toch nog een poosje kunnen houden, op de krant', vindt Marina

'O, maar niemand heeft mij gedwongen', zegt ze. 'Ik heb zelf voor *Adam* gekozen.'

Ongelovig kijkt Marina haar aan: 'Jij, werken onder zo'n tuttebel van *Uniek*?'

'Ze valt heus wel mee', zegt Celia.

'Ik hoorde dat de verkoopcijfers niet zo best zijn.' Aandachtig roert Marina in haar kopje.

Praten met Marina De Winter is zoals e-mails met virussen de wereld insturen: geen flauw benul waar ze terechtkomen en welke schade ze daar kunnen aanrichten. Dus zegt ze, wat niet eens gelogen is: 'De jongste cijfers zijn weer beter.' Zover is het gekomen: dat ze, om zichzelf te beveiligen en haar eigen eer te redden, het moet opnemen voor iemand die op haar plaats zit en voor iets waar ze niet achter staat.

'Ik vind niet dat je dit hebt verdiend', zegt Marina. 'Jij hebt lang genoeg je best gedaan op de krant. Die interviews en reportages van jou mochten er zijn. Het is toch niet omdat het dan even een poosje minder gaat, dat ze je meteen moeten overplaatsen en iemand anders nemen in jouw plaats.'

Ze snapt niet waar Marina het over heeft. Maar dan begint de persconferentie en moeten ze gaan zitten, zodat ze alle tijd heeft om het te laten bezinken. Ze zet de opmerkingen van Marina op een rijtje, herschikt feiten en interpretaties, en schrikt van de versie waar ze dan op uitmondt. Haar overplaatsing naar *Adam* was geen bevordering, het was een straf voor die ondermaatse stukken, geschreven door Ann Cuylens maar gepubliceerd onder haar naam. Zij is verbannen naar *Adam*, waarna Ann in haar plaats op de krant is gekomen. Is dat het verhaal dat de ronde doet?

De persconferentie wordt gegeven door een echtpaar dat samen een boek heeft geschreven. Mannen en vrouwen zouden beter met elkaar opschieten als ze elkaar wat beter zouden kennen, stellen ze. Zo schept het – om maar één voorbeeld te noemen, zegt de man – veel verwarring dat vrouwen een geheim puntensysteem hanteren waarmee zij het gedrag van hun man beoordelen. Als zo'n man dan heel lang in het rood staat, krijgt hij plots en volkomen onverwacht de rekening gepresenteerd. Terwijl hij zich van geen kwaad bewust is.

'Kijk,' zegt de vrouw met een vertederde blik op haar echtgenoot, 'uiteindelijk is het de bedoeling dat vrouwen en mannen huishoudelijke karweien eerlijk verdelen. Er is maar één probleem: mannen hebben er geen flauw benul van wat huishouden inhoudt. Je kan dus maar beter een lijstje maken en ze daaruit de taken laten kiezen die ze het liefst willen doen. Bij ons, bijvoorbeeld, kookt mijn man.'

'Puur eigenbelang', zegt de man. 'Omdat jij alles laat aanbranden, schat. Want eigenlijk wil een man maar een ding: op zijn achterste gaan zitten als hij thuiskomt.'

'Hoe is het met Tinus?' fluistert Marina De Winter haar toe. 'Ik dacht nog, met die ontslagen bij de Deutsche Häuser Bank... En toen zag ik Ann Cuylens...'

(Ann Cuylens, ja. Die ziet Marina vast wel vaker. Zij zag Marina ook vaak, toen ze nog op de krant werkte, op de plaats waar Ann nu zit. Maar hoe weet Ann dat Tinus...?)

'Het zit jullie echt niet mee de laatste tijd, nietwaar?' Meewarig schudt Marina haar hoofd.

(En dan moest je eens weten, Marina! Je moest het eens weten!)

'Heeft hij nu al weer werk?' vraagt Marina
(Nee. Hij heeft geen werk. Hij heeft een dipje. Arme Tinus heeft een dipje.)
'Hij wil toch weer aan het werk?'
(Natuurlijk, Marina! Graag zelfs!)

Mangaan. Te veel mangaan in de hersenen. Soms wou ze dat Tinus huilde, dat hij een goed potje huilde net als vroeger, toen ze nog versteld kon staan van het gemak en de heftigheid waarmee hij dat deed. Maar hij lijkt het huilen verleerd te hebben, net zoals hij het lachen heeft verleerd, net zoals hij zoveel heeft verleerd – van vroeger en van ietsje later. Antwoorden als Kamiel en Kassandra hem iets vragen, de vuile vaat in de machine zetten, een omelet bakken, haar zoenen...

Ze zegt er niets van, ze durft niet. Ze antwoordt op vragen van de kinderen in zijn plaats. Zet pannen en borden in de vaatwasmachine, met opvallend veel gerammel en gekletter weliswaar, maar dat schijnt hij niet te merken. Gaat mee naar de frietkraam als hij niet aan koken toekomt, wat steeds vaker voorvalt – als ze op tijd thuis is tenminste, wat haar maar zelden lukt. En dat zoenen, ach.

Ze zegt niets, ze maakt Tinus geen verwijten – al laat Celia Bis haar zo nu en dan verstaan dat hij toch wel iets zou kunnen doen en is ze voor één keer geneigd haar gelijk te geven.

Nooit praatte Tinus vroeger over zijn baan. Omdat er niets over te zeggen viel, was zijn antwoord als ze ernaar vroeg. Hij ging naar kantoor en nam plaats achter het loket. Zag de gezichten voorbijschuiven en de cijfers op de borderellen veranderen. Thema met variaties, elke dag van negen tot vijf. Het leek hem niet te storen.

Op een dag, ze kenden elkaar nog maar net, was ze naar de bank gegaan. Ze wilde hem verrassen, maar zij was degene die verrast was. De man achter het loket was niet de Tinus die zij kende. Hij was opgegaan in zijn omgeving zoals een kikker in het riet en het kroos. Van glas en aluminium was hij geworden, doorschijnend en zonder kleur. Haar loketman.

Dat hij zich zo gemakkelijk liet kooien, was haar blijven verbazen. Als ze er een opmerking over maakte, mompelde hij iets over de personeelsfeestjes, en de collega's met wie hij goed kon opschieten, en het loon dat aan het einde van elke maand op zijn bankrekening stond en dat aan het einde van elk jaar een beetje hoger werd, en dan had je met een beetje geluk ook nog de extra premies. Meer moest dat voor hem niet zijn, en als hij daar tevreden mee was, waarom zou zij er dan vragen over stellen?

Maar als zijn baan zo licht woog, waarom tilt hij er dan nu zo zwaar aan? En als hij er zo zwaar aan tilt, waarom wil hij er dan nog steeds niet over praten? 'Niets te vertellen', zegt hij, net als vroeger, maar dan barser.

Personeelsfeestjes geschrapt, collega's opgegaan in rook, en binnenkort ook geen loon meer. Maar over dat laatste durft ze helemaal niet te beginnen, uit vrees hem te krenken in zijn eigenwaarde. Ze probeert wel een gesprek op gang te brengen; ze stelt vragen, doet suggesties. Hoe voel je je, waarom ga je niet eens uitwaaien, zullen we samen naar de bioscoop? Hij haalt zijn schouders op, of antwoordt niet zoals bij de kinderen, of snauwt haar toe dat ze er toch niets van begrijpt en hem met rust moet laten.

'Papa is weer boos', zegt Kamiel dan.

'Papa is altijd boos, de laatste tijd', zegt Kassandra.

Niets te vertellen. Slaat zijn afwijzende houding op zijn baan of op haar? In zijn ogen stond ze daarvoor al aan de verkeerde kant. Hoe verkeerd moet haar kant dan nu wel niet zijn?

'Hij zal wel weer werk vinden', zegt oma Suzy. 'Iemand met het karakter en de capaciteiten van Tinus. Hij vindt wel weer werk, je zal zien. Zoals je vader altijd zei: waar een wil is, is een weg.'

Maar waar is de wil van Tinus? Als hij het thuiszitten zat is, als het hem bezwaart dat zij de enige kostwinner is, als hij zijn baan mist of het hem integendeel niet uitmaakt welke baan hij heeft, zou je verwachten dat hij erachteraan gaat. Maar dat doet hij niet, hij werpt niet eens een blik op de vacatures.

Zodat zij het dan maar doet in zijn plaats. Ze neemt de krant door, trekt cirkels rond de geschikte advertenties, maakt hem er voorzichtig op attent. Hij rukt het katern uit haar handen en smijt het in een hoek. Stomend beent hij naar de slaapkamer en even later flitst hij weer voorbij. Jas aan, naar buiten, met slaande deuren.

De volgende ochtend vindt ze hem op de sofa. Zijn jas ligt naast hem op de grond, zijn schoenen heeft hij niet eens uitgetrokken. Alcohol dampt uit zijn poriën en hij gaat door met snurken, hoe ze ook aan hem schudt. Pas als de kinderen boven op hem vallen, wordt hij wakker.

Scheel van de hoofdpijn. Wil geen ontbijt, drinkt wel drie koppen sterke koffie. Valt dan stil, trekt bleek weg en spurt naar het toilet.

'Ik voel me niet zo lekker', zegt hij als hij terugkomt. 'Kan jij de kinderen niet naar school brengen?'

Niets wist ze ervan. Misschien had ze er nooit iets van geweten, als ze niet toevallig de telefoon had opgenomen. Marina: waarom Tinus niets van zich laat horen? Of hij heeft nagedacht over het aanbod van haar man?

'Een baan, Tinus?!'

'Met glitterpapier en een strik eromheen!' sneert hij.

De man van Marina De Winter heeft een middelgroot mediabedrijf – websites, invitaties, bedrijfsvoorstellingen, dat soort dingen. Hij is op zoek naar een werkkracht om de balie te bemannen – telefoons beantwoorden, klanten verwelkomen, tussendoor wat computeradministratie. In eerste instantie dacht hij aan een vrouw, maar bij nader toezien is er geen enkele reden waarom een man dat niet net zo goed zou doen.

'Waarom heb je me daar niets van verteld, Tinus? Waarom antwoord je haar niet?'

'Omdat het me niet interesseert!' zegt hij.

'Volgens Marina is het werkklimaat prima. Familiale sfeer.'

'Dat was het op de bank ook', zegt hij.

'En nine to five. Dat was toch wat je altijd wou?'

'Was', zegt hij. 'Wou. Maar ik heb nagedacht, ik ben veranderd, Celia. Ik denk niet dat ik nog terug wil naar dat soort werk. Een kassa die rinkelt aan het einde van de maand, ik geloof niet dat ik daar nog genoeg aan heb.'

'Je kan toch blijven uitkijken naar iets anders? Ze bieden je werk aan, Tinus, ze komen je op een presenteerblaadje werk aanbieden. En jij weigert.'

'Zo is dat', zegt hij, voldaan.

'En als ik morgen mijn baan verlies?' zegt ze. 'Heb je daar al eens over nagedacht?'

'Jij? Zoals jij je uit de naad werkt?'

'Misschien heb ik daar ook wel genoeg van. Misschien ben ik het wel beu mij uit de naad te werken.'

'Dat is dan pech', zegt hij onvermurwbaar. 'Jij hebt hiervoor gekozen, Celia. En ik heb jou vrijgelaten, ook al had ik het soms liever anders gewild. Jij hebt hiervoor gekozen en ik heb jou vrijgelaten en ik reken erop dat ik nu van jou hetzelfde mag verwachten.'

De verborgen charme van lummelen

Op de kast naast de oncoloog staat een mensenhoofd met uit-klapbare schedel en uitneembare hersenkwabben. Op het prik-bord achter zijn rug hangen dienstmededelingen en ansicht-kaarten. Van patiënten die hij heeft geholpen, vermoedt ze, en die nu de wereld afreizen die ze bijna hadden verlaten. Ze ziet de Eiffeltoren, drie piramiden op een rij, een promenade met pal-men langs een helbauwe zee. De Côte d'Azur, Rimini, Kusadasi. Of Istrië misschien – weer in trek de laatste tijd.

Hij is begonnen met te zeggen dat de behandeling een succes is. 'Uw moeder reageert verrassend positief. Het ziet ernaar uit dat we de tumor, tegen alle verwachtingen in, kunnen terug-dringen.'

'Maar hij is niet weg?' vraagt ze.

'Dat niet. Nee', zegt hij.

'Wordt hij opnieuw groter?'

'Dat zou kunnen. Maar dan nog is dit zuivere winst.'

'Aan hoeveel winst denkt u, dokter: weken, maanden, jaren...?'

'Dat kunnen wij niet voorspellen', zegt hij

Hij praat met gedempte stem. Rustig, alsof hij alle tijd van de wereld heeft. Maar die heeft hij natuurlijk niet, want na haar ko-men weer nieuwe patiënten of familieleden van die patiënten, met weer dezelfde vragen. Misschien vindt hij het zelfs tijdver-spilling, altijd diezelfde vragen en altijd diezelfde antwoorden. Als je het toch niet weet, als je toch maar moet gissen en gokken.

'Weet mijn moeder hoe ze ervoor staat?'

Hij neemt de vulpen, laat hem draaien tussen zijn vingers. 'Onze ervaring is dat mensen ernaar vragen als ze het willen we-ten', zegt hij. 'Maar het leek mij nuttig dat u op de hoogte was.'

Ze staat op, trekt haar jas aan, neemt haar handtas. Kan toch niet nalaten nog één vraag te stellen – weer zo'n standaardvraag, wellicht: 'Kent u mensen in haar geval die dit hebben overleefd?'

Hij schudt zijn hoofd, glimlacht flauw. 'Maar wij hebben ge-leerd te geloven in mirakels.'

Haar moeder schuifelt voort, steunend op de stok die ze had gekocht voor haar man toen die zijn voet had verzwikt. Haar gezicht is gezwollen, op haar mond zit een roodbruine koortsblaas. Maar het komt wel goed, je zal zien, het komt goed.

En in afwachting kust ze met haar koortsblarenmond Tinus uit zijn winterslaap – figuurlijk, wel te verstaan. Ze geeft hem wat zijn vrouw en kinderen hem niet of maar met mondjesmaat kunnen geven en de Deutsche Häuserbank hem niet langer wilde geven: iets om zijn dagen mee te vullen.

Zou het kunnen dat mirakels zich voltrekken via een omweg? Dat ze eerst wat oefenen in het mirakelen, dat ze beginnen met een kleintje? Even kijken of het werkt?

Tinus vergezelt haar moeder naar het ziekenhuis en als ze zich na de behandeling niet goed voelt, neemt hij haar mee naar huis. Hij installeert haar op de sofa met kussens en lakens en een plaid en laat haar slapen, zolang ze maar wil.

Hij speelt voor haar voor lakei. Zullen we de kussens van Hare Majesteit nog eens schikken? Zullen we de lakens van Hare Majesteit nog eens verschonen? Heeft Hare Majesteit geen zin in een kopje thee?

En als oma Suzy opwerpt dat ze makkelijk zit, dat ze gisteren nog schone lakens en een uur geleden nog thee heeft gekregen, dat hij zich echt niet zoveel moeite hoeft te getroosten, wuift hij haar bezwaren weg. Grootmoedig, met iets van die vroegere opgewektheid van hem, die hij dan toch niet helemaal is verloren. Die Hare Majesteit met haar stramme cortisonehanden opnieuw heeft opgedolven. En die hij dan ook voor Haar reserveert.

'Sssst, rustig, denk aan oma!' tempert Celia de kinderen. En dan vertragen ze en schakelen over op fluistertoon – even maar, dan zijn ze het weer vergeten. Ze gedragen zich alsof oma er niet was, of beter, alsof ze er altijd was geweest. En zo zou het ook moeten, bedenkt Celia, jong en oud onder één dak. Maar daar hebben ze hun leven niet naar ingericht, daar worden levens al lang niet meer naar ingericht.

Er is wel een logeerkamer, maar die is volgestouwd met een kast vol oude kleren, lege verpakkingen van huishoudapparaten, een babystoel en een slee, kinderfietsjes en koffers. Tinus stapelt alles zoveel mogelijk aan de kant: slee en fietsjes in de hoek, koffers en dozen op de kast. Tot het bed weer vrijkomt en daarnaast plaats voor een stoel en een oud kampeertafeltje.

'Als je dan zin hebt, kan je hier overnachten', zegt hij. En nu en dan doet haar moeder dat ook. Tussen de in onbruik geraakte huisraad. Alsof ze daar zelf al bij hoort.

Zoveel vertrouwelijkheid tussen Tinus en haar moeder heeft ze nog nooit gezien. Niet van haar kant, en nog veel minder van de zijne. Ze wordt er wat weemoedig van – ooit kon zij aanspraak maken op die opgewektheid en die intimiteit van hem. Weemoedig en, als ze eerlijk is, ook een tikkeltje jaloers.

Ben je niet beschaamd, berispt Celia Bis haar. En ze knikt en buigt deemoedig het hoofd. Jaloers! In plaats van het je moeder te gunnen, ook als je je daardoor een buitenstaander voelt (maar dat doe ik toch, dat doe ik!...)! Zie je dan niet dat Tinus voor haar doet wat van jou mag worden verwacht (natuurlijk, natuurlijk zie ik dat!...)? Moet je hem niet eerder dankbaar zijn (maar dat ben ik ook, dat ben ik toch...)?

'Dank je, Tinus', zegt ze. Hij heeft thee gezet voor haar moeder en nu komt hij de keuken binnen. Hij gooit het theebuiltje in de gootsteen en zet de lege mok op het aanrecht. '...Voor alles', voegt ze er zachtjes aan toe.

Maar hij antwoordt niet en ze schrikt van zijn blik. Aan zijn onverschilligheid, aan zijn boosheid en verwijten is ze gewend geraakt. Het zal wel overgaan, heeft ze zichzelf voorgehouden, het zal overgaan en dan zullen de vriendelijkheid en de tederheid en het verlangen terugkomen. En het is overgegaan, maar in de plaats daarvan is geen vriendelijkheid of tederheid of verlangen gekomen, maar iets wat nog veel erger is dan onverschilligheid of boosheid of verwijten. Misprijzen?

Hij is al weer weg. Ze zet de mok in de vaatwasmachine. Vist het builtje uit de gootsteen en gooit het in de vuilnisemmer, samen met de builtjes van de vorige mokken die als zandzakjes de afvoer blokkeren. Gaat vervolgens naar de badkamer en vult de wasmachine met de lakens die hij tussen de deur en de wastafel op een hoop heeft gegooid.

Tweederangshulp. Diensten bewijzen aan diegene die diensten

bewijst. Daar is ze toe herleid, dat is haar taak. Als zij aanbiedt om haar moeder te helpen – want dat doet ze, als ze de kans ziet – krijgt ze te horen: 'Dank je kindje. Jij hebt al zoveel om handen. Tinus zal dat wel doen.'

Hele gesprekken voert Tinus met haar moeder. Zij, liggend op de sofa, hij, ernaast gezeten op de grond of op de salontafel. Celia hoort ze fluisteren en lachen, ze hoort haar moeder vragen. 'En wat doe je dan zo de hele dag? Als ik hier niet ben, bedoel ik?'

Ze zit aan tafel, laptop ingeplugd voor zich. Ze maakt een reportage over het voorstel van twee vrouwelijke parlementariërs om paal en perk te stellen aan avondvergaderingen en nachtmarathons. Ze was er eerder op de dag op kantoor aan begonnen, maar ver is ze niet geraakt. Barbara moest weer naar een of andere televisiestudio, ditmaal als gaste in een culinair programma. Stapels ongelezen kopij had ze achtergelaten, haar telefoon had niet stilgestaan...

'Lummelen', zegt Tinus. 'Als iemand me dat een jaar geleden had voorspeld, zou ik hem voor gek hebben verklaard. In het begin heb ik me er ook tegen afgezet. Maar nu krijg ik er de smaak van te pakken.'

'Jááá!' reageert oma Suzy enthousiast. 'Zomaar wat rondhangen, niets doen. Zálig, niet?' Celia hoort het stomverbaasd aan, zo kent ze haar moeder niet.

In de coulissen van het parlement is het voorstel in het beste geval bestempeld als irreëel en in het slechtste onthaald op hoongelach. Van de kamervoorzitter, een ouwe rat in het vak die ze als eerste had opgezocht, kreeg ze te horen dat een uitputtingsslag een tactiek is als een andere om je tegenstrevers schaakmat te zetten. Een gewezen premier liet haar verstaan dat wie met een gezin in zijn achterhoofd zit, maar beter niet kan kiezen voor een politieke carrière. De enige die het parlementaire duo steunt, is een weduwnaar wiens vrouw het kraambed van hun derde kind niet heeft overleefd. Ze probeert haar gesprek met hem uit te tikken, maar onwillekeurig hoort ze, over de tape heen, de stemmen van Tinus en haar moeder.

'Je moet het wel léren', zegt haar moeder. 'Aan de ene kant heb je als huisvrouw de beschikking over je eigen tijd, aan de andere kant ben je nooit klaar. En als je dan zo'n perfectioniste bent als ik... Nooit kon ik wat laten staan... Daar ben ik pas de laatste tijd aan toegekomen. Noodgedwongen, omdat het niet meer allemaal lukt. Nu heb ik spijt dat ik het niet eerder heb ontdekt.'

'De verborgen charme van het lummelen', vat Tinus samen. Met z'n tweeën zitten ze erom te gniffelen. Dan buigt haar moeder zich naar hem toe, ze legt haar magere hand op zijn dij en zegt, haar woorden ondersteunend met langzaam hoofdgeknik: 'Je moet het ervan nemen, Tinus! Neem dat aan van iemand die het weten kan. Je moet het ervan nemen!'

De weduwnaar is niet hertrouwd. Hij zorgt zelf voor de opvoeding van zijn drie zonen. Maar ijveren voor betere werkuren is daarom niet bij hem opgekomen. Hij heeft een huishoudster in dienst genomen. Wat hij nalaat, neemt zij voor haar rekening. Wat Celia's moeder nalaat, blijft staan voor later. Wat Tinus nalaat, doet Celia wel.

'Ik denk dat ze dood is', hoort ze Kamiel tegen Kassandra zeggen. Ze spurt erheen: roerloos uitgestrekt ligt haar moeder op de sofa. Over haar heen gebogen staan de kinderen, Kamiel met de speelgoedstethoscoop om zijn hals, Kassandra met een witte servet om haar hoofd. Ineens richt de roerloze gedaante zich op. Ze spert de ogen wijdopen, roept met nog wat zwakke stem 'Boe!' En ze lacht, en de kinderen lachen mee, ze gillen het uit en springen schaterend op en neer. Ook voor wie hospitaaltje speelt, is het schrikken als er plots een terugkomt van de overkant.

Suzy Borstlap-Waterschoot heeft kalkoennootjes met sperziebonen gegeten en er zelfs een glaasje wijn bij gedronken. 'Zie je wel dat je het kan?' zegt Tinus als ze zonder wandelstok van de logeerkamer naar de sofa schuifelt. Een paar dagen geleden steunde ze nog op zijn arm, nu tast ze naar haar eigen steunpunten: de hoek van de tafel, de kapstok, deurkrukken. Haar gezicht krijgt opnieuw structuur: de cortisonespanning trekt er goeddeels uit weg, net genoeg achterlatend om een dam te vormen tegen de rimpels. Ze ziet er jonger uit, in zekere zin.

Ze slaapt veel minder, ze kijkt televisie en bladert in tijdschriften. Als Celia thuiskomt, informeert ze hoe het is geweest op haar werk. Van de kinderen wil ze weten hoe het op school gaat en wat ze geleerd hebben die dag. Aan Tinus vraagt ze, voor zover Celia weet, niets: van hem weet ze waarschijnlijk alles al. Die twee hebben immers de tijd.

Niet lang daarna begint haar moeder in plastic tassen te stoppen wat ze de voorbije weken bij elkaar heeft gesprokkeld. Geneesmiddelen, oogdruppels, toilettas, kamerjas, pantoffels... En de nachtjapon die haar dochter haar vorig jaar met kerstmis cadeau heeft gedaan – crèmekleurige zijde met groene en bruine varens.

Van vroeger herinnert Celia zich hoe nauwgezet ze was op die dingen. Geen plastic tas, maar een koffertje, zo en niet anders hoorden mouwen te worden geplooid, opgepast voor tricot met de sluitingen van beha's, en om elk flesje een hoesje, want stel je voor dat het ging lekken. Maar tot haar verbazing rolt ze haar kleren op, propt ze spullen waar ze ze kwijt kan, kriskras door elkaar.

'Zo!' en ze slaakt een zucht. 'Dat was een diepe put. Nooit gedacht dat ik er uit zou raken. Maar ik heb het gevoel dat het ergste voorbij is. Ik denk dat ik nog even ga leven.'

'Je hoeft hier toch helemaal niet weg', zegt Tinus.

'Dat weet ik, jongen.' Ze tikt op zijn hand. 'Dat weet ik heus wel.'

'Kom je weer een keer met ons spelen, oma?' vraagt Kassandra.

'Vast en zeker!'

'Of mogen wij bij jou komen spelen?' vraagt Kamiel.

'Natuurlijk', zegt oma Suzy. 'Zo vaak jullie maar willen.'

'Zou je toch niet nog een poosje blijven, mams?' dringt Celia aan als ze alleen zijn.

'Nee kindje, het is goed geweest', zegt haar moeder. 'Het was heel lief van jullie om voor mij te zorgen, héél lief. Maar ik heb alles wat ik nodig heb op mijn appartementje.'

'Daar twijfel ik niet aan, mams. Maar misschien kan je beter...'

'Tutututut!' – met wapperende hand. 'Jullie plaats is hier, mijn plaats is daar. Geen vreemden in huis, dat is voor iedereen beter.'

'Jij bent toch geen vreemde, mams!'

'Cel!' Als kind was ze doodsbang van die blik. Ze was haast vergeten dat hij bestond, hij komt er nog maar zelden aan te pas. Het is de blik die haar lichte ogen donker maakt en haar zachte trekken hard, een blik als een barst in het porseleinen poppenhoofdje. 'Dit zijn jouw huis, jouw man, jouw kinderen', zegt de vrouw met het gebarsten poppenhoofdje. 'Dit is jouw leven, Cel. Maak er wat van!'

Schooljongens op stap

Maar hoe?

Tinus neemt zijn vertrouwde plaats voor de televisie in. Maar Celia nestelt zich niet meer naast hem zoals vroeger – dat doet ze al geruime tijd niet meer. Alleen viel dat met oma Suzy in huis minder op. De gelegenheid deed zich zelden voor.

Zo stil als het nu is, zonder haar, vooral 's avonds als de kinderen naar bed zijn. Tinus praatte met haar moeder en zij praatte met haar moeder en haar moeder praatte met hen beiden, zodat het met een beetje goede wil leek alsof Tinus en zij langs een omweg toch met elkaar praatten. Nu rest hen alleen de kortste weg en, hoewel dat theoretisch die van de minste moeite is, zien ze er tegenop. Ze beginnen er niet aan.

Gedaan met thee zetten, gesprekken voeren, kussens schikken en lakens verversen. In de vrijgekomen tijd zal hij haar wel wat vaker bijspringen, veronderstelt ze. En dat doet hij ook.

Hij maakt een ovenschotel met vis en spinazie.

'Papa, mag ik nog een beetje?' vraagt Kamiel.

'Ik ook', zegt Kassandra. 'Ik wil ook nog een bordje.'

'Heel erg lekker, Tinus', zegt Celia verwonderd. 'Waar heb je dit vandaan?'

Het smaakt vertrouwd, een beetje zoals vroeger thuis.

'Niet uit *Adam*, als je dat bedoelt', zegt Tinus.

Hij had ook háár kunnen bellen voor advies. Zoals hij dat zo vaak deed, voor van alles en nog wat, toen ze net begonnen was aan die nieuwe baan. Tenslotte gaat het om háár gezin, háár man en kinderen, háár keuken en háár potten en pannen.

Maar nee, hij heeft haar moeder gebeld. Grootmoeders keuken: een vertrouwde waarde om op terug te vallen, in ogenblikken van vertwijfeling. Voorbij is de tijd dat hij erop stond alles zelf te beredderen, dat hulp van buitenaf zoveel mogelijk moest worden geweerd. Een nieuwe tijd is aangebroken, en in die tijd komt zij er niet aan te pas.

Het raakt haar. Maar ze past wel op er een opmerking over te maken. Tinus kookt, Kamiel en Kassandra vinden het lekker en zij ook, zelfs Hugo de hamster stelt de restjes op prijs. Nou dan?

Na de ovenschotel met vis en spinazie volgen nog andere gerechten. Maar Tinus' kookkunst ontwikkelt zich meer als een activiteit op zich, dan als een middel om hongerige monden te vullen. Hij smelt en snippert met ongeziene toewijding, zonder zich te bekommeren om hoeveelheden of uur of tijd. Hij bakt en roert zoals hij tovert: als er maar iets fraais tevoorschijn komt. Lekker is mooi meegenomen, voedzaam een nuttig neveneffect. Hij kookt ook niet doordeweeks, hij doet het zo nu en dan: het moet een beetje bijzonder blijven.

Op de frituur en de hamburgertent zijn de kinderen inmiddels wel uitgekeken. In de plaats daarvan komen gerechten in aluminium of plastic bakjes, die hij aanprijst als een topverkoper. Luchtledig verpakt en gekookt, oreert hij tegen Kamiel en Kassandra die hem met open mond aanhoren zonder er een snars van te begrijpen, bewaren kant-en-klaarmaaltijden veel beter vitamines en mineralen en zelfs kleuren dan stoofpotten die urenlang op het vuur staan te pruttelen. (Alleen zijn het veelal eenmansporties en daarvoor geldt hetzelfde als voor operavoorstellingen: voer het aantal op, en in plaats van goedkoper worden ze duurder, verhoudingsgewijs.)

Voor het overige lummelt hij er lustig op los. Maar het is niet meer dat doelloze sjokken van voordien, met sombere blik en neerhangende schouders. Hij is ook toeschietelijker, zoniet tegenover Celia dan toch tegenover de kinderen, en dat maakt het leven toch al wat luchtiger. Suzy Borstlap-Waterschoot heeft zijn neerslachtigheid doorbroken, en hij volgt haar goede raad op: hij neemt het ervan.

'Waarom waarschuw je me nooit vooraf als je uitgaat?' vraagt Celia.

'Moet ik aan jou verantwoording afleggen over mijn tijdsbesteding?' reageert hij.

'Ik zou er rekening mee kunnen houden', zegt ze. 'Voor de kinderen.'

'O,' zegt hij koel, 'zou je dan misschien toch op tijd thuis kunnen zijn?'

'Misschien wel, misschien niet. Maar ik zou het minstens kunnen proberen.'

'Begrijp je nu', zegt hij, 'waarom ik liever afspreek met een oppas dan met jou?'

Ik doe dit voor jullie. Je dacht toch niet dat ik het doe voor mijn plezier? Ze hoort het haar vader zeggen, als hij weer eens laat terugkeerde van het lab en haar moeder daar een opmerking over maakte. Nooit kon ze zich ontdoen van de indruk dat het maar een flauwe uitvlucht was, dat het experimenteren met buisjes en microscopen en preparaatplaatjes hem wel degelijk plezier verschafte. Dat zijn vrouw en kind er beter van werden, was mooi meegenomen, bij wijze van neveneffect. Wat zou ze dan zijn woorden herhalen tegen Tinus, die haar evenmin zou geloven als zij destijds haar vader?

Weer drijven er vreemde geuren in huis en weer verschikken vreemde handen de inhoud van de kasten. Overwegend zijn de babysitters meisjes, maar er is ook een jongen bij met pukkels op zijn voorhoofd en een ruwe slobbertrui die naar regen ruikt. Tinus plukt ze bij het studentenbureau van de universiteit, kinderen nog, van wie Celia zich afvraagt of ze er haar eigen kinderen wel aan kan toevertrouwen. Maar ze gedragen zich met een volwassenheid, die zij voor zover ze zich herinnert op hun leeftijd niet bezat, waar ze bij vlagen nog steeds blind naar tast. Geen vragen in hun ogen, geen aarzeling in hun handelen: wij weten hoe de wereld in elkaar zit, wij hebben onze zaakjes voor elkaar. Zij staat er versteld van, Tinus niet. Hij vindt het maar normaal.

Als stille getuigen staan de groene flacon met poetsproduct en het schuursponsje op het aanrecht. Een van de meisjes heeft de kookplaat onder handen genomen, ze wijst Celia bij haar thuiskomst het glimmende oppervlak aan. 'Ik kon het niet aanzien', zegt ze met fronsneus en neergetrokken mondhoeken. 'De aanblik alleen al en mijn honger is over. En als je er nog eens op kookt, wordt het alleen maar erger.' Ze gaat ervan uit dat Celia de kookplaat in die morsige toestand heeft gebracht en gelaten. Dat Tinus daarvoor verantwoordelijk zou kunnen zijn, komt niet bij haar op (zoals het evenmin bij haar opkomt dat keramische kookplaten onder geen beding behandeld mogen worden met schuurcrème en harde sponsjes).

Gelukkig werken de meeste babysitters alleen vakkundig hun agenda af. Ze zetten het avondmaal in de magnetron, stoppen de kinderen in bad en vervolgens in bed. Soms valt Celia binnen als ze daar nog volop mee bezig zijn, soms vindt ze er alleen maar de sporen van – de plastic potjes of de aluminiumbakjes en de vuile borden in de keuken, de doorweekte handdoeken en de zeepranden in de badkamer. De oppas zelf treft ze dan aan, weggezakt in de zetel, met de chips en de frisdranken die Tinus heeft klaargezet. Zich vergapend aan de televisie. TMF of MTV. Videoclips.

Uit wat ze de babysitters verschuldigd is, kan ze opmaken wanneer Tinus de deur uitgaat. Ze had erop gerekend hem thuis aan te treffen als ze die dag tijdig met een triomfantelijk 'Hal-lo!' naar binnen stapt. Maar tussen Kamiel en Kassandra in, aan de tafel bezaaid met tekenpapier en vilstiften en kleurpotloden, zit een meisje. Ze draagt een grijsgroene pullover, dreadlocks verbergen haar profiel.

Zo vroeg is hij dus al weg, valt Celia in. En ook: dat zij daar had kunnen zitten, op de plaats van dat meisje. In de lichtkegel van de lamp, hoofd gebogen over de tekening van Kamiel, linkerhand op de arm van Kassandra. Pendelend met haar aandacht tussen de een en de ander, hen kleuren en vormen toefluisterend.

'Zeggen jullie niks tegen mama?'

'Dag mama!' Zonder opkijken. In koor, alsof ze een lesje opzeggen. En verder krassen de stiften op het papier. Een rode appel, een gele zon, een purperen konijn.

Alleen de oppas kijkt op met hoge wenkbrauwen, alsof Celia ongelegen komt. 'Meneer had me te kennen gegeven dat het voor langere tijd was', zegt ze als ze een kwartier later haar jas van ribfluweel aantrekt en een meterslange wollen sjaal als een slang rond haar hals wikkelt. 'Op die manier loont het haast de moeite niet. Met mijn reis van huis en terug erbij...'

Zodat Celia haar, bovenop het uurtarief, maar een fikse fooi geeft.

Tinus is de nacht ingedoken. En daar is hij Cisse tegen het lijf gelopen. Cisse Vanderelst. Een oude schoolvriend, bouwde graag feestjes net als hij. Cisse en hij, twee fuifnummers.

Een rond gezicht, bezaaid met sproeten, en rebels boerenhondenhaar. Een uit de kluiten gewassen bengel uit een ouderwets Amerikaans stripverhaal, daar doet Cisse haar nog het meest aan denken. Die ene keer dat hij voor de deur staat – en zelfs dan wil hij niet binnenkomen.

Alle andere keren is er alleen maar zijn stem aan de telefoon. Verrassend hoog voor zijn kloeke lichaamsbouw, vrolijk en verwachtingsvol, en met een ondertoon van ongeduld. Hij vraagt het, zoals de kameraadjes van Kamiel vragen of hij mag komen spelen. 'Is Tinus daar?' Een andere vraagt komt niet in hem op, en die keer voor de deur kijkt hij dwars door haar heen. Zij is maar een doorgeefluik. Wat hij wil is: Tinus for fun.

Gedaan met lummelen!

Ze bladert door de oude albums tot ze de klassenfoto vindt. Daar staat Tinus, derde van links op de middelste rij, dat pezige jongetje met zijn streepjestrui. Vlak achter hem, dat kereltje met die brede grijns, dat moet Cisse zijn. Twee vingers, opgestoken als ezelsoren, boven Tinus' hoofd. Geen haar veranderd, zo te zien.

Ze doorloopt de rijen. Allemaal jongens, zoals Kamiel nu. Waar inmiddels een half leven overheen is gegaan. Vrouwen en kinderen, vrienden en vriendinnen. Dromen en teleurstellingen, blijdschap en zorgen, en verdriet. Bloedklonters en overbruggingen, kankers en auto-ongevallen, en noodgedwongen ook verlies. Een van hen, de eigenaar van een trendy nachtclub, is twee jaar geleden dood aangetroffen in een rioolbuis met twintig messteken in zijn buik. Een volle bladzijde had Wim Schepens er in *Nieuws?!* voor uitgetrokken. Nogal wat figuren uit de film en showbizz waren kind aan huis in de club, en allemaal wisten ze wel een leuke anekdote of gevat commentaar op te hoesten. 's Avonds had Tinus de foto tevoorschijn gehaald, dezelfde foto die zij nu in haar hand houdt. Hij had hem haar aangewezen: dáár stond hij. Op weg naar het lemmet, op weg naar de riool. Zich van geen kwaad bewust.

Drie rijen schooljongens, elk met hun eigen verhaal. En zo'n dertig jaar later zijn er daar twee van op stap. In een stad vol licht en muziek en ronkende motoren en andere mensen met weer andere verhalen. Op weg naar...?

'En wat doet Cisse nu?' vraagt ze.
   'Deed', zegt Tinus.
   Cisse is ontslagen, net als hij.

Functioneel naakt met baret en stethoscoop

De klad zit erin, zegt de socioloog die Celia interviewt voor *Adam*. Bij artsen en advocaten zit de klad erin, en dat is de schuld van de vrouwen. Te veel meisjes studeren voor arts of advocaat, en omdat meisjes sneller en beter studeren dan jongens, maken ook te veel meisjes hun studie af. Wat op zichzelf nog niet zo erg zou zijn, als ze het niet in hun hoofd zouden halen hun beroep daadwerkelijk uit te oefenen. Maar dat doen ze wel en het kleinste kind weet wat daar de gevolgen van zijn, zegt de socioloog. Als een besmettelijke ziekte is het: het prestige van het beroep raakt aangetast en bijgevolg ook de beloning – of is het omgekeerd? Er zijn meer vrouwelijke artsen en advocaten dan ooit, en de dokters en de advocaten verdienen minder dan ooit. Heren van de schepping, u kan maar beter uitkijken naar andere professionele bezigheden. Zoals?

Laten we de thuisarbeid herwaarderen, stelt de weduwnaarpoliticus voor. Te veel werklozen, te weinig plaatsen in crèches en bejaardentehuizen, en het ziet er niet naar uit dat daar meteen verandering in komt. Dan heeft iedereen er toch voordeel bij dat wie geen werk vindt, niet langer op zoek gaat naar werk en zich in plaats van werkloos thuiswerkend noemt? Iedereen en alles: de werklozen, de baby's en de bejaarden, de staatskas en de statistieken. Niet alleen vrouwen moeten worden aangespoord tot thuisarbeid, maar ook mannen. En dat zal alleen lukken, zegt hij, als die arbeid ook behoorlijk wordt vergoed.

Is dit toeval? Het hoofdartikel van *Adam* stelt de vraag. Is het toeval dat door vrouwen veroverd terrein erop achteruitgaat en door mannen verkend terrein erop vooruitgaat? Conform aan de afspraken ondertekent Celia niet met haar naam, maar met *De Hoofdredactie*. Noem het opportunisme of verantwoordelijkheidszin, afhankelijk van je invalshoek. Dit zijn geen tijden voor principes, maar voor concessies (als ze haar baan wil houden, toch).

'Dat eeuwige geraas van hem, en dan dat wiebelhoofd', zucht Barbara als ze binnen stuift. Het is laat en het zal nog later worden, want zoals zo vaak is Barbara gaan lunchen met Wim Schepens. Het is hun manier om vrije tijd in te bouwen in een toch al vlug tien uur durende werkdag: ze gaan lunchen en komen pas terug als de middag halverwege is, ontspannen en opgeladen met energie. Voor Wim moet dan het eigenlijke sleutelen aan de krant nog beginnen, en ook Barbara gaat zelden voor negen of tien uur naar huis. Niemand wacht op haar en dat het voor Celia anders zou kunnen liggen, komt niet bij haar op. 'Die man is een echte creep!' voegt ze eraan toe op de toon waarop moeders over lastige kinderen praten: boosheid gespeeld, vertedering oprecht.

'Voor een creep breng je behoorlijk wat tijd met hem door', laat Celia zich ontvallen.

'Denk je dat ik niet liever met jou zou gaan lunchen?' vraagt Barbara.

Maar het eigenaardige is, dat ze dat niet doet. Ze gaat niet met Celia lunchen, ze gaat ook niet met haar koffiedrinken zoals Celia dat destijds met Ann deed. En als toevallig een van de heren voorbijkomt als ze samen staan te praten, breekt Barbara meteen het gesprek af en behandelt ze Celia als lucht.

'Maar ik ben niet gek', zegt Barbara. 'Ik wil jou niet kwijt.'

Verrast kijkt Celia op.

'Je weet toch waarom Ann naar de krant terug is gestuurd?' vraagt Barbara.

'Omdat Wim haar wilde?'

'En omdat jullie te goed met elkaar opschoten. Jullie smoesden.'

'Smoesden?!'

'Twee handen op één buik. Dat is te bedreigend, Celia. Dat wordt scheef bekeken.'

'Behalve als een van die handen die van Wim Schepens is...'

'Dat is wat anders', glimlacht Barbara. 'Wim wordt door Marcus op handen gedragen. Daar kan ik maar beter gebruik van maken, of niet soms? Zullen we?'

Ze wil alvast voorgaan, richting vergaderlokaal. Als ze merkt dat Celia achter haar bureau blijft zitten, draait ze zich om. Ze plant haar rechterhand op haar rechterheup, schudt haar hoofd:

'Jij bent echt onwaarschijnlijk, weet je! Je hebt talent, je bent knap, je bent niet op je mond gevallen... En zoals jij alles weet te combineren: je man, je werk, je kinderen... Ik bewonder jou, Celia, geloof me! Er zijn dagen dat ik zelfs jaloers op je ben. Maar als ik zie hoe jij met mannen omgaat, denk ik wel eens ...'

Later en later wordt het. Aan thuis denkt Celia niet meer, of nauwelijks. En als die gedachte bij haar opkomt, windt ze zich er niet meer over op. Dat doet ze alleen in de buurt van de tweesprong: nu zou ik nog tijdig naar huis kunnen, dadelijk lukt het (alweer!) niet meer. Eenmaal de tweesprong voorbij, maakt de opwinding plaats voor – ja, noem het maar opluchting.

Tussen Barbara en haar in ligt een stapel mappen. Ze zijn afkomstig van zowel binnen- als buitenlandse agentschappen. Soms bevatten ze alleen maar foto's, soms zit er een begeleidende tekst bij of een volledige reportage of een adres van een website voor meer uitleg. Ze nemen de mappen door, houden elkaar foto's voor, leveren er commentaar op, selecteren. 'Ik blijf erbij', zegt Barbara, 'met iemand van gedachten wisselen, maakt kiezen zoveel makkelijker.'

Haar bureau was dit, haar poppenhuis. Hier hebben ze op hun knieën tegenover elkaar op de grond gezeten, tussen de druppels en de kartonnen dozen, onder de lekkende Rubicon. Zij en Barbara – niet de Barbie met de hoge hakken en de jurken afgezet met ruches, maar het bezwete meisje met de laddernylons, dat van aanpakken wist. Het plafond is hersteld, de vaste vloerbedekking geshamponeerd, de muren opnieuw geschilderd. Met dat meisje had ze het anders wel kunnen vinden.

'Deze misschien?' en ze schuift Barbara een foto toe.
'Te braaf, artsy', vindt Barbara. 'Wat dacht je van deze?'
'Een page three girl op de cover van *Adam*?!'
'Vind je 't niet leuk? Kijk niet zo ontdaan, Celia! Het is toch maar een spel!'
Maar zij houdt niet zo van spelen. Niet van kaarten, niet van ganzenbord, niet van mens erger je niet. Zelfs niet van de goocheltrucs van Tinus. Zoveel ijdel vertoon, zoveel holle woorden en nutteloze gebaren, voor een geloof in iets wat er niet is. Voor een schijn van overwinning, een illusie van werkelijkheid.

'Dit is toch wat elke man wil!' zegt Barbara Laermans. 'Misschien ontkent zo'n Nieuwe Man dat, omdat hij dan beter denkt te scoren. Wel, wij zeggen hem dat hij zich niet meer hoeft te schamen. Wij geven hem zijn natte droom terug. Wedden dat hij ons dankbaar is?'

En jawel: op de redactievergadering knikken de hoofden.

'Bingo!' zegt Hans Tertilden.

'Nu zijn we op de goeie weg!' knikt Guy De Maarschalk.

'Je zou ook kunnen zeggen dat we ver afdwalen', merkt Celia droogjes op.

Guy en Hans kijken naar elkaar en vervolgens naar haar. Barbara's ogen schieten van Marcus W.E. Dubois naar Wim Schepens.

'Wat krijgen we nu?' vraagt Wim. 'Plotse aanval van preutsheid, Celia?'

Ze doet of ze hem niet hoort en richt zich tot Marcus: 'Geen opgewaardeerde *Playboy*! Dat mocht het onder geen beding worden. Weet je nog?'

Marcus trommelt op de tafel. Zijn vingers zijn minder dik geworden, merkt ze: van boerenworst naar chipolata. Hij kijkt naar Wim, neusvleugels wit, blik vol ergernis. Hij wacht, hij speelt hem de vraag door. Zo is het gegaan, beseft ze plots: Wim heeft Marcus overtuigd en Marcus heeft haar overtuigd. En, samen met Wims idee, heeft zij ook zijn ongelijk doorgeschoven gekregen.

'Wat is nu nog het verschil tussen *Adam* en andere mannenbladen?' vraagt ze.

'Kijk', zegt Guy De Maarschalk, 'om te concurreren kan je maar twee kanten op. Ofwel breng je iets totaal nieuws, ofwel zorg je dat je de beste bent.'

En Barbara veegt met de rug van haar hand een blonde lok van haar schouder en zegt: 'En wij zijn de beste.'

'Weet je wat, Celia?' Wim tuit zijn mond, schudt met zijn hoofd. 'Als jij nu eens ophield met je daar mee te bemoeien? Wij bemoeien ons toch ook niet met jou? Niemand die je pen vasthoudt! Kunnen schrijven wat je wil! Is dat geen pure luxe?'

'Waarom zou ik voor dit soort blad nog sociologen of politici interviewen', zegt ze.

'Omdat', zegt Guy, 'het ons imago opwaardeert.'

'Precies', zegt Barbara. 'Het is een van die dingen die andere bladen niet hebben.'

'Wat Wim bedoelt is: doe gewoon verder zoals je bezig bent', zegt Marcus. 'Laat de rest maar over aan ons.'

'Wij zorgen wel dat het verkoopt', zegt Guy.

'Ja', zegt Hans. 'Wij doen er de juiste verpakking om.'

Kijk maar! De covergirl heeft donkere wilde haren die voor haar ogen wapperen, haar blote borsten staan op springen. Zo hoog en ver uit elkaar staan haar borsten, dat het wel afzonderlijk gemonteerde lichaamsdelen lijken, wat ze misschien ook wel zijn. Met haar vrije hand bedekt ze de driehoek tussen haar suggestief gespreide gestrekte benen, op haar wapperende haren klemt ze een advocatenbaret, tussen haar iglo's van vlees bengelt een stethoscoop. Functioneel naakt, noemt Hans Tertilden het.

Een reageerbuisbaby. Zo kan ze *Adam* maar beter beschouwen. Proef mislukt: DNA verprutst en vervlochten, genen onnaspeurbaar en trekken onherkenbaar gemaakt. Embryo ingeplant in een andere moeder, als je dat tenminste een moeder kan noemen: schoot steriel en ongeschonden, strakke buik zonder zwangerschapsstrepen, wiegende heupen als schommel en stiletto's als kinderwagen.

Andermans baby? En die zwangerschap dan, die misselijkheid en dat kotsen? En die bevalling, benen in de beugels en betweters om haar heen? Was dat dan schijn, zoals honden en katten gezwollen tepels en hangende buiken krijgen, van onvervuld en onbestemd verlangen?

Vergeet het! Wat haar te doen staat is: afstand nemen, kwetsuren kalmeren, gevoelens herschikken – en vlug wat. Haar moederliefde richten op haar eigen vlees en bloed, dat haar al te lang en te vaak heeft moeten ontberen. Door de schuld van dat papieren koekoeksjong!

Het is volle maan en alle lichten zijn gedoofd als ze op nylontenen hun kamers binnen sluipt. Kamiel slaapt op zijn rug, arm om zijn hoofd gevouwen, tyrannosaurus rex in zijn vuist geklemd. Kassandra ligt op haar zij, hoofd aan het voeteneinde en half blootgewoeld, zoals zo vaak. Ze dekt hen voorzichtig toe, streelt een haarlok van een voorhoofd, drukt een zoen op een slaap. Kamiel blijft er onbewogen bij, Kassandra kreunt en knippert met haar ogen. Draait zich om, nog maar eens. Van haar weg.

In de gang hoort ze de hamster ritselen in haar hok. Ze denkt aan Toni het dwergkonijn, aan zijn glanzende oogjes en de zijigroze binnenkant van zijn oren. Hoe alles groter leek te zullen worden, toen, en uiteindelijk kleiner is geworden – zelfs de huisdieren. Van konijn naar dwergkonijn en van dwergkonijn naar hamster. Hoe alleen kinderen groter worden, onafwendbaar.

Tinus tilt de nieuwe *Adam* op, schuift hem over de tafel van zich af. Gezicht afgewend, alsof de aanblik alleen al hem te veel was. 'In het begin had je nog iets aan dat blad', zegt hij. 'Niet echt veel, maar toch een praktische tip zo nu en dan. Nu is het helemaal pulp geworden.' En dat hij niet begrijpt hoe zij het daar kan uithouden.

'Dat is anders heel eenvoudig', zegt ze. 'Ik heb geen andere keuze.'

'Je hebt altijd een andere keuze', zegt hij.

Ze zegt: 'Een van ons moet toch een baan hebben.'

En hij zegt: 'Kijk maar naar mij.' Alsof hij haar niet gehoord heeft.

'Precies', zegt ze. 'Het is omdat jij geen baan hebt...'

'Wie zegt dat?' vraagt hij. 'Wie zegt dat ik geen baan heb?'

En hij verdwijnt naar de badkamer. Als hij terugkomt, heeft hij hem op gezet. Ze heeft hem een paar dagen geleden zien liggen. Maar ze had aangenomen dat hij van de kinderen was. Een rood balletje met een gleuf erin.

'En zo heb ik ook een pak, schoenen en een pruik', zegt hij.

Geruit, groot, oranje. Denkt ze.

'Waar is dat goed voor?'

'Om te doen wat ik doe', zegt hij.

'In een circus?'

'Nee', zegt hij. 'In het ziekenhuis.'

Cisse heeft hem overgehaald. Cisse Vanderelst deed het al langer, en nu doet hij ook mee: twee halve dagen per week brengt hij kankerpatiëntjes aan het lachen.

'En word je daarvoor betaald?' vraagt ze verwonderd.

'Moet dat?' vraagt hij.

'Nee', zegt ze haastig. 'Neenee, natuurlijk niet.'

Ze wacht even.

'Ik bedoel: het is vrijwilligerswerk?' zegt ze.

'Is daar iets op tegen?' vraagt hij.

'Integendeel.'

'Wel dan?'

'Ik bedoel alleen: het is geen báán', zegt ze.

'Voor mij is het beter', zegt hij. 'Voor mij is dit beter dan een baan.'

Hij wacht even.

'Dan sommige banen toch.'

Vergelijkend onderzoek met selderie en tomaat

Vraag sociologen om de geschiedenis te schrijven van het gezin. Vraag het hun, en kijk waar ze hun bronnen halen. Kijk hoe ze op zoek gaan in de bevolkingsregisters naar huwelijken en geboorten en echtscheidingen en samenlevingscontracten. Hoe ze statistieken en volksraadplegingen bestuderen, wetten en notulen van voorafgaande debatten. Hoe ze tijdschriften en kranten uitpluizen, en daaruit de artikelen kopiëren over incest of reageerbuisbaby's of gezinsdrama's. Geschiedkundigen willen altijd de *grote geschiedenis*.

Maar wat met de echte geschiedenis, de kleine waar de grote mee begint? Wie leest de kattebelletjes, met magneetjes op de deur van de koelkast gekleefd? Wie leest sms'jes als gsm's trillen en beeldschermen oplichten?

Het ene magneetje heeft de vorm van een tomaat, het andere dat van een selderiestruik. Ze hangen op de koelkast, ze zijn allebei even groot en van papier-maché, en achter elk van hen hangt een papiertje. 'Tandarts Kassandra. Woensdag 15 u.', zegt de selderiestruik. 'Chocopasta! Olijfolie! Keukenrol!!!!!' roept de tomaat – een uitroepteken voor elke dag zonder keukenrol.

Oefening in vergelijkend geschiedenisonderzoek: vroeger hingen achter de magneetjes andere boodschappen. 'Liefde is... samen naar de bioscoop gaan. *Casablanca*, nog maar eens?' Of: 'Witte wijn staat koud. 18 u. thuis! xxx.'

Zo wordt de geschiedenis geschreven van het gezin van Tinus Van de Wijngaart en Celia Borstlap en van hun kinderen Kamiel en Kassandra.

Sms, woensdag.
  'Alles ok tandarts?' (Celia aan Tinus, 15.20 u.)
  '????' (Tinus aan Celia, 16.14 u.)
  'Tandarts! Kassandra!' (Celia aan Tinus, 16.15 u.)

'Vergeten. Maak jij nieuwe afspraak? Heb 4 x keukenrol!' (Tinus aan Celia, 16.16 u.)

En daar ruziën ze dan over. Dienstmededelingen worden niet meer mondeling uitgewisseld maar schriftelijk. Mondeling worden alleen nog de verwijten over de dienstmededelingen uitgewisseld. Wat er moet worden gedaan en niet wordt gedaan, of juist wel. Wat niet mag worden vergeten en toch wordt vergeten, of juist niet. Daar ruziën ze over, en onder elke ruzie tikt de vorige ruzie de maat, en ze komen er maar niet uit.

Zij zegt: je doet niets. Hij zegt: ik doe alles wat je me vraagt. Jaja, zegt ze, maar ik moet het wel telkens vragen, als ik niets vraag doe je niets. En dan noemt hij iets wat hij wel gedaan heeft en zij niet heeft gevraagd, zoals het vervangen van een kapotte lamp of het betalen van de elektriciteitsrekening. Zie je wel, zegt hij dan, zelfs dingen die je me niet vraagt doe ik, maar dat realiseer jij je niet eens omdat je ervan uitgaat dat ik het niet doe en het je niet eens opvalt als ik het wel doe.

Ze draaien in cirkels. Maar ze voeren geen reidans uit, want een feest is dit niet. Muilezels zijn ze, die met oogkleppen en een juk om hun schoft rond een waterput lopen. Bij elke ronde wordt de voor waarin ze lopen dieper, in plaats van drinkwater halen ze grondwater boven en daarna gif. En als het gif diep genoeg is ingewerkt en er zelfs niet meer kan worden gepraat via tomaten en struikselderie en schermen van gsm's, is het – hoe contradictoir dat ook klinkt – hoog tijd voor een echt gesprek.

'Ik heb er genoeg van', zegt Celia tegen haar moeder. Ze heeft zich voorgenomen er eerst met haar over te praten. Haar moeder is zoveel ouder en daardoor ook zoveel wijzer dan zij, zoals ouders horen te zijn. Niet zolang geleden heeft ze nog zulke eindeloze gesprekken met Tinus gevoerd. Wie weet kijkt zij er anders tegenaan, wie weet kent zij een oplossing.

Ze was gisteren al bij haar aangelopen. Maar toen had ze oma Suzy niet thuisgetroffen. Wat haar verwonderd had, een tikkeltje verontrust ook. De hele ochtend had ze vanaf kantoor geprobeerd haar te bereiken. Ze had het telefoonnummer ingetoetst en daarna, met intervallen van een halfuur, de herhaaltoets.

'O!' liet Suzy Borstlap-Waterschot horen toen ze haar eindelijk aan de lijn kreeg. Gewoon wat gaan shoppen, ze had nieuwe gordijnen nodig. Wat Celia zo mogelijk nog meer verwonderde en verontrustte, want haar moeder ging nog maar zelden de deur uit en dan alleen nog op vaste uren. En aan haar interieur had ze in geen jaren iets veranderd.

Aan de overkant van de tafel zit haar moeder. Tussen hen in ligt een groot pak in stijf bruin papier met brede stroken doorschijnende kleefband. 'Ik heb er genoeg van, mams', zegt Celia. 'Zo kan het niet langer.'

'Tja, wat wil je?' zegt oma Suzy terwijl ze het pak naar zich toetrekt. Ze scheurt de kleefband los, hele stroken papier komen mee. Ze vouwt de gehavende verpakking open, strijkt de bovenkanten met vlakke handen plat op de tafel. In het pak ligt stof met een Afrikaanse print: savannebruin met ivoorkleurige ruiten en stroken luipaardvel. 'Vind je 't mooi?' vraagt ze.

'Ik wil dat hij verandert', zegt ze.

'Verandert?' zegt haar moeder. 'Ik zal wel wat aan de muren moeten doen. Ik kan de muren toch niet zo laten. Veranderen, jaja, maar hoe?'

'Ik had gehoopt dat van jou te horen', zegt Celia.

'In de echte jungle zal ik nooit meer geraken', zegt oma Suzy. 'Dus dacht ik: ik maak mijn eigen jungle. Zal ik jou eens zeggen wat jij moet doen, Cel? Doorgaan, je tijd niet verliezen met nutteloze discussies. Doorgaan en gewoon doen wat je doen moet.'

'Doen wat ik doen moet?!' Ze schreeuwt het haast. 'Alles doen, zal je bedoelen!'

'Veranderen vraagt tijd...' zegt haar moeder. 'Soms meer tijd dan je hebt, Cel. Tabakskleur voor de muren. Of zou dat te donker zijn, denk je?'

Jij bent veranderd, denkt Celia. Jij bent veranderd, en ik weet niet eens of dat komt door de gezonde of door de zieke helft van je hoofd. Heeft de gezonde helft je aan het denken gezet of heeft de zieke je op een dwaalspoor gezet? Jij bent veranderd, moeder, er zit een andere moeder in het lichaam van de vorige.

En zelfs dat lichaam is niet meer hetzelfde. Er is die kras op haar hoofd, die nooit meer zal verdwijnen. En het haar, dat wel terugkomt maar dan in een andere vorm, grijs en krullerig. Ze gebruikt ook geen poeder of lippenstift meer, alleen olie die ruikt naar bossen en heide en een vleugje cacaoboter op haar lippen die vragen: 'Of stopverfkleur? Zoals de oever van de rivier waar we 's zondags wel eens gingen wandelen. Herinner jij je dat nog, Celia?'

'Ik heb er genoeg van', zegt Celia tegen Tinus. 'Ik heb er genoeg van. Zo kan het niet langer.'

'Blij dat je het eindelijk beseft', zegt hij.

'Besef jij wel wat ik zeg?' vraagt ze.

Ze zijn erbij gaan zitten. Hij op de sofa, zij in de fauteuil tegenover hem. Ze zitten voorovergebogen, ellebogen op de knieën, als worstelaars klaar voor de strijd. In de arena ligt een vloerkleed en op het vloerkleed staat een tafel en op de tafel staan twee glazen met water.

Ze heeft de woorden al gekozen in gedachten, ze hoeft ze enkel hardop te herhalen. 'Ik zeg niet dat het jouw fout is dat je ontslagen bent, Tinus. Ik zeg ook niet dat je een baan moet aannemen als men je er een aanbiedt. Maar je kan van mij niet verwachten dat ik én kostwinner speel én het huishouden draaiend houd...'

'Dat deed je vroeger toch ook?' zegt hij met een argeloosheid die niet anders dan gespeeld kan zijn en die haar het bloed onder de nagels vandaan haalt.

Ze kruist haar rechterbeen over haar linker-, wipt ongeduldig met haar voet op en neer. 'Kom op Tinus! Ik werk dubbel zo hard en jij doet niets!'

'Niets?!...'

'Nou ja. Af en toe iets.'

'Meer dan vroeger', zegt hij. 'Hoe dan ook meer dan vroeger.'

'Wel...' Ze haalt diep adem, blaast de lucht door haar neusgaten: 'Misschien is het tijd voor nog wat meer!'

Er valt een stilte. Hij neemt zijn glas, drinkt het leeg met een paar grote slokken.

'En als ik dat niet doe, krijg ik geen kus van de juf. Zoiets?'

'Tinus. Doe niet zo kinderachtig.'

'Zo is het toch? Tinus moet klussen om de liefde van de juf te verdienen. De juf houdt niet van Tinus zoals hij is.'

Je hebt gelijk, denkt ze. De juf houdt niet van je zoals je daar zit. Ze houdt van je zoals je was, maar ze houdt niet van je zoals je geworden bent. Of misschien wel, misschien houdt ze nog wel van je, maar voelt ze daar niets van, omdat wat nu in haar opwelt in hoofdzaak ergernis is. En die heeft niet alleen maar te maken met klussen.

'Het gaat niet om liefde, het gaat om rechtvaardigheid', zegt ze.

'O', zegt hij. 'Liefde komt er niet eens meer aan te pas?'

Zoals bij emmertjes in een waterput, zou ze de liefde naar boven moeten hijsen en de ergernis laten zakken. Maar het mechanisme is defect, zodat ze er niet in slaagt te doen wat ze zou moeten doen en in zekere zin ook wel zou willen. Naar hem toegaan, haar handen op zijn schouders leggen, hem bij de hand nemen en zeggen kom mee, laten we de gordijnen en onze ogen sluiten en streel me dan, streel me toch, streel me...

Is dit de roemruchte strijd tussen de seksen? Onderhandelingen, zakelijke verbintenissen, afspraken op huis-, tuin- en keukenniveau? En als dat niet lukt: ellebogen op tafel, handen in elkaar, en wringen maar? Ze zit tegenover hem, zoals ze tegenover Barbara Laermans of Marcus W.E. Dubois zou zitten.

Er is een tijd geweest dat de inzet van die strijd geen boodschappenlijstje was, dat hij niet werd uitgevochten aan de keukentafel, maar erop. Rechtvaardiger was het daarom niet, opwindender wel.

'Je begrijpt me niet', zegt ze.

'Zeg jij', zegt hij.

'Je wil me niet begrijpen', zegt ze.

'Toch wel', zegt hij. 'Ik begrijp je heel goed.'

En hij handelt er ook naar.

Papa's geven meer cadeautjes

Hij praat er niet eens meer met haar over, het gebeurt als vanzelf. Beetje bij beetje, als een beeld dat stilaan scherp wordt gezet. De bedden worden opgemaakt, het linnen wordt verschoond en het vuilnis tijdig buiten gezet, de ontbijttafel blijft niet langer staan en de keuken is geen puinhoop. Ze hoeft niet eens meer boodschappen te doen.

Hij heeft zo zijn eigen aanpak. Onder de bedden stapelen zich stofvlokken op: die ziet hij niet of vindt hij onbelangrijk. Hij vergeet ook het stro van de hamster te verversen, en aangezien de afspraak met de kinderen dat ze zelf voor hun huisdieren zouden zorgen nooit goed heeft gewerkt, doet Celia dat maar zelf. Zoals ze ook zelf groene thee en zemelkoekjes koopt, omdat zij de enige is die groene thee drinkt en zemelkoekjes eet en ze te beschroomd is om hoogstpersoonlijke extra's toe te voegen aan het boodschappenlijstje van Tinus. Wat hij vroeger wel deed en wat ze toen allebei vanzelfsprekend vonden: aftershave, gele gepekelde uien en muntjes, blauw en doorschijnend als ijsschotsen...

Hij haalt ook geen bloemen in huis. En hij druppelt geen huisparfum op de verdamper – den of lavendel of sandelhout. Maar wat had ze dan gewild: dat hij zou rondhuppelen met een plumeau in de ene hand en de timer in de andere, schort voorgebonden en sjaaltje om zijn hoofd, neuriënd dat de *hills zo alive* zijn met *the sound of music*?

Hij heeft de strijkplank voor de televisie gezet en de bout aan een verlengsnoer gekoppeld. Hij kijkt naar een film met onderzeeërs en ondertussen strijkt hij. Hij strijkt een T-shirt dat ze nooit eerder heeft gezien, dat onmogelijk van Kamiel of Kassandra kan zijn. Tussen de stapel strijkgoed, die naast hem klaarligt op een stoel, zitten nog meer onbekende kleuren en stoffen.

'Waar zijn de kinderen?'

'Gaan zwemmen', zegt hij, 'met oom Cisse.'

Oom Cisse!

Ze hebben het op een akkoord gegooid. Cisse is gescheiden en co-ouder van een tweeling die afwisselend een week verblijft bij zijn moeder en zijn vader. Oom Cisse gaat met de kinderen zwemmen en oom Tinus neemt de kinderen mee naar het park. Als de ene oom op de kinderen past, heeft de andere oom zijn handen vrij.

Alles en nog wat verdelen ze onder elkaar, zowel de taken (zo ze die al niet samen doen) als de vrije tijd (zo ze die al niet samen doorbrengen). Ongehinderd door de drang naar perfectionisme en het daarmee samenhangend schuldgevoel dat Celia's moeder haar heeft ingepeperd.

Oom Cisse en oom Tinus houden zich aan de grote lijnen, ze bekommeren zich niet om futiliteiten. Ze beginnen niet zoals zij plots en onbedaarlijk plinten te poetsen, waardoor daar alle beschikbare tijd aan opgaat en ze niets meer overhouden voor de rest. Ze zijn snel en efficiënt en zij voelt zich, vergeleken bij hen, bepaald kinderachtig en belachelijk ouderwets.

Nu en dan eten ze nog wel eens gerechten uit aluminium- of plastic bakjes. Maar overwegend koken de ooms zelf. Gigantische porties maken ze, die ze onder elkaar verdelen en waarvan ze dan nog eens de helft invriezen. Hele voorraden leggen ze zo aan, zodat er binnen de kortste tijd maar half zoveel gekookt moet worden. Dat ontdooide porties inboeten aan smaak en consistentie, lijkt niemand te deren.

Waarom is zij daar niet eerder opgekomen? Waarom organiseren vrouwen hun leven niet op die manier, waarom zitten ze zo op hun nest? Terwijl het toch heel goed anders kan, al is het even wennen als ze thuiskomt en vier kinderen brullend achter elkaar aan door de kamers hollen en in haar keuken (waarom blijft ze het haar keuken noemen terwijl het al lang niet meer haar keuken is?) die de temperatuur heeft van een sauna een reus van een man staat met rosblond haar en sproeten en een vaatdoek door de lus van zijn jeans die zegt: 'Varkensgebraad met mosterd en rozemarijn. Ik dacht: ik kan het beter hier klaarmaken. Jullie oven is zoveel beter dan de mijne.'

'Waar is Tinus?' vraagt ze.

'Naar de fitness', zegt Cisse.

Hij heeft een kaart voor twintig beurten genomen, bij een centrum om de hoek. Ze had hem vroeger al eens een hint gegeven in die richting, maar blijkbaar is Cisses overtuigingskracht groter dan de hare. Vier keer in de week zwaait Tinus met halters, trekt hij aan kabels met gewichten, beklimt hij onzichtbare bergen, loopt hij kilometers naar een onbestaande horizon.

De wasmand puilt uit met sokken en trainingsbroeken en doordrenkte T-shirts, een zweetgeur verspreidt zich in de badkamer.

'Zou je je fitnessspullen niet in de machine kunnen stoppen?' suggereert ze.

Hij reageert gekrenkt: 'Is het te veel gevraagd om ze met de rest mee te wassen?'

Maar hij heeft de boodschap begrepen. Als de mand vol is, ontfermt hij zich voortaan over zijn sportkledij, hij voegt er zelfs de kleren van de kinderen aan toe. Grijsgroene vlekken ontsieren het roze jurkje waar Kassandra zo dol op was, de sweatshirt van Kamiel krimpt twee maten. Aan Celia's kleren waagt hij zich niet, die laat hij liggen op een hoopje onder in de mand. Goede zaak, maar slecht teken.

Misschien fitnesst Barbara Laermans ook wel. Misschien vult ze daarmee die uren waarin ze niet werkt en waarover nooit wordt gesproken. Misschien dankt ze daar haar modellenfiguur aan. Als je ziet hoe het Tinus verandert.

Binnen de kortste tijd legt zijn lichaam zijn lijzigheid af. Besmuikt kijkt Celia ernaar als ze hem kruist in de badkamer. Zijn borstkas oogt niet meer zo ziekelijk, zijn dijen en bovenarmen krijgen vorm. Breedgeschouderd, zoals Cisse of Wim (niet Wim, vergeet Wim!), zal hij wel nooit worden. Hij heeft meer de taaiheid van een marathonloper. Uithoudingsvermogen, en verborgen kracht.

Ze kleedt zich uit, bekijkt zichzelf in de hoge spiegel van de kleerkast. Lichtjes doorzakkende borsten, hangvlees aan de onderkant van haar bovenarmen en de binnenkant van haar dijen, een buik die zich nooit volledig heeft hersteld van twee late zwangerschappen. Ze zou er beter aan doen ook een abonnement te nemen, lessen te volgen in B&B of taebo of wat is er nog meer? Maar wanneer?

Op de pezen en de spieren volgt de moraal. Tinus' endorfines gaan aan de slag: kijk hoe kwiek en veerkrachtig hij stapt, hoe wakker zijn ogen kijken. Luister hoe helder zijn stem klinkt als hij 'voel maar' zegt tegen Kamiel en Kassandra en lachend zijn biceps laat rollen onder hun kleine kinderhanden. Eeuwen lijkt het haar geleden dat de hare nog op zijn huid hebben gelegen, een ontwend gebaar waar een onuitgesproken verbod op rust.

Puur toeval is het dat ze er iets over opvangt. Ze ziet ze niet, maar ze hoort hun stemmen. De stemmen komen uit de kamer van Kassandra.

'Maar stel nou', zegt Kamiel.

'Ik kies wat jij kiest', zegt Kassandra.

'Papa's geven meer cadeautjes', zegt Kamiel.

'Hoe weet jij dat?'

'Van Laura.'

Laura is de helft van Cisses tweeling.

'Laten we er mee ophouden', zegt Kassandra. 'Ik vind dit niet leuk.'

'Het is toch maar een spelletje.'

Kassandra, klaaglijk: 'Ik wil niet kiezen.'

Er valt een stilte. Ze houdt haar adem in.

'Ze maken wel veel ruzie', gaat Kamiel verder.

'Dat was bij Laura ook', zegt Kassandra.

'En Hugo?' zegt Kamiel. 'Wat doen we met Hugo?'

'We kunnen toch ook hier blijven', zegt Kassandra.

'Maar stel nou', zegt Kamiel. 'Wat doen we dan met Hugo?'

'Dan nemen we die mee', zegt Kassandra. 'In zijn hok.'

Mama zal er met papa over praten

Een gelegenheid creëren. In die termen denkt Celia eraan, neemt ze het zich voor. Creëren = iets maken dat er niet is. Een gelegenheid = een uitzonderingstijdstip. Gesteund door zulke woorden wordt een gesprek een hele opdracht. Ziet ze er daarom zo tegenop om er met Tinus over te praten?

Kassandra heeft op school een achterstand opgelopen met schrijven. Niet dat ze het niet kan, zegt de juf, maar ze heeft moeite om haar aandacht er bij te houden. Ze zal in de vakantie taken moeten maken, hopelijk wordt het dan beter – niet *speelen* maar *spelen*, niet *trug* maar *terug*.

Kamiel heeft na de lippenstift zijn oog laten vallen op een set van drie viltstiften. Ze ontdekt ze diep weggedoken in zijn boekentas: een blauwe, een rode en een zwarte, in een zilverkleurig plastic etui. Hij haalt zijn schouders op als ze vraagt waar ze vandaan komen, hij blijft zijn schouders ophalen als ze het etiket van de supermarkt aanwijst, waarmee de klep van het hoesje is gedicht. De hoeken van het etiket zijn omgekruld, op de lijm heeft zich grijze smurrie vastgezet. De stiften heeft hij er niet eens uitgehaald.

Een vrees, een vermoeden – meer toch niet? Kassandra is niet dom – wedden dat ze zich herstelt? Kamiel is geen dief – misschien vindt hij dat hij verwijten maar beter kan verdienen. En dan nog! Dat je *trug* en *speelen* schrijft en stiften steelt – niet om te gebruiken, gewoon om te hebben – wil nog niet zeggen dat je thuis iets tekortkomt. Zoals gebrek aan aandacht niet noodzakelijk betekent dat er thuis problemen zijn. Niet alle fouten van kinderen verwijzen naar fouten van ouders. Sinds wanneer is je schuldig voelen een bewijs van schuld?

Mama moet er met papa over praten.

'Waar gaan we dit jaar met vakantie naar toe, mama?'
'Waar willen jullie graag heen?'
Weifelend kijken Kamiel en Kassandra elkaar aan.
'Frankrijk misschien?' oppert ze.
'Of willen jullie liever naar zee?'
'Of zullen we echt op reis, met een vliegtuig?'
Kamiels wenkbrauwen gaan omhoog, zijn mondhoeken omlaag. Kassandra giechelt, om die gekke grimas en omdat ze geen antwoord weet te verzinnen. Ze kennen alleen wat vertrouwd is, ze kunnen zich geen nieuwe bestemmingen voorstellen.

Mama zal er met papa over praten (over vakantie is het makkelijker praten dan over schrijffouten en verdachte viltstiften).

Ze gaan met Kamiel en Kassandra naar een pretpark waar kinderen de baas zijn. Ouders moeten aan de ingang hun zakgeld afgeven, kinderen mogen zelf beslissen wat ze zullen doen. Er zijn twaalf theaters, met acteurs en marionetten en paardentoernooien in opstuivend zand. Sommige voorstellingen duren een uur, sommige amper een paar minuten; soms kan je zo naar binnen, soms is het aanschuiven in een lange rij. Er zijn draaimolens die je zelf moet aantrappen, soldaten die op marsmuziek uit een vijver stappen, in de bossen verdwaalde jonkvrouwen en ridders die groeten met hoofse buigingen voor ze weer verdwijnen in vervlogen tijden.
Kamiel en Kassandra hollen van hier naar daar. Haken plakhanden in de hunne, trekken hen voort: kom 's mee, kijk 's daar! En zij laten zich voorttrekken, ze volgen de kinderen naar waar ze maar willen, vragen beleefd of ze soms een ijsje krijgen. Twee ogen van acht en twee ogen van tien kijken elkaar verbaasd aan, blozende wangen proesten het uit. Gewichtig, met gespeelde ernst, vraagt Kamiel: 'Wat denk je?' Kassandra tuit zuinig haar mondje: 'Als ze braaf zijn...'
Handen en monden afvegen. En naar toiletten zoeken en wachten tot is achtergelaten wat moest worden achtergelaten. En vragen of ze het leuk vinden, en zeggen dat ze het ietsje kalmer aan moeten doen, en knikken als ze vragen of dat ook mag, daarop of daarheen.

Al wat ze zeggen en doen: gericht op de kinderen. Niet op elkaar.

Een lach, een knipoog. Blikken of opmerkingen uitwisselen. Elkaar aanstoten en het aanwijzen: eigen kind of andermans kind, de richtingaanwijzer naar een theater, monnikskap die tussen boomwortels groeit. Niets van dat alles, niet meer.

Celia stelt zich Marcus voor aan de flip-over. Hij tekent twee grote ventjes en twee kleine ventjes. Trekt tweerichtingspijltjes tussen de kleine ventjes, en tussen de grote en de kleine. De ruimte tussen de grote ventjes laat hij leeg. Dan legt hij de stift neer. Tevreden: ziezo!

In de late namiddag lopen ze toevallig toch naast elkaar door een laan, de kinderen voor hen uit hollend. Aan weerskanten vormen beuken en eiken een erehaag, hun kruinen filteren het lome licht. In het midden van het wandelpad is de aarde opgehoopt en groeit gras en onkruid. Zij aan zij, en toch netjes gescheiden. Is dit een gelegenheid? Zal ze?

Klinkt het luchtig genoeg als ze vraagt: 'Wat zullen we doen met de vakantie?'

'Ze gaan toch op kamp', zegt hij.

'Na het kamp', zegt ze. 'Samen.'

Hij antwoordt niet meteen. Onder hun zolen ritselen halmen en kraken takjes. In het zand hebben wandelaars hun voeten vergeten, voeten van noppen of wafeltjes of blokjes. In de verte, achter bomen en struiken, joelen kinderstemmen. Engelen, denkt ze, een hemel.

'Daar moeten we eens over praten', zegt hij. 'Thuis. Bij gelegenheid.'

Op kamp? Welja, Celia Bis. Kamiel en Kassandra gaan op kamp. Kassandra naar een kamp waar ze kan paardrijden en Kamiel naar een tenniskamp en daarna nog eens samen op tekenkamp. Oppas en bezigheidstherapie voor het nageslacht van tweeverdieners, verwennerij voor wie de verveling van vakantie niet is gegund.

Ik weet het, ja, ik heb je gehoord. Maar kijk. Het kamp was vastgelegd en betaald voor Tinus zijn ontslag kreeg. Hij heeft niet geprobeerd om daar verandering in te brengen, zo te zien heeft hij dat niet eens overwogen. Hij heeft immers wat hij beter dan een baan noemt (dan sommige banen dan toch), en daarnaast heeft hij zo zijn andere bezigheden. En wie weet bevalt hem het vooruitzicht niet om hele dagen alleen voor twee kinderen te moeten zorgen. Of voor vier, als hij ook daarover met Cisse tot een taakverdeling had kunnen komen. Wat blijkbaar niet is gelukt of wat misschien nooit de bedoeling was. Ook hun efficiëntie kent grenzen.

Volstaat dat als antwoord op je vraag waarom Tinus de kinderen niet kan bijhouden? Een terechte vraag heeft recht op een antwoord – maar een vraag die je je alleen stelt in je hoofd? Het is al moeilijk genoeg te denken in andermans plaats. Laat staan te handelen.

Zelfs *Adam* maakt vakantieplannen: hoog tijd voor een themanummer!

Barbara stuurt haar Nieuwe Mannen naar de Malediven waar ze vanonder palmbomen over de oceaan staren, gezeten op de rand van bamboebedden waarop geoliede diva's luieren, terwijl kelners in witte pakken hun ananassen aanreiken met rietjes en purperen orchideeën. Ze brengt ze naar kunstmatige dorpen waar dolfijnen boogspringen en bontgekleurde vissen aquarium spelen, en laat ze diepzeeduiken in een harnas van rubber, ongehinderd door het oorlogsgeweld verderop. Ze laat ze met wit ingevette lippen en wandelstokken voorbij kloosters trekken waar monniken in oranje pijen eeuwig glimlachen.

En nergens, noch onder de palmen noch in het water noch op de bergen, zijn er kinderen in de buurt. 'Wat wil je?' zegt Barbara als Celia daar een opmerking over maakt. 'Dat ik ze naar Disneyland of naar Centerparcs stuur?'

Het zomert en de rek wordt losser en het tempo trager. De nummers van Adam mogen dunner en Barbara's verplichtingen als hoofdredactrice nemen af. Bovendien heeft ze het nu zo stilaan wel in de vingers, dat bladen maken. 'Waarom ga je niet wat vroeger naar huis nu het kan?' vraagt ze aan Celia.

'Ach nee,' zegt Celia, 'ik maak dit wel even af.' En ze doet waar ze overdag niet aan toekomt, omdat ze als voorschot op haar vakantie vast stukken schrijft voor de volgende nummers. Ze herschrijft teksten en maakt onderschriften bij foto's en controleert de rekeningen van medewerkers.

'Onvervangbaar ben jij', zegt Barbara dankbaar. Maar ze kijkt er ook een beetje verbaasd bij. Ze vraagt zich natuurlijk af waarom Celia zo nodig gezinsvriendelijke uren wilde. Of ze begrijpt gewoonweg niet dat iemand werk doet dat eigenlijk het hare is of dat van haar toekomstige eindredacteur. Om het even.

Celia werkt door en op een avond doet ze wat ze anders nooit doet. Ze gaat met Barbara en de collega's van de krant een glas drinken in het dorpscafé. Na een paar glazen hoort ze zichzelf makkelijker lachen en luidruchtiger praten, na nog een paar glazen hoort ze zelfs dat niet meer, zoals ze ook niet meer merkt wat ze daarnet nog wel merkte. Verwondering in de ogen om het feit dat zij zich voegt naar dit gezelschap, en dat ze er nog van schijnt te genieten ook.

'De volgende dag is haar keel een woestijn en haar hoofd een drumstel. Ze belt Barbara en vraagt een dagje vrijaf. 'Juist!' zegt die op veelbetekenende toon, er meteen aan toevoegend dat zoiets iedereen kan overkomen. En dat ze natuurlijk vrijaf kan nemen, dat ze al zo hard heeft gewerkt de laatste tijd (de laatste tijd?!).

De ochtend daarop is ze vergeten waar ze haar auto heeft gelaten. Ze zigzagt door de buurt, tot ze hem vindt, rechterwielen half op de stoep. Zijruit ingeslagen, autoradio gestolen. Vergeten eruit te halen, vergeten in haar tas te stoppen.

So what! Alles is beter, dan 's avonds naar dit lege, rommelige huis.

Want nu de kinderen de deur uit zijn, blijkt pas goed hoezeer hun leven aan hen is opgehangen. Plannen en afspreken, boodschappen en maaltijden en vaste uren, plots is de noodzaak ervan weg. Zelfs van een huis aan kant – een goed voorbeeld, voor wie? En nu dat allemaal niet meer hoeft, kan ze er niet langer omheen.

Nieuw is het niet. Natuurlijk is het haar al langer opgevallen. Maar op zwijgen teert hoop. Zolang zij niets vraagt, hoeft Tinus niet te antwoorden. Zolang woorden onuitgesproken blijven, bestaan ze niet. Dan sudderen ze maar wat in zijn mond, tot hij weet welke kant hij op wil: inslikken of uitspugen. Pas dan is er geen weg meer terug – of toch?

Kijk naar haar moeder. Voor dood tegen de vlakte, liggen schokken in het verjaardagsgewoel, schedel opengeklapt en weer dichtgeniet. Het is niets, kindje, het komt wel goed, en misschien doet het dat ook nog wel. Zoals zij opknapt, de laatste tijd. Mirakels bestaan!

Waarom zou zij dan de vraag ontlopen waarom Tinus haar ontloopt? Waarom vraagt ze niet gewoon waarom? Laat het nu maar eens uit zijn met dat afwachten, met dat adem inhouden, dat laf zijn. Mama moet er er met papa over praten.

'Waarom ontloop jij mij, Tinus?'

'Doe ik dat?' vraagt hij.

'Je trekt meer met Cisse op dan met mij.'

'Dat zou wel eens kunnen', zegt hij.

'En jij vindt dat normaal?'

'Normaal?' zegt hij. 'Wat is dat: normaal?'

En dat zij daar over moet zwijgen. Zij zéker! Over normaal! Dat zij alles overhoop heeft gegooid en dat er nu niets meer normaal is. Al maandenlang, niets meer! En dat ze nu niet uit de lucht moet komen vallen. Alsjeblieft, zeg!

En voor ze het weten staan ze tegen elkaar te roepen, als hoge golven slaan de verwijten over hen heen.

Zij: dat ze het niet kan helpen dat hij ontslagen is en dat haar moeder kanker kreeg. Dat hij niet zo'n benepen idee over normaliteit moet hebben. Dat zij maar doet wat mannen al zolang doen, en nog veel meer. Dat hij maar doet wat vrouwen al zolang doen, maar dan veel minder. Of hij het ook eens zo wil bekijken?

Hij: dat zij hem niet moet leren hoe hij de dingen moet bekijken. Dat hij van haar geen lessen hoeft te krijgen, dat hij zijn eigen lessen leert. En dát hij er geleerd heeft – ook van haar moeder en van zijn ontslag. Dat hij weet welk leven hij wil en welk leven hij niet wil. En dat hij zich dat niet meer laat ontnemen. Door niemand, ook niet door haar!

En de golven spoelen aan en breken, en na de hoge komen er lage. Kabbelgolfjes.

'Waarom praat je daar dan niet over met mij?'

Dat hij dat probeert, zegt hij. Geprobeerd heeft.

'Waarom heb ik daar dan zo weinig van gemerkt?'
'Omdat je het zo druk had, misschien? Omdat je er nooit was?'
'En nu ik er wél ben, ben jij altijd weg?'
'Tja,' zegt hij, 'nu wel.'

En weer zo'n hoge golf. 'Maar wat wil je dan?' roept ze. Moet ze haar baan opgeven? Moet ze hem alle werk uit handen nemen? Moet ze plat op haar buik voor hem? Is het dat wat hij wil?

Heel hoog. Heel even. En dan weer een kabbelgolfje. 'Ik wil niks', zegt hij. En dat hij dat letterlijk bedoelt. Dat hij niks meer wil, helemaal niks meer.

Dat hij denkt dat ze beter uit elkaar kunnen gaan.

Weg zijn het zand en de zee en de golven, de hoge en de kabbelgolfjes. Van de wereld geveegd, samen met de rest. De tijd stilgevallen, de stilte ingetreden.

En op die lege, onwezenlijke wereld zitten zij. Tussen verleden en toekomst zitten ze en ze praten. Met een kop thee en een plasje tussendoor – wat een geruststelling dat dat er nog is, aan het einde der tijden.

'Definitief?' zegt ze, met hamerend hart. 'Bedoel je definitief uit elkaar?'

'Dat weet ik niet', zegt hij. 'Dat weet ik nog niet.'

'Kunnen we het niet anders doen? Er moet toch een andere oplossing zijn.'

'Die wil ik niet', zegt hij. 'Ik wil geen andere.'

'Ook niet als ik verander?'

'Dat helpt niet, het is te laat', zegt hij. 'Er is té veel kapot.'

'Maar de kinderen', zegt ze. 'Heb je wel eens aan de kinderen gedacht?'

'Wat dacht je?' zegt hij.

'Dat kun je ze toch niet aandoen, Tinus.'

'Dit ook niet', zegt hij.

Of ze het rapport van Kassandra heeft gezien? En de stiften, denkt ze. De drie stiften in het zilveren hoesje. Zou hij daar ook weet van hebben? Maar het heeft geen zin daar nu over te beginnen. Het is onderdeel geworden van een groter geheel, van zoveel meer dat moet worden aangepakt, dat ze niet weet waar eerst te beginnen. O god, en ze zucht en schudt vertwijfeld haar hoofd, en wilde dat ze de film kon terugspoelen. Dat de woorden als vissen in zijn mond zouden springen, dat ze nooit gesproken zouden zijn en nooit gesproken zouden worden, omdat ze de film veel verder zou terugspoelen, tot waar nog een ander einde kon worden verzonnen. Maar het omgekeerde gebeurt: verder loopt de film, nieuwe vissen springen op haar toe.

'Het is beter zo', zegt Tinus. 'Blijven zou het nog meer verzuren. En dan is het misschien voorgoed te laat.'

Beter zo. Voor iedereen. Een poosje.

Thee. Suiker en melk, zoals vroeger. En roeren met de lepeltjes van vroeger.

'En hoe moet dat dan met Kamiel en Kassandra?'

De twee K'tjes. Die hier niet om hebben gevraagd. Die onzeker en onrustig zullen worden, zoals je dat zo vaak van kinderen hoort. Dit wordt erger dan lippenstift en viltstiften, erger dan schrijffouten – geen *traanen* maar *tranen*, geen *elende* maar *ellende*.

'Ik zorg toch nu ook al voor ze', zegt hij.

'Hoe bedoel je?'

'Dat ik dat wel zal blijven doen', zegt hij.

'En ik dan?'

Hij antwoordt niet.

Vuist in haar maag. Hij gaat haar de kinderen afpakken. Maar zo kan ze het niet zeggen – niet in die woorden, niet zo brutaal. 'Het zijn ook mijn kinderen. Ik wil ook voor ze zorgen', zegt ze fel.

'Dan regelen we dat wel', zegt hij.

'Ik wil het', zegt ze. 'Ik kan meer tijd vrijmaken, nu.'

'Des te beter', zegt hij.

Hij gelooft haar niet. Maar ze zal het hem bewijzen. Al zal haar dat moeilijker vallen dan hem. Hij, met tijd te over en met Cisse; zij, met haar werk en verder niemand. En van die babysitters, ja, die haar streng aankijken en haar laten verstaan dat ze 't niet goed doet. Helemaal niet goed.

En dan een plasje. Oef!

Kassandra keert terug van haar paardrijkamp en Kamiel van zijn tenniskamp. Koffers worden leeggemaakt en kleren gewassen, want er moeten nieuwe koffers worden gepakt. Maar de droger laat het afweten en kan niet meteen worden hersteld, zodat ze dan maar wat oude spullen bij elkaar zoekt. Voor Kamiel een short met rafelige boorden en een T-shirt met bleekvlekken, voor Kassandra een truitje waar Kamiel is uitgegroeid.

Andere jaren was dit ook voor hen een beetje vakantie. De avond nadat de kinderen vertrokken waren, gingen ze samen uitgebreid uit eten, met aperitief en een fles wijn toe. Het huis werd net zo goed aan zijn lot overgelaten, maar dan niet uit lusteloosheid zoals nu, maar uit zorgeloosheid. Ze kon er echt naar verlangen, naar dat kinderloze bestaan, dat haast studentikoze. Ook seks hoorde daarbij: meer, en anders, en op andere plaatsen.

Nu verlangt ze nergens naar. Of toch, maar dan naar vastigheid, niet naar vrijheid. Naar vastgehouden worden, niet naar vrijen. Naar vertrouwen en naar een nest. Naar kinderlijfjes om te koesteren, met restjes babyvet en strookjes zijdezacht vel, naar jongehondengeur en snoepadem.

Ze hunkert ernaar, en tegelijk is ze opgelucht dat ze weer vertrekken. Zodat die hunker en al wat ermee samenhangt niet op hen kan worden overgedragen. Zodat ze hen niet kan besmetten met die steen in haar maag en die klem op haar keel. Al goed dat uit de natte kleren aan de wasdraad boven het bad de lijfjes zijn verdwenen.

'Beloof me één ding', smeekt ze. 'Dat we er niet over ruziën, zeker niet met de kinderen erbij. Dat we elkaar niet treiteren, zelfs niet als het verkeerd zou lopen. Geen advocaten, geen gesleur en getrek aan de kinderen. Beloof het me, Tinus.'

'Maar Celia toch!...' En hij kijkt haar aan met zijn ogen uit het begin van de film, en als confetti dwarrelen de herinneringen bij haar naar binnen. Hun ongeloof toen de predictortest positief was, het hoofd van Tinus op haar bolle buik. Kamiel in het kinderziekenhuis met een open wenkbrauw die moest worden gehecht. Kassandra, verloren en teruggevonden in het bos, het slakje dat een slijmspoor trok in haar hand. Weet je nog, Tinus, weet je het nog?

En daar huilen ze dan om. Zij huilt, zoals hij altijd huilde, met heftige schokken en happend naar adem. Hij huilt, zoals zij huilde als ze al eens huilde, onbeweeglijk en geluidloos. Onmerkbaar, op twee glanzende strepen op zijn wangen na. Indianenverdriet.

Samen huilen. Ze kan zich niet herinneren hoelang dat geleden is. Ze heeft ook nooit gedacht dat het wel eens het laatste zou kunnen zijn wat je samen deed. Samen huilen om wat toen nog kon en nu niet meer. Nooit meer?

Het geluk is aan de durvers
(en aan de gelukkigen)

Het geluk is aan de durvers. Maar behalve aan de durvers is het ook en misschien vooral aan de gelukkigen. Je werpt een dobbelsteen, denkend dat de worp beslist, maar dat doet hij niet. Die worp wordt je gegund bij wijze van aalmoes.

En ondertussen beslist het Lot. Met die valse gulheid en neerbuigende welwillendheid, het Lot eigen, met die diabolische glimlach die je nooit te zien krijgt. Het Lot, zo oud als de wereld maar nog steeds een grillig kind, dat bikkelt met dromen en nachtmerries, mirakels verricht en ongedaan maakt.

Melanie, achttien en aan de top van de hitparade, gaat voor *Adam* uit de kleren.

Adam, officieel spreekbuis van de Nieuwe Man, hoopt met Melanies blote borsten nieuwe lezers aan te spreken. Melanie, officieel nog maagd, hoopt met haar naaktheid haar truttige imago te doorbreken.

De verkoopcijfers van *Adam* springen de lucht in. Melanie is te gast is bij Patrick/Patricia die haar nog meer ontboezemingen ontlokt. Wat maakt het uit of de lezers van *Adam* Oude of Nieuwe Mannen zijn, wat doet het ertoe of Melanie maagd is of niet? De vraag naar illusies is groter dan die naar werkelijkheid, en als een illusie maar lang genoeg wordt volgehouden, gaat ze vanzelf op werkelijkheid lijken.

'Goed geprobeerd', zegt het Lot tegen *Adam* en Melanie.

'Nog één keer', smeekt Celia. 'Laten we nog één keer samen op vakantie gaan.'

Ze huren een huisje op een Grieks eiland. Niet te lang vliegen en niet te duur – tot voor kort had het best gekund, nu moeten ze toch weer een beetje opletten. De eigenaars sturen foto's van het vakantiehuisje, met een beschrijving erbij. Het is laag en heeft

witgekalkte muren en staat op een rots boven de kolkende golven. De kamers hebben terrassen voor- en achteraan. De badkamer is klein maar net, er is geen keuken maar wel een koelkast, en
een koffiezetapparaat wordt op verzoek ter beschikking gesteld.
En geen zorg: trappen leiden van het huis naar een strand en aan
de andere kant van het strand omhoog naar het dorp, waar kafe-
neions voor geen geld heerlijkheden serveren. Voor de ramen
wapperen witte linnen gordijnen met de zeebries naar binnen.
Tussen de smeedijzeren bedden waakt een kruisbeeld met een
palmtak over het welzijn van de gasten.

Ze zijn er nog nooit geweest, het is een plaats die niet beladen
is met verleden, waar ze met een schone lei kunnen beginnen.
Nieuwe herinneringen voor een nieuwe toekomst.

'Goed geprobeerd', zegt het Lot tegen Celia Borstlap.

'Heb je de politie gebeld?' vraagt ze aan haar moeder.
'Dat durf ik niet', zegt oma Suzy. 'Ik ben bang dat ze terug
zullen komen.'

Twee gemaskerde mannen zijn bij klaarlichte dag haar appartement binnengevallen. Ze hadden stokken bij zich, en revolvers.
Ze mag wel van geluk spreken dat ze ongedeerd is gebleven. Maar
ze zijn wel met al haar juwelen weg!

'Hou je rustig, mams', zegt ze. 'Ik kom eraan. Blijf kalm. Ik ben
er zo.'

Gentlemengangsters moeten het geweest zijn. Er is geen spoor
van inbraak, het appartement is even keurig aan de kant als altijd.
Geen kast of lade hebben ze opengetrokken, zelfs niet in de slaapkamer. Op de linkerhoek van de kaptafel staat het roodlederen
juwelenkistje. Een weinig schuin, zoals het daar al jaren staat.
Celia schuift het slot los en klapt het deksel open. Alle juwelen
zitten er nog in.

'Goed geprobeerd', zegt het Lot tegen Suzy Borstlap-Waterschoot. 'Maar ik kan toch niet ieders wensen inwilligen, zonder
mijn naam geweld aan te doen.'

'Temeer', voegt het Lot eraan toe, 'omdat u mij van het soort lijkt
dat, als je een hand geeft, meteen de hele arm inpalmt. Waarom
voldoen ze niet meer, uw eikenhouten kasten en uw porseleinen

kopjes, uw geborduurd tafelkleed en uw nep Chinees tapijt? Vanwaar plots die luipaardprints aan de ramen en die tabakskleur op de muren? En die houten tweeling, getooid met kauri's?'

'Zeg eens eerlijk', vraagt het Lot. 'U wou op uw leeftijd toch niet beginnen aan een tweede leven? Wat was er mis met het leven dat ik u heb gegeven en waar u tot nu toe best tevreden mee was? Het is niet buitengewoon lang, dat leven van u, maar uitzonderlijk kort is het evenmin. U mag niet mopperen – en dat zeg ik in alle objectiviteit.'

Zo groot, zegt de oncoloog, en hij houdt zijn duim en wijsvinger open. En Celia denkt aan wat haar grootmoeder altijd vertelde: dat je geen kersenpitten mocht inslikken, omdat die wortel schoten in je buik en de takken en de bladeren zich door je oren heen een weg baanden naar buiten, waar dan opnieuw kersen groeiden. Dat kersen wortel kunnen schieten in je hoofd, dat ze daar kunnen uitgroeien tot een reuzenvariëteit, heeft ze er nooit bij verteld.

'Als het mijn moeder was, zou ik niet aarzelen', zegt de neurochirurg, bij wie ze te rade gaan voor een tegenexpertise. Hij is verbonden aan een ander ziekenhuis, met duurdere apparatuur en meer ervaring. Hij wil de tumor wel proberen te verwijderen.

'Ik ga niet op vakantie', zegt Celia. 'Ik denk er niet aan. Toch niet nu.'

En het Lot zegt tegen Tinus: 'Ik weet het. Als het van jou afhing, zou je hier blijven, zo ken ik je en dat siert je. Maar de kinderen, wie zal er zich over de kinderen ontfermen? Heb je daar al eens aan gedacht?'

'En geen annuleringsverzekering', zegt Celia. 'Hoe stom van me.'

'Zeg dat wel!' zegt het Lot tegen Tinus. 'Alles geregeld en betaald, de plaatsen en de kamers. Zonde om dat zomaar te laten vallen, temeer omdat Kamiel en Kassandra hoe dan ook moeten worden beziggehouden. Hier wordt dat een stuk lastiger dan ginder, lastiger misschien dan goed voor ze is... Dus zou het wel eens kunnen dat je er beter aan doet... Ga toch, stap op het vliegtuig en neem de boot naar dat eiland. Vertrek, en neem je kinderen mee.'

'Maar jij kan gaan als je wil', zegt Celia. Het klinkt mat en weinig overtuigend. Even ziet ze Tinus aarzelen, maar echt verrast door haar voorstel kijkt hij niet. Meer alsof het hem al eens eerder door iemand anders was ingefluisterd.

'En nu we het er toch over hebben,' voegt het Lot er aan toe, 'er is nog een plaats vrij, waarom zou je die niet iemand anders gunnen? Hoe heet die vriend van jou ook weer, met zijn blozende wangen en zijn boerenhondenhaar?'

'Cisse?!' zegt Celia, verbijsterd.

'Hij was toevallig vrij', zegt Tinus schouderophalend. 'Zijn kinderen zijn in die periode bij zijn ex. Het geld zijn we toch kwijt, dan kan er maar beter iemand wat aan hebben. En Kamiel en Kassandra zijn dol op hem.'

Hij pakt zijn koffer, zij die van de kinderen. Niet dat hij dat niet zou kunnen, maar zij vergeet minder en bij haar gaat het vlugger. En hoe vaker zij het doet, hoe minder ze vergeet en hoe vlugger het gaat, hoe groter haar voorsprong op hem wordt – maar dit terzijde.

Er is nog een andere reden waarom ze er nadrukkelijk op staat hun koffers zelf te pakken en waarom ze dat doet met zoveel aandacht en toewijding. Ze vouwt hun kleren, schikt de stapeltjes soort bij soort. Stopt turnpantoffels en sandalen in afzonderlijke plastic zakken. Legt insectenzalf en een zonnecrème factor 21 bij de badpakken. Zo lijkt het toch alsof er een stukje van haar meereist.

Moederzorg in pakjes. En bovenop die pakjes legt ze een rolletje drop en een briefje. *Veel plezier! En stuur een kaartje! Dikke zoenen. Mama.*

Nog even kijken ze om, verstrooid haast. Niet uit eigen beweging, maar omdat Tinus ze daartoe heeft aangespoord door op hun rug te kloppen en naar haar te wijzen. Ze kijken om en ze zwaaien naar haar, ze hoort ze haar naam roepen, hun naam voor haar. Om het hardst, alsof het een wedstrijd was.

Dan zijn ze weg, verdwenen door de klapdeuren. Een onbekende steekt de douanier zijn paspoort toe. Liefst van al zou ze achter hen aan hollen en hen alsnog die zoen geven. Die perszoen, die pletterzoen. Die ze daarnet niet durfde geven, uit vrees zich niet goed te kunnen houden. Maar dat doet ze niet: ze blijft zich goed houden.

Tot in de auto. In een automatische reflex zet ze de ruitenwissers aan. Het helpt niet, en met haar ogen knipperen helpt ook maar heel even. Griekenland is verder dan vier uur vliegen. Griekenland is haar leven uit.

'Wat zou je alleen thuiszitten, zolang Tinus en de kinderen weg zijn?' zegt haar moeder. 'Kom jij zolang maar bij mij wonen, en als ik wat beter ben maak ik hachis Parmentier voor je. Daar was jij als kind al zo dol op, weet je nog? Gezellig, net als vroeger.'

Ze stelt het voor als een aanbod, maar dat is het natuurlijk niet. Ze gaat er voetstoots van uit dat haar dochter wel bij haar zal intrekken, niet omgekeerd. De oude moeder regelt alles voor de nieuwe moeder, ze schikt haar leven net zoals ze de kopjes in de kast en de lepeltjes in de lade schikte. Zo, en niet anders – en dan die in minzaamheid verpakte irritatie als iemand iets aan die orde durft te veranderen.

Eigen terrein, dat wil haar moeder (de oude én de nieuwe). Waar zij – en niet het Lot, althans zo lijkt het toch – het voor het zeggen heeft. Waar afhankelijkheid, als ze bestaat, minder op afhankelijkheid lijkt. Haar zelfgemaakte jungle, begrensd door muren in tabakskleur en gordijnen met luipaardtekening: daar wil ze van genieten – zolang het nog kan. Dat laatste zegt ze er niet bij, maar haar dochter hoort het desondanks.

Hoe zou ze het haar moeder kunnen weigeren? Ze brengt het appartement in gereedheid, zet verse bloemen op de tafel, schikt kussens op de sofa. Ze vult de koelkast met yoghurt, fruit en groenten, en een fles biologische champagne. Ze koopt pralines als bedankje voor de verpleegafdeling en, bij wijze van welkomstgeschenk voor haar moeder, een set van drie mandjes.

De mandjes zijn identiek, maar verschillend van grootte, zodat ze netjes in elkaar passen. Ze hebben brede buiken en hoge puntvormige deksels. Ze zijn gevlochten uit zachtglanzende bladeren, afwisselend ivoorkleurig en zwartbruin. Een Afrikaans accent, een beetje extra jungle, harmoniërend met muren en gordijnen.

Haar jongemeisjeskamer is nog net als vroeger. Het bed met de houten spijlen en de patchworkplaid, het bureau met de blauwe draaistoel, het rek met speelgoed. Zo bewaren ouders kamers van gestorven kinderen, denkt Celia. Een schrijn, een stopwatch voor de tijd.

Ze legt haar spullen in de grenen kast. Dan gaat ze zitten op het bed en kijkt naar haar lievelingspop. Naar het rode, in een paardenstaart bijeengebonden haar, de sandalen met om de enkels geknoopte touwtjes, het gestreepte truitje en de piratenbroek. Ze herinnert zich het lijfje daaronder, een huid van plastic, strak en hard. Ze heeft geen tepels, de pop, geen navel en geen spleetje tussen haar benen. Wel in de plastic uitgespaarde nagels, die ze lang geleden met het flesje van haar moeder bloedrood heeft gelakt.

Zij was het meisje dat met deze pop speelde. En dit is wat er geworden is van het kind van vlees en het kind van plastic. Wat er geworden is van het kind van vlees, zit op het bed waarin tot voor kort Kamiel en Kassandra sliepen, de zeldzame keren dat Tinus het geoorloofd vond een beroep te doen op haar moeder. Vroeger, toen alles nog gaaf was tussen hen, toen haar moeder nog gezond was of gezond leek. Vroeger, toen tot voor kort nog niet zo lang geleden leek.

Ze begraaft haar hoofd in het kussen. Ze trekt de plaid weg en strijkt met haar neus langs de lakens. Ze haalt diep adem en snuffelt: misschien is er iets van hun geur blijven hangen. Maar ze ruikt alleen wasverzachter – haar moeder heeft natuurlijk meteen de lakens verschoond.

'Je hebt de hamster toch meegenomen?' vraagt Tinus aan de telefoon.

'Nee', zegt ze, 'ik laat hem verhongeren.'

'Het lijkt me de beste oplossing', zegt hij.

'Dat ik hem laat verhongeren?'

Hij lacht, ongemakkelijk.

'Dat je daar woont', zegt hij. 'In afwachting.'

In afwachting van wat? Welke toekomst, wiens toekomst? Die van haar moeder of de hunne? Die van hen beiden of die van elk van hen afzonderlijk? Haar vluchthuis, haar onderduikadres, hoe dan ook.

'Hoe is het daar?' vraagt ze. Ze bedoelt: ginder.

'Goed', zegt hij. 'Mooi weer. De kinderen amuseren zich.'

Er valt een stilte.

'En daar?' Hij bedoelt: hier.

'Dat gaat wel', zegt ze.

'En met je moeder?'

Hoe zou het zijn om er niet te zijn?

'Wat leuk!' had haar moeder gezegd toen ze thuiskwam. Ze had de mandjes uit elkaar genomen en ze op een rij op de tafel gezet. Ze had naar de mandjes gekeken en zij had naar haar moeder gekeken die naar de mandjes keek. En in plaats van drie mandjes, had ze er een gezien dat groter of kleiner werd. Dat groeide of kromp, naargelang van waar je aan de rij begon. Bij mandjes kon je kiezen.

Haar opnieuw afgeschoren. Schedel opnieuw dichtgeniet. Zeven metalen bruggen over een rozerode kras. Op zich oogden de hechtingen tamelijk banaal, alsof een beetje schedel altijd zo op slot moest worden gedaan. Alsof het open en dichtklappen, het verwijderen en herschikken van de inhoud, een klus van niks was. Zo, dat ziet er al veel beter uit, en mag ik nu even de nietmachine?

Van de tumor was 95 procent verwijderd, de neurochirurg sprak van een succes. Er was een probleem met de vochtafvoer waar nauwlettend op moest worden toegekeken, maar dat kon poliklinisch. En de linkerkant van het lichaam wilde voorlopig niet zo best mee, maar met een stok of een arm om op te steunen was ook dat verholpen. Een stok had ze nog van de vorige keer, een arm kon haar dochter haar bieden. Mooi, dan mocht mevrouw aan het einde van de week naar huis!

Bij voorkeur zo snel mogelijk actief, want dat bevordert het herstel. Bij voorkeur zo snel mogelijk uit het ziekenhuis, want elke verluchtingspijp is een uitvalsbasis voor bacteriën. Bij voorkeur in een vertrouwde omgeving, want dat is psychologisch belangrijk, en een mens is niet alleen lichaam maar ook geest – zelfs als geprutst is aan dat lichaam op de plaats waarvan wordt aangenomen dat daar de geest huist.

Elke ochtend maakt Celia haar moeder wakker. In een oud nachtcrèmepotje legt ze de pillen klaar die ze die dag moet nemen. Elf in totaal, van verschillende kleuren, sommige mat en andere glanzend: net een van die setjes parels waar Kassandra wel eens mee speelt.

Ze ontsmet de hechtingen zoals de verpleegster haar dat heeft geleerd. Ze verschoont het verband en de sjaal die oma Suzy op haar hoofd draagt. Ze vraagt welke kleren ze aan wil en haalt ze voor haar uit de kast en strijkt ze als ze gekreukt zijn, wetend hoe koket haar moeder altijd was. En ze ruimt achter haar op, want zichzelf wassen en aankleden en installeren op de sofa lukt haar nog wel, maar wat daar zoal aan te pas komt laat ze liggen zoals haar dat uitkomt. Orde scheppen, ooit haar geliefkoosde, aan obsessie grenzende bezigheid, is er niet meer bij. Overbodig, te vermoeiend, wie zal het zeggen?

Soms vergeet oma Suzy haar rok dicht te ritsen of haar bloes vast te knopen. Of ze blijft rondsloffen in kamerjas, losjes vastgeknoopt zodat hij binnen de kortste tijd openvalt. Dan trekt ze hem niet dicht, maar laat hem openhangen, zodat haar dunne witte benen zichtbaar worden en een enkele keer ook haar bleke bolle buik. En ze boert en ze laat winden, en denkt er niet aan zich daarvoor te verontschuldigen.

Misschien is ze het zo gewend, denkt Celia. Misschien doet ze dat al langer, zonder dat ik het ooit heb gemerkt, zonder dat ik er ooit wat van te zien heb gekregen. Misschien is het een gewoonte geworden waar ze niet meer op let, omdat niemand er haar attent op maakt. Omdat er al zoveel jaren niemand meer naar haar kijkt.

Tegenover anderen heeft ze zich altijd goed gehouden. Ik heb nooit anders te zien gekregen dan de keurige en kokette Suzy. Maar nu ben ik opgehouden buitenstaander te zijn, ik hoor bij haar dagelijkse leven. En daarom ervaart ze mijn blik niet als een echte blik. Het maakt niet uit of ik naar haar kijk of niet, omdat het niet uitmaakt of ik er ben of niet. Ik kan er net zo goed niet zijn.

Als ze niet ligt te slapen op de sofa, kijkt haar moeder televisie. Vroeger keek ze naar series, herinnert Celia zich, nu kijkt ze naar National Geographic. Ze vergaapt zich aan mannen die met hun zonen naar zoutmeren trekken, vrouwen die de haren van hun grootmoeder in die van hun kleindochter weven, steltlopers die uitbundig dansen op begrafenissen, besjes die de clitoris van krijsende kindmeisjes wegsnijden.

'Weet je nog...', begint ze, 'weet je nog dat jij me ooit hebt gevraagd of ik wilde dat jouw vader anders was...?'

Op het scherm loopt een kleine man door hoog gras. Hij heeft zwartglanzend haar, sluik en vierkant geknipt. Hij draagt een lendendoekje en een schijf in zijn onderlip en een speer in zijn rechterhand.

'Dat ik dan een ander soort leven had kunnen leiden, zei je. Weet je nog dat we het daarover hadden?'

De man komt bij een rivier. Hij loopt van de berm, over het slijk van stopverf, het water in. Het oppervlak trekt horizontale strepen op zijn benen.

'Nou,' zegt ze, 'ik weet wel wat ik gewild zou hebben.'

Onder de strepen glanst zijn huid, boven de strepen blijft ze dof: een broek van slijk en stof.

'Dat', en ze wijst naar de man die een vis aan zijn speer spiest. 'Dat had ik willen doen. Te paard of op een olifant of met een prauw. Naar plaatsen waar nog niemand is doorgedrongen. Naar het einde van de wereld, waar alles anders is. De taal, de mensen, de manier van leven.'

Soms, vertelt ze haar dochter, droomt ze ervan. Dat deed ze vroeger ook al, maar toen verjoeg ze haar dromen. Nu niet, nu houdt ze haar dromen zo lang mogelijk vast, ze legt er zich zelfs op toe. Ze stapt door het oerwoud, ze duwt lianen weg en vette, vochtige bladeren. Ze luistert naar het gefluit van vogels en het gekrijs van apen en naar de insecten, een beetje zoals krekels, maar dan veel meer en ook veel vreemder. De zon flikkert, ze zweet want het is bloedheet, maar ze stapt maar door. Ze weet niet naar waar ze op weg is, ze weet niet wat haar te wachten staat. Alles kan, en ze voelt zich zo gelukkig. Ze herhaalt het nog een keer: 'Zo gelukkig!'

'Maar mams toch', zegt Celia ademloos.

'Ja', zegt haar moeder met een lachje. 'Gek hé?' Er ligt geen gêne, geen onzekerheid in dat lachje. Ze schept er genoegen in, ze lijkt er zelfs een beetje trots op. Alsof ze in het grootste geheim een verborgen talent tot ontwikkeling heeft gebracht.

Dat is het dus. Dit is het decor van haar dromen, het kader van haar herkansing. De muren en de gordijnen en de houten beeldjes met de kauri's. 'En je hebt daar nooit iets van gezegd tegen paps?'

'God nee', giechelt ze. 'Hij zou het niet begrepen hebben. Ik begreep het zelf niet eens.'

'Heb je er nooit spijt van, dat je het niet gedaan hebt, mams?'

'Ach...' Suzy Borstlap-Waterschoot haalt haar schouders op, 'dan had ik jou niet gehad, om maar iets te noemen.' En ze stuurt haar dochter een brede glimlach toe.

Het is avond en ze zitten aan tafel. Ze eten gestoomde vis met een timbaaltje van saffraanrijst. Haar moeder gebruikt alleen haar rechterhand, ze harkt lobben van de vis, schraapt stukjes van de lobben, schept ze op haar vork. Het kost meer tijd aan harken en schrapen en scheppen dan aan eten.

'Je hebt maar een leven', zegt oma Suzy. 'Hoewel... Ik voel me zo thuis in dat oerwoud... Soms vraag ik me of ik het niet eerder heb gedaan. Of ik het niet daarom herken.'

De vork schuifelt over haar bord. De hap, die ze daarnet heeft samengesteld, valt uit elkaar. Ze schudt de restjes van de vork, begint aan een nieuwe.

'En als er een vorig leven is,' zegt ze, 'is er ook een volgend.'

In haar jongemeisjesbed kan Celia Borstlap de slaap niet vatten. Ze denkt aan haar moeder die in de kamer daarnaast op stap is door de jungle. Is het toeval dat ze uitgerekend nu dat soort expedities maakt? Kunnen je dromen zo anders zijn dan je bent?

Is dit een kwaadaardige droom, die ergens opgeslagen lag in een cel, en samen met de cel is beginnen te woekeren – een kersenpit? Of is het een droom van de laatste kans, van het stukje Suzy dat ze zolang verborgen heeft gehouden, voor de anderen en misschien ook wel voor zichzelf?

Wat zou er geworden zijn van haar moeder als ze haar droom had omgezet in daden? En wat zou er geworden zijn van háár? Hoe zou het zijn om er niet te zijn?

Tussen de post die ze thuis ophaalt, zit het nieuwe nummer van *Adam*. Werken, valt haar in – en tot haar verbazing voelt ze daar een zeker verlangen bij. Naar haar kantoor, de hese lach van Barbara, de lange dagen en de drukte van de deadline. Naar een dwingende routine, problemen die andere problemen uit de wind zetten. Naar een realiteitsgehalte, dat ze nooit als dusdanig heeft ervaren.

Ze maakt de verpakking los en begint te bladeren. Ze ziet artikelen met haar naam en foto erbij, ze leest woorden die zij heeft ingetikt en zinnen die zij heeft verzonnen, maar ze komen haar voor als woorden en zinnen uit een andere tijd – háár droomtijd. Er staat ook een modereportage in waar ze niets van afwist, over mannelijke frivoliteiten. Hemden met strookjes en sexy slipjes. En bretellen.

Op nagenoeg elke bladzijde staren jonge en gezonde mensen haar aan. Ze prijzen de beste pepdrank en de snelste sportwagen aan, ze rollen met hun spieren en tonen hun borst(en), ze lachen hun witte tanden bloot. Ze vertellen hoe ze moeten zijn, de mannen en vrouwen van morgen: een opgewekte, verwachtingsvolle mensenkudde, waar zij niet bij hoort.

De wereld is uiteengevallen in twee helften. Op de ene helft bevindt zich een eiland, waar twee mannen en twee kinderen onder een helblauwe hemel in een helblauwe zee zwemmen, op de andere helft een appartement waar een kale vrouw tochten maakt door het regenwoud. Soms zijn stemmen van de ene helft te horen op de andere helft, ze reizen via een satelliet of langs kabels over de bodem van de oceaan. Ontdaan van hun oorsprong, ongrijpbaar.

'Dag mama!'

'Dag Kamiel. Dag Kassandra!'

Wij hebben inktvis gegeten! Er zwemmen visjes rond mijn voeten, doorschijnende visjes! Mag ik een stukje proeven, lieve schat? Mag ik naast jou in de branding staan, mijn grote voeten naast jouw kleine voeten en wriemelende visjes daaromheen?

'Ben jij dat, Cel? Ben jij dat die daar hardop praat?'

Misschien, denkt ze, stond ik wel op de breuklijn, toen de wereld in twee is gebroken. Misschien ben ik tussen de twee helften in gegleden en eraf gevallen. Misschien ben ik wel begonnen met er niet te zijn.

'Als we nou eens een ijsje gingen eten, mams?'

IJsjes. Het is zowat het enige wat haar moeder lijkt te smaken. Als ze om iets anders vraagt, is dat veeleer om Celia een plezier te doen; als ze het vervolgens opeet, is dat om niet ondankbaar te lijken. Maar een ijsje wil ze elke dag wel, al begint ze er doorgaans met meer genoegen aan dan ze het bekertje uitlepelt. IJsjes uit het diepvriesvak zijn niet slecht, maar buiten schijnt de zon en zitten mensen op terrassen en ook frisse lucht is bevorderlijk voor herstel.

Bij het idee alleen al leeft oma Suzy op. Ze wijst welke kleren ze aan wil, ze kiest er een kleurige sjaal bij, ze stift zelfs haar lippen. Steunend op haar stok en de arm van haar dochter, begeeft ze zich op weg. Het Café de la Paix ligt twee straten verder aan een plantsoen, onder de groen en wit gestreepte luifel zijn nog twee pitrieten stoeltjes vrij. Celia neemt een coupe met aardbeien en Suzy een café glacé, die ze oplepelen terwijl ze kijken naar de werkelijkheid.

De werkelijkheid bestaat uit winkelende dames met boetiektassen. En heren met das en opgerolde hemdsmouwen en een vest over de rug van hun stoel gehangen. En jonge moeders die kinderwagens voortduwen en nu en dan halt houden om de ukken te wenken die achter hen aan gedrenteld komen. En tienermeisjes die op de rand van de fontein zitten en heel hard gillen als een gabber op wieltjes in razende vaart op hen afstevent en op het allerlaatste nippertje opspringt en zijn skateboard van hen weg kantelt. En, bekeken door de ogen van de dames en heren en moeders en tienermeisjes, ook voor een heel klein stukje uit twee vrouwen met een ijsje op het terras van het Café de la Paix.

Als het ijs op is en de plakkerige smaak weggespoeld met een glas water, als ze verzadigd zijn van het zonlicht en het gekwetter van stemmen en het geraas van auto's, keren ze terug naar huis. Celia staat er versteld van hoe moeilijk haar moeder ter been is, hoe aarzelend ze de ene voet voor de andere zet, en hoe sterk ze daarbij op haar steunt. 's Avonds heeft ze lichte koorts en de volgende dag blijft ze in bed.

'Het hangt ervan af', zegt de dokter. 'Opname is niet noodzakelijk. De meeste patiënten blijven liever thuis. Maar het moet kunnen natuurlijk, en dat wordt hoe langer hoe moeilijker.

Vroeger was er altijd wel iemand thuis om voor zo iemand te zorgen, vandaag mag je al blij zijn als je überhaupt iemand thuis treft. Al kunnen we u natuurlijk wel een eindje op weg helpen. Er zijn hulpvoorzieningen, een verpleegster aan huis...'

Werken, valt Celia opnieuw in. Ditmaal niet als vaag verlangen, maar als praktische oplossing. Als ze nou eens parttime aan de slag ging, zodat ze vrije dagen kan opsparen voor later? Want het laat zich aanzien dat haar moeder nog wel een poosje hulp nodig zal hebben, dat haar aanwezigheid hier langer vereist zal zijn dan haar geplande vakantie.

'Celia!' roept Barbara Laermans uit. 'Wat leuk om jou te horen. Zat jij nou niet in Griekenland? Oei!'

'Ik had je daarstraks al gebeld,' zegt Tinus, 'maar je moeder zei dat je aan het werk was.'

'Klopt', zegt ze.

'Aan het werk!?'

'Ja Tinus, ik...'

'Ik dacht verdomme dat ze in de war was', zegt hij. 'Ik dacht dat ze maar wat uitkraamde.'

'Nee maar...'

'Wat was er zo dringend?'

'Niks, Tinus.'

'Waarom ga jij dan werken?'

'Omdat ik straks meer vrije tijd wil hebben', zegt ze.

'Celia', zegt hij, 'kan jij dat werk dan echt niet missen? Zelfs geen twee weken?'

'Daar gaat het niet om', zegt ze.

'O nee? Eerst wil jij absoluut samen op vakantie. Dan ga je niet mee om voor je moeder te zorgen – wat ik begrijp, versta me niet verkeerd. En nu ga je in plaats van op je moeder te letten, uit werken? Wat moet ik daarvan maken, Celia?'

Wat doe je met een stem die door het heelal of over de oceaanbodem naar je toekomt om je dat te zeggen? Maak ervan wat je wil, denk je bij jezelf: de prachtigste, de grootste, de goddelijkste drol desnoods. Maak ervan wat je wil, en je gooit de hoorn er op.

Verboden voor kinderen beneden de twaalf jaar.

Daar zijn haar kinderen weer. Hun huid rozebruin, hun haar gebleekt door de zon. Ze lijken plots zoveel groter dan ze zich herinnert en ze ruiken zo anders als ze ze in haar armen sluit. 'Jij wil zeker wel even met hen optrekken', zegt Tinus en hij biedt aan zolang bij oma Suzy te blijven. 'Lekker bijpraten met schoonmama', noemt hij het en zo te zien heeft schoonmama daar wel zin in.

Ze neemt Kamiel en Kassandra mee naar de dierentuin. Ze wijzen naar de olifant die met zijn rimpelvel tegen de schors van een boom aanschurkt, naar de giraf die met haar roze tong blaadjes van de bomen trekt, naar de beer die heen en weer wiegt. Ze lachen om de waggelgang van de zeehonden en de streepjeskousen van de okapi en de pinguïns die krijsend hun bek opensperren als de verzorger hun vissen geeft. Ze deinzen verschrikt achteruit als een halfkale bizon zijn kop tegen de tralies duwt.

Daarna gaan ze pannenkoeken eten. Hoe het in Griekenland was, wil ze weten, wat ze zoal gedaan hebben. Ze laten woorden vallen uit vakantiefolders – zee en zon en zwemmen, en voegen daar zuinigjes hun eigen commentaar aan toe – ja en nee en nogal. Daar moet zij dan maar verhalen omheen zien te verzinnen.

De zandvlo die Kassandra heeft gebeten en de kei die Kamiel uit zijn broekzak diept, weten meer over de vakantie dan zij ooit te weten zal komen.

Om beurten een week: zo hadden ze het afgesproken. Waarom wil Tinus de kinderen dan mee terug naar huis nemen? Zie je wel, zo begint het: eerst neemt hij ze mee op vakantie en dan neemt hij ze mee naar huis. Hij neemt ze mee en voor ze het weet, ziet ze hen nog nauwelijks.

'Ik weet niet of dit een juiste omgeving is', argumenteert hij.

'Het is geen Grieks eiland', zegt ze, 'als je dat bedoelt.'

'Doe niet zo hatelijk', zegt hij. 'Je weet best wat ik bedoel. Met je moeder...'

Naast al dat vakantiebruin was het haar ook opgevallen. Haar moeder is er niet bepaald op vooruitgegaan, haar kleur is wel erg vaal geworden. Maar is dat een schande, moeten de kinderen daarom bij haar uit de buurt worden gehouden?

'Het hoort erbij', zegt ze. 'Het hoort bij het leven. Vroeger scheidde men die dingen toch ook niet.'

'Vroeger is voorbij, Celia', zegt hij. 'Ik dacht dat jij dat wist, ik dacht zelfs dat jij dat wilde.'

'Wie is er nu hatelijk, Tinus?'

Hij steekt zijn twee handpalmen naar haar uit: 'Oké, oké. Hij wilde haar alleen maar ontlasten. Hij vraagt zich af hoe ze het zal aan leggen. Praktisch, bedoelt hij.

Heel eenvoudig. Van haar jongemeisjeskamer maakt ze opnieuw de logeerkamer van Kamiel en Kassandra. Zelf slaapt ze zolang wel op het kampeerbed in de werkkamer van haar vader. Als ze plaats wil maken voor haar kleren en de oude pakken opzij schuift, die haar moeder al die jaren in de kast heeft bewaard, walmt haar een geur van stof en mottenballen tegemoet.

Ze heeft het allemaal bedacht, ze heeft het allemaal geregeld. Alleen die paar dagen voor de school begint heeft ze over het hoofd gezien. Dat komt er van als er zoveel overhoop wordt gegooid: agenda, plannen, levensverwachtingen. Maar nog liever valt ze dood, dan het minzame stilzwijgen te trotseren waarmee Tinus haar te hulp zou snellen.

Mee naar de redactie dan maar. Waarom zou ze zichzelf niet gunnen wat ze Ann heeft gegund? Ze stopt bij het tankstation, koopt tekenblokken en kleurpotloden en installeert Kamiel en Kassandra in haar kantoor. Weldra hoort ze enkel geschuifel en gesnuif – natuurlijk verkouden teruggekeerd van de reis! Ze lezen en tekenen en kibbelen hooguit wat over de kleurtjes.

'Zijn dat nou Kamiel en Kassandra?!'

Als Barbara Laermans verdwenen is, met achterlating van een stapel post, kijken Kamiel en Kassandra elkaar met grote ogen aan. Kamiel imiteert haar hese stem en Kassandra wiebelt breed heupwiegend en met geheven pink naar hem toe. Even gieren ze het uit om dit hoogst vermakelijke nummertje.

Dan gebeurt wat altijd gebeurt als Barbara ergens in- en uitloopt: de soufflé zakt in. Het kantoor lijkt zo leeg en saai plots, de strips en de tekenblokken en de potloden hebben hun aantrekkingskracht verloren – eruit weggezogen, door de blonde vampier. 'Mogen wij niet even op de gang?' vraagt Kamiel. 'Hè ja', valt Kassandra hem bij. 'Mogen wij niet naar buiten?' In hun stem de aanzet tot gezeur.

In het begin rennen en roepen ze nog. Een paar keer moet ze haar hoofd naar buiten steken: 'Sssst!' Dan wordt het stil, zo stil dat ze hen bijna was vergeten.

De bel klinkt schel. Het komt van ver en het blijft maar duren. Celia loopt de gang op: geen kinderen te zien. Ze loopt door tot in de hal: ook daar zijn ze niet. Uit de trapzaal klinken stemmen op. Aangezien het liftlampje op bezet staat, loopt ze de trap af. Twee verdiepingen lager zijn mensen samengetroept.

'Heeft iemand van jullie mijn kinderen gezien?' vraagt ze.

'Jouw kinderen?' herhaalt iemand.

'Een jongen en een meisje', en ze houdt haar hand boven hun denkbeeldige hoofden.

'Misschien zijn die het wel', zegt een andere stem.

Het groepje splijt om de huisbewaarder door te laten. In zijn kielzog volgt een klusjesman in groene overall. Hij draagt een grijze metalen gereedschapskist in zijn hand.

Vijfentwintig minuten. Zolang duurt de eeuwigheid. En al die tijd herhaalt ze hun namen en zegt dat ze kalm moeten blijven en dat alles in orde komt. Vanachter de metalen liftdeur, ergens uit die koker waar ze zich zo weinig mogelijk bij probeert voor te stellen, antwoorden hun stemmen. Die van Kamiel, trillend op wisselende hoogten, alsof voortijdig de baard in zijn keel is geschoten. Die van Kassandra, jankend als een pup.

Vijfentwintig minuten. Dan schuift de deur open en komen ze uit hun grot geklauterd. De lift is op ongelijke hoogte met de overloop blijven steken. Ze hurkt op de grond, in elke arm een kind met rode ogen en betraande wangen en kletsnatte haren. Ze voelt zich misselijk worden, en weet niet of dat van uitzinnige blijdschap is of van ondraaglijke spanning. 'En het staat nog zo op het bordje', zegt de huisbewaarder streng. 'Verboden voor kinderen beneden de twaalf jaar.'

'Niet dat ik je niet begrijp,' zegt Barbara, 'maar ik hoop dat jij mij ook begrijpt. Dit kan echt niet, Celia.'

Niet opnieuw dezelfde preek die Tinus haar gisteren heeft gegeven. Fraai, werkelijk fraai, is dát jouw manier om voor de kinderen te zorgen?! Ze had gezwegen, ze had haar lippen op elkaar geklemd, maar dat moeten ze haar geen tweede keer vragen.

'Omdat jij het niet wil!' roept ze. 'Jij niet, en Marcus niet, en Wim en Co niet. Omdat jullie niet weten wat het is, rekening te houden met kinderen. Kinderen zijn niet altijd zoals je het wil, Barbara. Ze doen het in hun broek als je ze net hebt verschoond, ze worden ziek als het je slecht uitkomt...'

'Luister,' probeert Barbara, 'ik weet dat Ann...' Haar toon is nadrukkelijk kalm, haar ogen suggereren begrip.

Maar Celia denkt niet aan luisteren, ze raast maar door. 'En er zijn er zelfs die niet helemaal zijn uitgevallen zoals het hoort, ja. Maar daar willen jullie zo weinig mogelijk mee te maken hebben en dus willen jullie op de werkvloer alleen maar vrouwen die daar ook niks mee te maken hebben, of minstens doen alsof. Die zogenaamd Nieuwe Man van jou, Barbara, is een man op maat van dat soort vrouwen. Vrouwen met een onzichtbaar huisgezin en onzichtbare kinderen. Vrouwen zonder man of kinderen. Vrouwen...'

... zoals jij. Ze heeft het nog net ingeslikt. Maar Barbara Laermans hoefde de rest niet te horen. Het beetje begrip van daarnet is weg, verdwenen achter een brandscherm. Celia ziet haar verstijven: zo spannen spieren zich om gebroken bot bij elkaar te houden, denkt ze onwillekeurig.

Wapperend met een brief, linkerhand achter de rug gevouwen, stapt Barbara twee dagen later haar kantoor binnen. Kribbigheid gedeletet, opnieuw haar positieve zelf. 'Ik heb er een voor je!'

'Een wat?' vraagt Celia argwanend.

'Een echte Nieuwe Man!' Triomfantelijk.

'Doen we daar dan nog aan?' vraagt Celia.

Maar Barbara blijft onverstoorbaar. 'Je zal in de wolken zijn, wacht maar!'

De brief is afkomstig van een lezer van het eerste uur. Een lezer die vindt dat *Adam* het de laatste tijd laat afweten. Als ze op zoek zijn naar Nieuwe Mannen, moeten ze maar eens bij hem langskomen. 'Ik ben zevenendertig, gescheiden en vader van twee kinderen', leest Barbara. 'Ik voed mijn kinderen zelf op, ik doe boodschappen en ik kook...'

Zie je wel. Er is dan toch een nieuwe soort opgestaan, al bestaat die niet uit de handlangers die zij voor ogen had. Zij had gedacht in termen van: samen, taakverdeling, makkelijker leven. Niet van: jezelf overbodig maken, je buitengesloten voelen.

'... en wat er zo nog allemaal bij een huishouden komt kijken', gaat Barbara verder. 'Samen met mijn vriend, die net als ik twee kinderen heeft. Enzovoort, enzovoort... Hier zit toch een prachtig verhaal in?' Ze legt de brief op het bureau. 'Temeer omdat ze er ook nog zo leuk uit zien.' Ze haalt de hand vanachter haar rug, er zit een foto in. 'Die heb ik alvast laten maken!' Ze legt de foto op de brief en kijkt Celia glunderend aan.

'Wel?' vraagt Barbara ongeduldig.

Eerst een overbezette lijn. Dan de boodschap na de biep, met de belofte dat hij haar zo snel mogelijk zal terugbellen. Maar ze wil haar woede niet koelen op een mailbox, ze wil het hem in zijn gezicht slingeren. Ze wil horen wat hij te zeggen heeft, zonder dat hij zijn verweer heeft voorbereid. Ze zal hem thuis opwachten – in haar huis, haar vroegere huis, haar enige echte huis.

In de kamers hangt een geur die haar niet vertrouwd is, of misschien wel was, maar haar inmiddels vreemd is geworden. Hoe herken je de geur van je eigen nest, zolang die geur deel uitmaakt van jezelf? Onwennig drentelt ze in het rond: een speurhond op zoek naar sporen van – wat: puppies, een nest, een andere hond?

Op het vuur in de keuken staat een pot met een kleurloos kliekje. Ze schept een beetje op de top van haar vinger. Het smaakt niet eens slecht.

Boven op een stapel reclamefolders en andere post ligt een aanmaning van het woningbureau, de tweede al: huur niet betaald. Bij Tuymans & Zonen en later bij de Deutsche Häuserbank gebeurden dit soort stortingen automatisch, maar na Tinus' ontslag waren ze overgestapt naar een andere bank. Ze waren van plan geweest ook daar over te schakelen op betaalbaarstelling, maar dat is er niet meer van gekomen. Er is zoveel, inmiddels, dat niet meer automatisch verloopt...

Als ze hem hoort morrelen aan het slot, gaat ze snel op de bank zitten. Geen kinderstemmen, gelukkig maar – zeker weer bij oom Cisse! Hij slaat de deur met een hiel achter zich dicht, komt binnen met een papieren supermarktzak op elke arm. 'Celia! Wat doe jij hier?'

Ze hoort hier niet langer, begrijpt ze, ze moet een goede reden hebben om hier te zijn. Wel, die heeft ze! Verontwaardigd en in hoog tempo steekt ze van wal. Ze raast maar door en ondertussen zet hij de zakken op de tafel en begint hij de boodschappen uit te laden. Als de reden van haar bezoek tot hem doordringt, houdt hij ermee op – koffiefilters in de ene hand, duopack deodorant in de andere. Zo blijft hij staan, verward en verdwaasd, heel even maar. Dan gaat hij verder, maar opvallend snel nu. Chocolade, yoghurt, toiletpapier...

'Ben je nou gek geworden?!' roept ze.

'Ik wist van niets', zegt hij. 'Cisse heeft die brief geschreven. Hij heeft hem geschreven zonder dat ik het wist.'

'Zoals tienermeisjes vriendinnetjes inschrijven voor een schoonheidswedstrijd', sneert ze. 'Zoiets?'

'Hij ergerde zich dood aan dat blad, en terecht! Hij is spontaan in zijn pen geklommen – zo is Cisse! Maar hij léést *Adam* tenminste: wees blij!'

'O, maar ik bén blij!' roept ze. 'Ik ben in de wolken! Jij wist van niks? En hoe kom je dan op die foto?'

Eén bloemkool, twee bloemkolen...

'Dat was later', zegt hij. 'Dat is achteraf gebeurd. Toen wist ik het wel.'

'Dus was je toch akkoord?!'

'Niet echt...' De zak is leeg. Hij strijkt hem glad en begint aan de volgende.

Ze kijkt naar de boodschappen, uitgestald op de tafel als voor een expositie. Waarom draagt hij de zakken niet meteen naar de keuken, waarom sorteert hij de inhoud daar niet? Zal ze zich op die hele voedingswarententoonstelling storten, zal ze hem een keukenrol of een bloemkool naar het hoofd smijten?

'Ik kan niet zeggen dat ik er veel voor voelde', zegt hij. 'Maar...'

'Maar wat??!!'

Zo verbluft is ze, dat ze geen woord kan uitbrengen. Maar ze heeft het goed gehoord, hij heeft het gezegd. Dat hij het voor haar deed, dat hij dacht dat hij haar er een plezier mee deed. Dat hij aannam dat zij het wel wilde.

'Ik??!!'

'Nou ja...'

'En waarom zou ik zoiets willen?!'

'Omdat je 't wat moeilijk hebt, daar. Omdat je het niet altijd eens bent met hoe het daar aan toe gaat. Dat had je me verteld en dus dacht ik...' Hij haalt zijn schouders op. 'Dat het je misschien goed uitkwam. Dat het je kon helpen...'

'Helpen?! Noem jij dat helpen?!'

Hij knijpt zijn ogen dicht, legt zijn handen op de tafel, aan weerszijden van de bloemkolen. 'Luister eens, Celia. Maanden-lang is het een obsessie van je geweest. De jacht op zogenaamde Nieuwe Mannen! Dus kom me nu niet vertellen dat...'

'Toch niet *mijn* man?!' roept ze, zichzelf op de borst kloppend. 'Toch niet in het tijdschrift waar *ik* voor werk?!'

'O,' zegt hij, 'ben ik soms niet goed genoeg voor die *Adam* van je? Schaam je je soms voor mij?' En hij draait zich om en begint de boodschappen naar de keuken te dragen.

Zes rollen toiletpapier, twee tandenborstels.

Gemuteerd driekoppig beest

'Zo veranderd als Tinus is', zegt Barbara. 'Ik had hem helemaal niet herkend op die foto. Hoe kon ik dat nou ook weten? Als jij me nooit eens in vertrouwen neemt. Jij bent zo gesloten als een oester, Celia. Heb ik het goed dat jij nu bij je moeder woont?'

Suzy Borstlap-Waterschoot heeft de tafel gedekt voor ir. Borstlap, chemicus en recordhouder overuren en opgewarmde schotels. Het heeft haar behoorlijk wat inspanning gekost en dan neemt hij niet eens de moeite om op te dagen. Vooral dat laatste vindt ze bijzonder jammer, want ze heeft hem zoveel te vertellen. De glazenwasser heeft haar een huwelijksaanzoek gedaan. De bovenbuur heeft een feest gegeven voor wel vijfhonderd gasten. Er was een sjeik bij met zijn hele gevolg. En dan zijn er de mieren.
 'Ik moet een spuitbus hebben', zegt ze tegen Celia. 'Je moet een spuitbus voor me kopen.' Voor de kolonie mieren, die elke dag onder de deur naar binnen kruipt en een zwart wriemelend spoor trekt, dwars door de kamer. Maar enkele dagen later blijven de mieren vanzelf weer weg.
 En wat later stoppen ook de verhalen.

'Heb je gezien welke advertenties we binnenhalen', vraagt Barbara Laermans opgetogen. 'Cartier, Taitinger, Alfa Romeo... We moeten dringend van papier veranderen. Dikker en glanzender – een luxeblad, ja, is daar iets op tegen?'

Het is Celia's oppasweek. Maar het is ook haar moeder die moet worden opgenomen in het ziekenhuis. Er zit niets anders op dan het Tinus te vragen: 'Zou jij de kinderen zolang kunnen opvangen?'
 'Natuurlijk', zegt hij. 'En bedankt voor de huishuur.'
 'Het spijt me van de vorige keer', zegt ze.
 'Volgende keer zal niet meer nodig zijn', zegt hij. 'De huishuur, bedoel ik.'

Tinus heeft werk. Op de receptie van het fitnesscentrum. Om de week: deze week.

'Hoe moet dat dan met de kinderen?' vraagt ze.

'Dat moet iemand anders maar van me overnemen', zegt hij. 'Er zijn prioriteiten.'

Mis de nieuwe *Adam* niet! Na het nieuwe schooljaar begint ook het nieuwe sportseizoen. Na Melanie gaat een voltallig vrouwenvoetbalteam uit de kleren. 'Welke vinden jullie nou de mooiste?' vraagt Barbara Laermans, en op de stafvergadering ontspint zich een discussie over appel- en peervormige borsten, volle roze en platte bruine tepels, piercings en tatoeages.

Celia kijkt en luistert. Naar haar mening wordt niet gevraagd en ze voelt ook geen enkele aandrang om ze te geven. Weg is de ergernis die ze daar vroeger bij zou gevoeld hebben. Ze nipt van haar koffie. Ze droedelt zonnen en sterren op de rand van haar blocnote. Geef me een hoekje waar het leven licht en volstrekt vrijblijvend is, want nooit eerder is het voor mij zo belangrijk geweest dat er iets zo volstrekt onbelangrijk was.

Oma Suzy kan nog nauwelijks rechtop zitten. Steeds vaker treft Celia haar aan met etensresten in haar hals, haar japon en de lakens onder de saus.

Als het etenstijd is, krijgt ze een lepel in haar rechterhand geklemd, er wordt een handdoek op haar borst gelegd en daarop wordt een bord gezet. 'Zal het gaan zo?' – terwijl ze bedoelen: 'Zie jij je maar te behelpen!' Het ziekenhuispersoneel is toegewijd, maar onderbetaald en schaars.

Voortaan zorgt Celia ervoor 's middags aanwezig te zijn als de karretjes door de gangen rijden en de borden eruit worden geschoven. Ze gaat naast het bed zitten, knoopt een servet om de perkamenten hals, voert haar moeder met een lepel en neemt tussendoor zelf een hap. De volledige portie eet ze toch nooit op en veel lunchtijd blijft er voor haarzelf niet over.

Onverschilligheid. Zo noemt Marcus W.E. Dubois het, als hij haar na de vergadering even apart neemt. Ze stond op het punt de anderen te volgen naar de lift toen ze zijn hand op haar arm voelde. 'Heb je een ogenblikje?'

Hij staat tegen de dossierkast geleund, armen gekruist. 'Ik geloof dat er een misverstand is', zegt hij. 'Ik besef dat je wellicht andere verwachtingen had, Celia, en ik weet dat je het niet met alles eens bent. Maar dat tegensputteren van je, daar hadden we tenminste nog wat aan. Deze onverschilligheid daarentegen...'

'We mogen van jou toch een minimum aan interesse verwachten? We vragen niet dat je je kapot werkt, we vragen geen onmogelijke dingen van je – of wel? Maar ik verneem dat je bepaalde onderwerpen niet ziet zitten, dat je zelfs al eens een opdracht weigert... Dat geeft mij de indruk dat de fut er een beetje uit is. Of vergis ik me?'

Hij kijkt naar haar door zijn wimpers, alsof hij het beeld scherp wilde stellen. 'Ik begrijp dat je het op persoonlijk vlak een beetje lastig hebt. Dat kan iedereen overkomen, iedereen gaat wel eens door een moeilijke periode. Maar daar kunnen we niet eindeloos rekening mee blijven houden. Ik zou het op prijs stellen als je je wat herstelde.'

Niet alleen zijn vingers zijn dunner, hij is helemaal slanker geworden. De stripfiguren op zijn bretellen hebben plaatsgemaakt voor discrete streepjes. Hij ruikt niet meer naar viooltjes en oude rozen, maar naar potlood en varens. Hij probeert nieuwe levens uit, denkt Celia, en hij wacht daar tenminste niet mee zoals haar moeder.

Een enkele keer gaat ze 's avonds met Kamiel en Kassandra naar het ziekenhuis.

In de gangen moet ze de kinderen tot rust manen, maar eenmaal in de kamer vallen ze vanzelf stil. Op een paar passen van de deur blijven ze staan, onzeker en een beetje bevreesd kijken ze naar het bed. Naar de vorm die de lakens hebben aangenomen, naar het kussen met het vertrouwde en toch vreemde hoofd, naar het grijze dons en het litteken en de mond die hen zwakjes toelacht. Ze moet ze een duwtje in de rug geven om tot bij het bed te gaan, en zelfs dan werpen ze eerst even een blik achterom. Ze moet hun vragen hun lippen op de ingevallen wang te drukken: 'Geef oma eens een zoen?' En dan dat opgeluchte 'Dag oma!' Het is volbracht.

Een enkele keer, niet te vaak.

Als ze de kinderen bij haar terugkeer van het ziekenhuis wil ophalen bij Tinus, treft ze niemand thuis. Op de tafel, naast lege verpakkingen van chocolademelk en snoeprepen, ligt een kattebelletje: 'Zijn naar de speeltuin.'

Het park is vol zon en schreeuwende kinderstemmen en mensen achter kinderwagens en op banken zij aan zij. Na de steriele en smetteloze binnenwereld, met zijn naalden en slangen en druppeltellers van de hoop, een buitenwereld waar de zomer het uitzingt en een zachte wind langs je wangen strijkt. Onwaarschijnlijk, onbeschaamd, onrechtvaardig.

Ze staat aan de rand van de speeltuin. Haar ogen zoeken tussen lachende monden en blozende wangen, zwaaiende armen en benen, verwarde haardossen. Naar herkenbaarheid, die haar zal aanzuigen, die haar zal opnemen in de drukte. Weg van de stilte en de witte lakens, van zakjes en slangetjes en hoop in druppeltellers.

'Wawawowawa!'

Ze kijkt opzij, niet echt verrast. Nog te veel in die andere wereld, om zich door deze wereld te laten verrassen. Enkele meters verder zit Tomaso in zijn rolstoel op en neer te wippen, hoofd naar rechts zwaaiend, mond opengesperd. Op de hoek van de bank naast hem zit Ann Cuylens en naast Ann Cuylens op de bank liggen twee sjaals. De rode is van Kamiel, de oranje van Kassandra.

'Hoe is het met je moeder?' vraagt Ann als ze dichterbij is gekomen.

Celia haalt haar schouders op en buigt haar hoofd. Ze heeft twee paar ogen: het ene paar ziet het grindpad, het andere ziet haar moeders vingers. Ze trommelen onophoudelijk op de rand van het laken. Stokjes van ivoor.

'Daar zijn ze. Daar helemaal achteraan', wijst Ann naar een uithoek van de speeltuin. Aan een katrol glijdt een rubberen band over een meterslange kabel, te beginnen bij een opstapje waar kinderen op moeten klauteren, tot bij een paal net boven de grond. Daar knalt hij tegen een tweede band, die dienst doet als stopblok. In de glijband zit Kamiel.

'Waaaiaieie', roept Tomaso.

'Ik moest maar eens opstappen', mompelt Ann. Ze loopt om de rolstoel heen, duwt met haar voet de rem van de rolstoel los. 'Sterkte!' en ze draait haar zoon op wielen het pad op.

'Dank je', zegt Celia. Haar stem zo schor, dat ze nauwelijks boven het geschreeuw uitstijgt en ze het nog een keer moet herhalen. Maar Ann Cuylens is al weg, ze zwaait over haar schouder heen, hand hoog boven haar hoofd. Ze zwaait niet naar haar, ze zwaait naar iets achter haar.

Als Celia zich omdraait naar de speeltuin, ziet ze het nog net gebeuren. Hoe Kassandra kantelt, hoe ze nog even blijft haken en dan valt, armen en benen graaiend in de lucht. Naschommelend glijdt de rubberband verder. Leeg.

Ze spurt er op af. Maar amper heeft ze haar aanloop genomen, of Tinus is haar al voor. Ze remt af, hielen in het mulle zand. Blijft staan toekijken, van een afstand.

Hij zit gehurkt bij Kassandra. Hij heeft haar overeind geholpen en haar gezoend en nu wrijft hij over haar knieën. Ze houdt zich vast aan zijn hoofd, over hem heen kijkt ze in de richting van haar moeder zonder haar te zien. Even ziet het er naar uit dat ze het op een huilen zal zetten, maar dan breekt een waterig zonnetje door, een weifelachtig lachje. Tinus staat recht, drukt zijn dochter tegen zich aan, buigt zich over haar heen en slaat het zand van haar bips. Dan drukt hij een kus op haar kruin, alsof hij haar wilde verzegelen. Inmiddels is ook Kamiel er bij komen staan.

Met een kind aan elke hand, stapt Tinus op haar af. Of nee, niet op haar, op de bank met de twee sjaals. In de kakofonie van geluiden meent ze de stemmen van de kinderen te herkennen. Zeker is ze er niet van, misschien is het maar inbeelding van haar. Maar wat ze zich niet inbeeldt, hoewel ze haar niet kan herkennen omdat ze haar nooit eerder heeft gezien, is de uitdrukking op zijn gezicht. Een en al genot en genegenheid, een twijfelloze tevredenheid alsof alles precies is zoals het hoort: zijn gebaren van daarnet, hun vanzelfsprekende verstandhouding, het schild van intimiteit en de voldoening die hij daaraan ontleent.

De kinderen huppelen en lachen en tateren. Hij zwaait hun handen in de zijne op en neer en zegt dingen terug, nu eens naar links dan weer naar rechts. Plots blijft hij staan, heft zijn gezicht naar de lucht en barst in lachen uit. Dan kijkt hij hen hoofdschuddend aan. Kamiel laat zich languit op zijn buik voor hem op de grond vallen, Tinus grijpt hem bij de enkels terwijl Kassandra op haar vaders rug springt en haar benen om zijn middel haakt. Zo gaan ze verder, tussen de schommels en de draaimolens en de klimrekken. Man met zoon als voorpoten en dochter als bochel. Een gemuteerd driekoppig beest.

Enkel in geval van nood

Op het dagmenu van het ziekenhuis staat gekookte vis met puree en spinazie. De vis lijkt op een witte baksteen, de puree op een bol roomijs, de spinazie op slijkerig kroos. Celia harkt vezels van de baksteen, lepelt van de roomijs, roert er het kroos onder. Een hapje voor mama, een hapje voor Celia – zoals vroeger maar dan in omgekeerde richting. Zoals haar kinderen het ooit met haar zullen doen. Een hapje voor mama, een hapje voor Kamiel of voor Kassandra.

'Genoeg', zegt oma Suzy. Ze draait haar hoofd weg, wuift zwakjes met haar hand.

'Toe mams, nog één hapje...'

Nee, prevelt het hoofd. Er zit puree op de tanden. In de rimpel van mondhoek naar kin loopt grijsgroen vocht. Goed eten is de beste remedie, zei haar moeder altijd tegen haar als ze griep had of verkouden was. Ze veegt de mondhoek schoon, kijkt naar het bord op haar schoot, een voedsellandschap. Ze heeft zelf ook geen trek vandaag.

Ze zet het bord op de tafel voor het raam. Loodgrijze lucht. Een gaas van miezerige druppels. Bladeren en daken en straten onder dezelfde donkere glans. Op de parkeerplaats haasten ineengedoken mensen zich naar hun auto. Een vrouw vecht met haar paraplu tegen de wind, duwt een buggy met een plastic kap voor zich uit.

'Vandaag hebben we niet echt ons best gedaan', zegt de verpleegster op monter betuttelende kleutertoon als ze het dienblad weghaalt.

Een voor een noemt de caissière van de ziekenhuiskantine op wat ze intikt. Een koude schotel, een rode wijn, een cappuccino – is dat alles? Een thee, een rijsttaart, appelcake – is dat alles? Preisoep – is dat alles? O, nee, nog een yoghurtje! Vervaarlijk lange nagels heeft ze, in de vorm van kolenschoppen. Lila, met parelmoerschijn.

Celia zoekt een vrij tafeltje, zet haar dienblad neer. Cappuccino, broodje kaas – is dat alles? Ze had geen trek in de restjes van haar moeder, maar ze heeft ook geen zin om meteen weer bij *Adam* aan de slag te gaan. Ze voelt zich moe en draaierig en ze heeft een vreemd gevoel in haar maag, al kan dat natuurlijk van de honger zijn.

Naast haar zitten twee twintigers in paars-groen trainingspak naar elkaar toegebogen, handen verstrengeld. Aan de andere kant rommelt een vrouw in de boodschappentas die op de stoel naast haar staat. Een man in kamerjas met een infuus op wieltjes komt voorbij gesloft en neemt even verderop plaats. Wat later komt zijn vrouw erbij zitten met twee koppen koffie – is dat alles?

Ze scheurt het suikerzakje open. Laat de inhoud knisperend in haar kopje glijden, roert om en om. Neemt een slok van de hete koffie: wakker blijven! En staart voor zich uit.

En dan speelt zich aan de horizon het tafereel af dat ze niet kan plaatsen.

Ze zitten tegenover elkaar tegen de muur, in een hoek van de cafetaria. De vrouw draagt een zonnebril en een sjaal op haar hoofd – incognito, behalve voor Celia. Die herkent haar meteen en ze herkent ook de man, zijn blonde haren en de brede schouders onder de trui die er losjes omheen hangt.

De man kijkt op zijn horloge, de vrouw snuit haar neus. Zij zegt iets, hij antwoordt iets, schuift heen en weer op zijn stoel. Plots krijgt het gesprek tempo. De vrouw zet haar woorden kracht bij met gebaren. Ze buigt zich naar de man toe, houdt haar handen als een kom tussen hen beiden. Haar vingers krommen zich, haar rode nagels gaan op en neer. Dan steekt de man zijn handen uit. Hij houdt ze boven de tafel, aan weerszijden van de kom van daarnet, handpalmen naar binnen en vingers gespreid. Handen van onmacht, handen van onbegrip. Handen van: van wat wil je dat ik eraan doe?

Een poosje gebeurt er niets, ze zwijgen. De man kijkt over de schouder van de vrouw heen, de vrouw kijkt opzij naar de muur. Dan staat de man op, hij loopt naar de uitgang zonder op de vrouw te wachten of om zich heen te kijken. De vrouw volgt zijn voorbeeld, ze neemt de jas die naast haar over de stoel hing en loopt achter hem aan.

Mensen draaien hun hoofd om, staren de vrouw na: dat komt ervan, als je op een haast hollywoodiaanse manier incognito bent, zeker als je dat bent op van die fraaie lange benen.

Want doen Wim en Barbara hier? Is dit de plaats waar ze 's middags afspreken? Maar hoe komt het dan dat ze hen hier nooit eerder heeft opgemerkt? Niet afzonderlijk, en niet samen; niet in de hal, niet in de gangen, niet in de liften. Waarom zouden ze hier ook afspreken: de cafetaria van een ziekenhuis is niet wat je je voorstelt als decor voor een gezellige lunchpauze.

Of bevindt zich ergens in dit ziekenhuis iemand die ze allebei kennen? Iemand met wie het zo te zien niet goed gaat, want hun stemming staat op somber. Een gemeenschappelijke vriend, een kennis...

Maar ze heeft nog iets anders bedacht, toen ze hen daarnet zag zitten aan dat tafeltje tegen de muur. Al die middagpauzes, al die gesprekken: het kan niet anders of haar naam is daar af en toe bij gevallen. À propos, wist je het al van Celia? Van haar man (weg!), haar moeder (terminaal!), haar kinderen (onhandelbaar!) – die twee van de lift, jaja? En Celia zelf? Is ze al wat inschikkelijker geworden? Hoe bedoel je: nou ja...? Werkt ze nog even hard? Hoe bedoel je: mmmm?

Misschien is het wel zo gegaan. Misschien heeft niet Barbara, maar Wim Schepens zijn beklag gedaan over haar bij Marcus W.E. Dubois. Barbara bij Wim en vervolgens Wim bij Marcus. Hoe gaat zoiets?

Ze eet haar broodje, drinkt haar koffie. Als ze terugkomt op de redactie, is het kantoor van Barbara leeg. 'In plaats van me te waarschuwen', sputtert de secretaresse. 'Maar nee, geen woord, niet eens een mailtje, niks.'

Ze neemt de lift naar de redactie. Wim Schepens is er wel, nors beent hij tussen de bureaus door, van de ene kant naar de andere. Hij is niet tevreden met de gang van zaken, hij vindt dat het beter moet en hij maakt dat kenbaar met barse stem en gebaren vol ongeduld. Celia herkent de spanning van de grote gebeurtenissen: een aanslag, een regeringscrisis, een spoorwegramp. Maar er is niets voorgevallen van dat alles.

Als ze op hem af wil stappen, gaat hij de andere kant uit. Ze zigzagt tussen de stoelen achter hem aan, tot bij het bureau waar hij blijft staan. Hij leunt over de schouder van de redacteur, wijst naar het scherm. Zonder te zien dat ze naast hem komt staan – zonder het te willen zien. Zonder te horen dat ze hem een vraag stelt – zonder het te willen horen. Zodat ze het nog eens herhaalt: 'Wim, weet jij waar Barbara is?'

Hij blijft staan zoals hij staat, rug lichtjes gekromd, blik op het scherm. Hij wendt alleen heel even zijn hoofd in haar richting. 'Hoe moet ik dat weten?' Kortaf, ongeduldig.

De rest van de dag blijft het kantoor van Barbara leeg. 'Kan je je dat voorstellen,' moppert de secretaresse misnoegd, 'aan één stuk door hetzelfde liedje? Nee, mevrouw Laermans is er niet, nee, ik weet niet wanneer ze terugkomt, ja, ik zal zeggen dat u hebt gebeld.'

Celia probeert zich iets voor te stellen bij het tafereel dat zich heeft afgespeeld in het ziekenhuis. Maar veel verder dan dat er een zekere mate van intimiteit vereist is om zo kribbig tegen elkaar te zijn, komt ze niet. Veel verder zoekt ze ook niet: tenslotte zijn het haar zaken niet en al bij al is het haar om het even.

Waarom zou ze er dan de volgende dag bij Barbara naar vragen?

Stafvergaderingen hoeft Celia Borstlap voortaan niet meer bij te wonen. Officieel wordt het haar niet meegedeeld, ze krijgt de agenda niet meer doorgemaild en Barbara gaat erheen zonder haar te informeren. Ook voor de eerstvolgende brainstormsessie, ditmaal in een abdij in de heuvels buiten de stad, wordt ze niet meegevraagd. Ze hoort er pas van als Barbara het telefoonnummer achterlaat waarop ze dat weekend bereikbaar zal zijn – 'maar enkel in geval van nood'.

Niet dat ze er koud of warm van wordt. Laat ze dansen, de Oude of de Nieuwe of de Overgangsmannen. Laat ze dansen, de hormonen en de chromosomen en de oplagecijfers. Zij danst niet meer mee! Is het dat wat Marcus bedoelde met: onverschilligheid?

Ga weg, zegt Celia Bis. Zal ik je zeggen wat hij daarmee bedoelt? Hij bedoelt: kinderen moeten opgroeien en ophouden met lastig te zijn, moeders moeten weten wat ze willen – ofwel genezen, ofwel doodgaan. Want een kind dat een leven lang meegaat of een moeder die maar blijft sukkelen, wordt voor de werknemer zoiets als een chronische kwaal. Een pest voor zijn prestatievermogen, een virus dat vreet aan zijn inzet.

Kan je het een werkgever kwalijk nemen dat hij daaruit zijn conclusies trekt? Wat moet je op stafvergaderingen of brainstormsessies met een medewerkster die het koud laat welke weg het bedrijf opgaat? Zeker als die weg een heel andere richting in slaat dan haar voor ogen stond en het bedrijf daar alleen maar beter van wordt.

Want het gaat goed met *Adam* – erg goed zelfs. En dat is des te opmerkelijker omdat het slecht gaat met mannenbladen in het algemeen. Sommigen beweren dat ze nu ook al gekocht worden door vrouwen. Misschien overkomt magazines wat eerder beroepen is overkomen: misschien zit de klad erin. Anderen, voorlopig in de meerderheid, houden het erop dat de markt van mannenmagazines te beperkt is en het lezerssegment te gefragmenteerd. Dat er hooguit plaats is voor één magazine dat dan wel alle soorten mannen moet bedelen.

Dat magazine wil *Adam* zijn. En dus reikt de Messias van de Nieuwe Mannen zijn concurrenten de hand, hij redt hen van de totale ondergang. Hij koopt twee verliesgevende titels op en ontslaat het personeel – een perfect gelegitimeerde operatie voor een bedrijf in moeilijkheden. De meest talentvolle redacteurs zal hij later opnieuw in dienst nemen, onder iets minder gunstige voorwaarden dan voorheen, weliswaar. Maar wie voor een mannenblad werkt, mag al blij zijn dat hij een baan hééft!

Dat is wat besproken wordt op de bijeenkomst in de abdij en wat, onder het genot van een kelk champagne, zal worden meegedeeld in de feestzaal naast...

Roze roosjes met bloemblaadjes als ballettutu's

Het Zwembad is geen Zwembad meer. De schade van de overstroming is ongedaan gemaakt. De Rubicon is volgestort, de vloer bedekt met tropisch hout. Weg is de schimmel die na enkele dagen op de watermuur stond. De glazen wand is vervangen door panelen in rode Chinese lak – als daar nog iets achter woekert, valt er niets van te merken. Het resultaat oogt even stijlvol, maar warmer – bijna huiselijk. Maar niet alleen het kantoor heeft een gedaanteverwisseling ondergaan.

Het haar van Marcus W.E. Dubois is kort en stug geknipt. Zijn babyvet is gesmolten, zijn bretellen zijn geen noodzaak meer, maar pure luxe. Hij ziet er minder opzichtig uit, minder kinderachtig ook. Het gerucht doet de ronde dat... Maar ach, er doen zoveel geruchten de ronde...

Voer voor Patrick/Patricia, die Marcus zo dadelijk zal interviewen. Op het podium in de feestzaal is zijn/haar televisiestudio nagebouwd. Boven de troon van de talkshowhost pronkt de gouden A – die van *Aha!* toevallig ook die van *Adam*. De toekomst lacht de directeur van Dubois Publishers & Co toe en het feest is ernaar: Patrick/Patricia inhuren voor een privé-show is zoals een Concorde charteren om in Milaan een Pradajasje te gaan kopen. Tenzij – wat in de wandelgangen wordt gefluisterd, maar door de kijkcijfers wordt ontkend – Patrick/Patricia er zich beter op voorbereidt dat zijn/haar niet meer zo verre toekomst zal bestaan uit optredens op personeelsfeesten, in danstenten en bejaardentehuizen. Maar dat zijn zorgen voor morgen! Op naar de feestzaal!

Eerst even haren kammen en handen wassen. Als Celia de toiletten binnen komt, hoort ze het geluid. Het is een mengeling van kermen en zuchten en het komt uit een van de hokjes. 'Hallo?' – en luisterend loopt ze de deuren af – 'Gaat het? Kan ik helpen?' Het kermen en zuchten gaat over in kokhalzen en braken. Een zure geur walmt haar tegemoet.

Even is het stil. Dan klinkt een diepe zucht – een opgelucht, haast postorgiastisch *oooh*! Gebruis van de spoelbak, monter en fris als een bergstroompje. Geschuifel van schoenen op de tegels, geritsel van kleren. Het slot wordt losgedraaid, het deurtje wordt opengeklapt, en daar is ze. Een beetje wankel op haar hakken, knipperend met uitgelopen mascarawimpers, rode nagels op haar klamme voorhoofd.

'Hi', zegt Barbara Laermans en ze spoelt haar mond en spuugt in de wasbak en houdt haar polsen onder de kraan. Ze scheurt een strook tissue af, dept het zweet van haar slapen en haar voorhoofd, het water van haar mondhoeken en handen. Ze knipt haar tas los, ritst haar toilettasje open, haalt een batterij doosjes en kwastjes tevoorschijn. En begint aan de restauratie, snel en vakkundig.

'Alles oké?' vraagt Celia.

'Zenuwen!' – en terwijl Barbara woestijnpoeder op haar jukbeenderen borstelt, stuurt ze Celia in de spiegel een flauwe glimlach toe.

Op gemoedelijke toon doet Marcus W.E. Dubois de bedrijfsuitbreiding uit de doeken. Hij heeft het over onbeperkte mogelijkheden en onvervangbare werknemers. Over hen, die elke dag opnieuw met hun inzet en creativiteit timmeren aan de toekomst van dit bedrijf dat ook het hunne is. Zij zijn de échte bouwstenen van Dubois Publishers & Co. Hij, Marcus W.E. Dubois, is er alleen maar de naamdrager van.

En ondertussen betast Patrick/Patricia uitvoerig de nieuwe haarcoupe van zijn gast (wat Marcus zich onverstoorbaar laat welgevallen), hij/zij vraagt hoelang hij nog de meest begeerde vrijgezel denkt te blijven (waarop Marcus nadrukkelijk naar het plafond staart), hij/zij wil weten hoe hij het voor elkaar heeft gekregen om zo sterk te vermageren (en Marcus mompelt iets over soep en bananen) en of dat soms te maken heeft met de dochter van de conservenfabrikant die als je de geruchten mag geloven... (en Marcus grijnst en de nokvolle zaal gniffelt).

En dan staat de directeur-generaal van Dubois Publishers & Co op en kondigt Patrick/Patricia de volgende gast aan. Wat maakt *Adam* zo bijzonder, wat onderscheidt *Adam* van andere bladen – behalve het kapitaal van de familie Dubois, wel te verstaan?

Het ene ogenblik boven de wc-pot, het volgende klaar om het podium te bestijgen: vlechtwerk van veters rond de enkels, gedrapeerde jurk met drie gaten, een rond elke schouder en een ter hoogte van de borstspleet.

En in de handtas van Celia Borstlap begint het te zingen. Het zingt niet meer van *Alle Menschen werden Bruder*, het zingt nu van *Amazing Grace*. Ruggen draaien zich om, verstoord kijkt Marcus vanaf het podium haar kant op. Ze scharrelt in haar tas naar de telefoon, drukt de knop in, luistert.

'Hier vooraan is het te doen! Hier is ze, geef haar een warm applaus!' roept Patrick/Patricia. En terwijl Barbara Laermans het trapje bestijgt en zich heupwiegend naar de kuipstoel begeeft, haast Celia Borstlap zich, sorry mompelend en tegen schouders aan botsend, de zaal uit.

De clown zit naast het bed. Boven op zijn oranje pruik staat een belachelijk klein groen bolhoedje. Zijn rode vlinderdas met witte noppen is zo breed als zijn schouders, hij verdrinkt in zijn geruite jas. Zwarte bogen omkaderen zijn ogen, dwars over elk oog loopt een streep die het lijkt open te spalken. Zijn grote rode mond staat gekruld in een eeuwige glimlach.

'Ik was bezig op de kinderafdeling', zegt hij. 'Ze zijn me komen waarschuwen.'

Alles aan hem is kleur, alles aan hem roept op tot leven. Maar het lichaam in het bed wil niet mee, het ligt daar stil en wit te zijn, op het doorschijnende af. Naast het bed staat een stoel die daar als in een zorgvuldige mise-en-scène voor Celia lijkt klaargezet. Ze gaat erop zitten, ze streelt de hand op het laken, het voorhoofd en de wang op het kussen.

'En ineens toch nog haar hart', zegt de clown. 'Maar heel vredig.'

Ze neemt de hand van het bed, houdt hem tegen haar wang en legt hem weer terug. Ze buigt zich voorover, drukt haar wang tegen de wang op het hoofdkussen, gaat weer rechtop zitten. En dan houdt de tijd op met tikken en zit ze daar en kijkt en wacht zonder te weten waarop. En als ze ergens in dat luchtledige de stem van Tinus hoort zeggen dat hij de kinderen moet ophalen, is het alsof er kristal breekt.

Hij verdwijnt op kousenvoeten. Even later staat hij er weer met koffie uit de automaat. Dank je, zegt ze en ze neemt het bruine plastic bekertje van hem aan en kijkt in zijn witgegrimeerde gezicht. Iets aan dat gezicht klopt niet, maar ze zou niet zo meteen weten wat en ze vraagt het zich ook niet lang af. Niets van wat in haar opwelt blijft hangen: gedachten komen en gaan, ze drijven voorbij als rafelige wolken.

'Wat denk je, zal ik met de kinderen...?' vraagt hij.

Ze schudt van nee.

'Bel me als er iets is', zegt hij.

Hij legt een hand op haar hoofd, een hand op haar schouder. Dan verdwijnt hij, onder zijn arm de opgebolde reuzenschoenen waar ze daarnet haast over gestruikeld is. En het wordt nog stiller en tijdlozer dan het al was.

Later laat ze zich gedwee meetronen naar een zithoek verder op de gang. 'Wacht u hier maar,' wijst de verpleegster naar een skai zitbank, 'we zullen u waarschuwen als het voorbij is.'

Als ze terugkeert in de kamer, ligt haar moeder boven op het bed. In haar devoot gevouwen handen houdt ze een tuiltje roze roosjes met bloemblaadjes als ballettutu's. Om haar hoofd is een sjaal geknoopt, haar onafscheidelijke zijden sjaal met de paardenkoppen en de stijgbeugels en de halsters. Ze hebben haar nylons en schoenen aangetrokken en de rok en de bloes die ze droeg toen ze hier aankwam. Ziezo: klaar om terug naar huis te gaan!

Op de roltafel naast het bed, bij de fles mineraalwater en de doos kleenex, staat haar handtas. Haar wat stijve, rechthoekige handtas van bruin kroko, versleten op de plaats waar ze het slot dichtdrukte en haar arm door het handvat stak. Hoe komt het dat in die bleke vlekken, met door de wrijving opgeglommen randen, meer aanwezig is van haar moeder dan in de vrouw op het bed?

En wat doet dat rood plastic balletje daar naast de handtas? Ineens ziet ze Tinus weer voor zich: dat was wat er niet klopte aan zijn gezicht. Op de plaats waar zijn clownsneus had gezeten, was de witte grime weggeschraapt. Het was het enige plekje blote huid in zijn gezicht. Rauw en roze, als een wonde.

Lijkt je dat wat, paps?

Op het bed in de slaapkamer ligt het ziekenhuiskoffertje. Ze heeft het open geritst en is begonnen met de inhoud in de kast te leggen. Ze schikt de spullen zoals haar moeder zou willen dat ze geschikt worden – alsof ze haar vanuit de deuropening aanwijzingen gaf, alsof zij haar moeders handen had. Een roze handdoek, een nachtjapon, een toilettas...

Natuurlijk is het zinloos, maakt het niet uit wat terechtkomt op welk stapeltje, is er niemand om het daar ooit weer af te nemen en te gebruiken. Maar het heeft ook iets troostends, dit vervolg aan wat er niet meer is, en dus gaat ze er mee door.

Later staat ze half verdoofd op de drempel van de woonkamer. Haar ogen dwalen langs de drie Afrikaanse mandjes, de luipaardtekening op de gordijnen, het zilveren koffiestel met de familiefoto's eromheen. Hoe stil is het hier, hoe onwezenlijk stil. Buiten rijdt een autobus voorbij, een man roept iets en een kind roept terug. Dan hoort ze alleen haar eigen ademhaling.

Wat staat ze hier te standbeelden? Voeten aan de grond genageld, armen als zandzakjes langs haar lichaam. Waarom kan ze zichzelf er niet toe brengen wat dan ook te doen? Toen de kinderen bij Tinus waren en haar moeder in het ziekenhuis lag, was ze hier toch ook vaak alleen. Alles is zoals het toen was, aan deze kamer is niets veranderd.

... En er zál ook niets meer aan veranderen: dát is wat haar zo beklemt. Wat ze hier in haar eentje heeft gedaan, was niet wonen maar wachten, tegen beter weten in. Ze heeft deze kamer kunstmatig beademd met haar aanwezigheid, in afwachting van haar moeders terugkeer. Maar de woonkamer is van bestemming veranderd: ze is museum geworden, nu. Hier is geen plaats meer voor toekomst, alleen voor verleden waaraan niets meer kan worden toegevoegd. Alles hier is herinnering en ineens bestormen al die herinneringen haar, zo bruusk en brutaal dat ze naar adem hapt. Ze wil hier niet blijven, ze wil weg.

'Dat begrijp ik', zegt Tinus als ze voor de deur staat. Ze hangt haar regenjas over de leuning van een stoel en zet de sporttas op de zitting. In de tas zit een gedeelte van haar spullen, de rest heeft ze voorlopig in de auto gelaten. 'Ik begrijp dat je vanavond niet alleen wilde zijn.'

Hij zegt net niet: doe of je thuis bent. Hij zegt dat hij thee voor haar zal zetten, dat ze zolang maar op de sofa moet gaan zitten, dat ze het zich gemakkelijk moet maken. Terwijl hij verdwijnt in de keuken, sluipt ze naar de kamer van Kamiel en Kassandra en kijkt naar haar slapende kinderen. Ze wil ze terug, ze wil haar kinderen terug en ze wil haar moeder terug, en omdat ze de kinderen maar één week van de twee terugkrijgt en haar moeder nooit meer, rollen er tranen over haar wangen.

Liefst van al zou ze uithuilen in de armen van Tinus. Maar hij biedt ze haar niet aan en zij weet ook niet of het zijn armen zijn die ze wil. Misschien voldoen om het even welke armen, zolang ze je maar vasthouden en warm aanvoelen.

Hij zet de theepot en de kopjes op de salontafel, met suiker en koekjes erbij: mama is op visite. 'Hier', zegt hij en hij schenkt voor haar in, 'drink nou maar even.' Zoals je tegen een jankende hond zou zeggen: rustig, rustig nou maar.

De thee is sterk en bitter. Daar houdt ze niet van, maar misschien is hij dat vergeten. Zij dronk altijd groene thee, maar misschien heeft hij die niet meer in huis.

'Wil je vannacht hier blijven?' vraagt hij. 'Dan slaap ik wel op de sofa.'

Even weifelt ze. Ze denkt aan morgenochtend: de zeepgeur van de kinderen, het gekletter van de cornflakes, de haast en het gemors en het gekibbel die daarbij horen. Hoe Tinus een bordje extra op de tafel zal zetten, hoe er weer vier bordjes zullen staan in plaats van de drie waarmee hij nu de tafel heeft gedekt. Misschien is het een begin.

Het is verleidelijk. En nog veel verleidelijker zou het zijn om deze uitzondering op de regel zo lang vol te houden dat ze geen uitzondering meer is, maar opnieuw regel. Altijd vier bordjes, niet alleen morgenochtend, en liefst niet meer op dat akelige tafelzeil dat hij wellicht heeft ingevoerd omdat het zo praktisch is.

'Of als je wat langer wil blijven....? Je kan blijven zolang je wil.'.

Van vanavond en vannacht spreekt hij, van wat langer en van zolang je wil. Maar hij zegt niets over blijven zonder meer, niets in zijn aanbod klinkt als een begin. Een gunst, ja, een goede daad: gij zult de hongerigen spijzen en de dorstigen laven. Zijn rijk der hemelen wil hij verdienen, maar op hun afspraak komt hij niet terug.

Ze zou zich hier ook kunnen nestelen. Hij zou wellicht niet het lef hebben om haar weg te sturen. Maar geduld is niet geliefd, bezet gebied geen thuis.

'Dat is erg lief van je', zegt ze. 'Maar ik moest maar eens opstappen.'

Ze staat op, loopt naar de stoel met de jas en de sporttas.

'Nu al?' Hij hijst zich uit de stoel en sjokt op haar toe. 'Je hoeft toch niet meteen weg?'

Maar ze heeft haar jas al aan. Ze schuift haar handtas over haar schouder. Als ze haar hand uitsteekt naar de sporttas, hapert haar mouw achter de stoel. Ze hoort de stof scheuren, de handtas glijdt van haar schouder, er rolt een knoop op de grond.

Tinus stopt hem met zijn voet. Bukt zich, haalt hem onder zijn zool vandaan. Terwijl ze de knoop in de zak van haar jas laat glijden, meet Celia de schade op. Aan de mouw hangt een lus te bengelen, er zit een winkelhaak in de stof. 'Voor je 't nog erger maakt....', en met een zwak lachje reikt hij haar de sporttas aan. Weet hij veel dat die tas maar een voorbode was, dat in de kofferbak van de auto nog meer bagage zit, die ze had willen uitpakken.

'Bedankt voor de thee', zegt ze als ze op de overloop wachten tot de lift eraan komt. Zo lieten we vroeger samen bezoek uit, denkt ze. Maar dan niet zo zwijgend, niet zo onwennig. Ze heeft het gevoel dat ze nu pas voorgoed vertrekt.

'Je weet zeker dat het zal gaan?' herhaalt hij.

Ze knikt. 'Ja hoor, perfect.'

Ja toch? Heeft ze zich niet goed gehouden, soms? Een beetje gesnotterd, ja, maar zich niet echt laten gaan. Daar wacht ze mee tot ze, met de sporttas naast zich op de passagiersstoel, door de lege straten rijdt – naar het verleden verpakt in vier muren.

Wat had je dan gedacht, Celia Borstlap? Dat ongeluk zich liet dempen met ongeluk? Dat medelijden recht gaf op liefde in plaats van omgekeerd? Het Lot beslist welke kant de dobbelstenen op rollen. Deze kant op: tweede straat rechts.

Daar staat het huis waar ze woonde als kind, toen ze nog een vader en een moeder had. Daar bevinden zich de kamers die opnieuw de hare zijn, maar die ze zich niet wil toe-eigenen. Ze dumpt de sporttas bij de deur, loopt naar haar kamer en laat zich op het bed vallen. Op haar buik, met de armen gestrekt. In vogelvlucht neergestort op een lappendeken.

Ze weet wat ze zeggen over patchwork: dat elk van die ontelbare bonte lapjes een betekenis heeft, dat ze samen één verhaal vormen. Maar wat heb je aan betekenissen die je niet kan achterhalen, aan verhalen die zich niet laten vertellen? Een lappenvrouw is ze, net zo verknipt als die sprei. Terwijl ze er nog nooit zo naar verlangd heeft heel te zijn. Uit één stuk, gemaakt van één enkele draad, ononderbroken.

Dagen gaan voorbij. Ze kan zich er niet toe brengen te slapen in het bed van haar moeder. Als de kinderen komen, brengt ze de nacht door op de sofa. Als ze weer weg zijn, kruipt ze weer in haar meisjesbed. Maar dat was daarvoor ook al zo, daar is weinig aan veranderd. Zelfde beeld, maar moeder eruit weggeknipt: Oscar for special effects.

Kamiel en Kassandra vragen niet meer naar oma. Misschien heeft Tinus hun wel de les gelezen – al valt dat uit niets in hun houding af te leiden. Ze zijn even druk en luidruchtig als altijd, ze lijken het nog meer in die kamers die zo vol stilte hangen. Ze moet zich inhouden om ze niet tot de orde te roepen. Sssst! Zijn jullie dan niet beschaamd?

Ze doen haar denken aan de dag waarop haar grootvader stierf. Ze moet een jaar of negen geweest zijn, het was een warme zomerdag en na school wilde ze net als altijd gaan spelen in het park op de hoek. Verbolgen had haar moeder haar terechtgewezen om zoveel botheid. Maar haar vader had het voor haar opgenomen, ze hoort het hem nog zeggen. 'Suzy, het is nog een kind!'

Ze hoort het hem zeggen, met die stem die ze in geen jaren meer heeft gehoord, zelfs niet in gedachten. Ze wilde dat hij er was, dat ze hem kon vragen waar het verkeerd is gelopen en hoe het nu verder moet. Dat ze met hem kon praten over haar moeder en over Tinus en over de kinderen die hij nooit heeft gekend.

Nooit eerder heeft ze daar sinds zijn dood behoefte aan gevoeld en toen hij nog leefde heeft ze het nooit gedaan: met dat soort vader voerde je dat soort gesprekken niet.

Vertel me, paps...

Heb jij nooit een ander soort vader willen zijn? Een zorgende, altijd aanwezige vader, zoals mijn kinderen er een hebben? Of kwam dat niet bij je op? Was je al lang blij dat je bord 's avonds voor je klaarstond, een beetje droog misschien van het vele opwarmen? Kon jij je er trouwens iets bij voorstellen, bij dat lange wachten van je vrouw, kende je de dromen die ze droomde? Wist je dat ze zo graag door de jungle had willen stappen, wist je wat dan ook van het leven dat zich hier afspeelde, die vele uren dat jij er niet was?

Ben jij ooit jaloers geweest toen ik in haar buik zat, paps? Heb jij ooit zwanger willen worden? Nee lach niet! Wist je dat ergens op deze wereld op dit ogenblik in een kunstmatige baarmoeder een geit groeit? En als er geiten in kunstmatige baarmoeders groeien, waarom zouden mensen dat dan ook niet kunnen? En waarom zou zo'n baarmoeder niet kunnen worden ingeplant in een man? Lijkt je dat wat, paps?

Geloof je me niet? Lees er dan de volgende *Adam* maar eens op na. Daar staat het allemaal in en nog veel meer. En let vooral op die jongeman met die dikke buik op de cover. Onze nieuwe jonge redacteur. Komt van een van die tijdschriften die ze hebben opgekocht – afgedankt, opnieuw in dienst genomen, minder betaald en tot meer bereid, je weet wel. Of nee, dat weet jij niet, zo ging het nog niet in jouw tijd.

Wat ik bedoel is: dat soort jongens kun je alles en nog wat laten doen. Zelfs zwanger rondlopen, want dat is wat hij nu al wekenlang doet. Nee paps, ho paps! Zover zijn we nog niet! Het is niet zijn buik, het is een prothese, paps. Een prothese met de omvang en het gewicht van een zwangerschap in de zevende maand.

Elke ochtend, als hij uit de douche stapt, gordt die jongen zijn buik om. En hij doet hem pas weer af als het opnieuw tijd is om te douchen. Hij slaapt ermee en hij neukt er zelfs mee, dat beweert hij tenminste, al valt dat natuurlijk moeilijk te controleren.

Pijn in zijn rug, druk op zijn maag en zijn darmen, niet meer weten hoe te zitten aan zijn bureau en achter het stuur van zijn auto. Een maand lang – en dan schrijft hij daar een stukje over. Bingo!

En wat doe ik ondertussen? Ik praat met mannen die denken dat ze Nieuw zijn. Ik vraag hun waarom ze dat denken en zij vertellen mij hoe hun leven eruitziet, wat hen daarin bevalt en wat ze eraan zouden willen veranderen. En als ze mij dat hebben verteld, tik ik dat uit: ik verfraai hun woorden, verhelder hun gedachten, scherp hun opmerkingen aan. Ik maak ze sexy, zou Wim Schepens zeggen – hoewel, Wim zegt niet veel meer, hij is wat wazig geworden de laatste tijd.

En als Hans Tertilden vindt dat er te veel tekst is om mooi in de bladzijde te passen, dan schrap ik wat woorden. En als hij vindt dat er te weinig woorden zijn, dan schrijf ik er wat bij. En ik maak bijschriften bij foto's en verzin titels waaruit Barbara de beste kiest, en als ik dat allemaal gedaan heb, ga ik naar huis en ik zorg voor mijn deeltijdse kinderen of ik kijk naar National Geographic.

National Geographic, ja. Dat heb ik van mijn moeder – jouw dode vrouw, de onverschrokken ontdekkingsreizigster. Elke ochtend trek ik de gordijnen met de luipaardprints open en elke avond trek ik ze weer dicht. Ik drink uit mijn moeders kopjes en eet van mijn moeders borden en zit op mijn moeders bankstel. En ik kijk naar reptielen die grote witte eieren leggen en jakhalzen die 's nachts in de woestijn antilopen bespringen en verslinden.

Mijn leven is in haar leven gevallen. Er zal een dag komen dat me dat opstandig zal maken, vermoed ik, ooit zal ik nog wel eens een eigen leven willen, vermoed ik. Maar in afwachting is het wel net zo makkelijk, zo hoef ik er zelf geen te verzinnen.

Vandaag, bijvoorbeeld, is er een documentaire over apen. In een kudde van meer dan twintig trekken ze door het oerwoud. Daar bevalt een van de apinnen van een sukkelachtig jong. Het jong wil niet eten en het wil niet met de anderen stoeien. Het wordt steeds lustelozer en het raakt steeds meer achterop.

Als het tijd is om verder te trekken, wil het niet mee. De apin port het aan, ze draagt het een eind op weg bij zijn nekvel. Ze doet alsof ze weggaat en keert terug op haar schreden om het te halen.

Maar als het jong dan nog niet wil, raakt het geduld van de andere apen op. De apin moet maar kiezen, ze is nu al achterop. Ze hupt een eindje achter de kudde aan, blijft zitten op een boomtak, kijkt vertwijfeld krijsend achterom. En springt dan maar weer verder...

Het jong blijft achter in een vork tussen twee boomwortels. Zijn oogjes flitsen schichtig heen en weer, zijn kopje beeft als dat van een oud besje.

En dan wordt er aangebeld.

Het Wonster van Frankenstein

Haar eerste opwelling is: niet openmaken. Maar er wordt opnieuw gebeld – een keer kort, twee keer lang en nadrukkelijk. Ze kan zich niet voorstellen wie er zo volgehouden zou aanbellen, ze kan zich niet voorstellen wie er hoegenaamd zou aanbellen. Toch niet op dit uur van de dag.

In plaats van de deurtelefoon te gebruiken, neemt ze de lift. Terwijl die naar beneden zoeft, loopt ze in gedachten het rijtje af van wie ze daar zou kunnen aantreffen. Het is al schemerig buiten en even aarzelt ze: de schim achter de glazen voordeur is wel de laatste die ze had verwacht. Maar nee, zij is het wel degelijk – zelfde sjaal, zelfde donkere bril.

Ze maakt de voordeur open. Even staan ze weifelend tegenover elkaar in de hal. De wandlampen werpen een gelig licht af – al jaren bespaart de huurdersvereniging op stroom. Dan knoopt de schim haar sjaal los en zet haar bril af. Haar ene oog zit dicht, haar lip is gezwollen.

'Barbara! Lieve god!?'

'Het Wonster van Frankenstein', zegt Barbara.

Haar grimas moet een glimlach voorstellen.

'Ben je overvallen?'

Ze schudt haar hoofd.

'Gecarjacked?'

Ze schudt opnieuw van nee.

'Je bent toch niet....?'

Ze steekt de zonnebril en de sjaal in de zakken van haar regenjas en zwijgt.

Celia troont haar bij de arm mee naar de lift. Geschrokken bekijkt Barbara Laermans zichzelf in de spiegel. Ze houdt de beschadigde helft van haar gezicht naar het tl-licht, betast haar oog. 'Verdowwe!'

'Het komt wel goed', sust Celia. 'We bellen een dokter.'

Maar Barbara waaiert met haar vinger.

'Waar is het gebeurd?'

'Thuis.' (Thuisch, hoort Celia.)

'Hebben ze ingebroken? Je hebt de politie toch...?'

'Nee', zegt Barbara streng.

Met een schok komt de lift tot stilstand. Celia houdt de deur open. Voor Barbara het appartement binnenstapt, herhaalt ze het nog een keer. Nadrukkelijk: geen dokter, geen politie.

Over het televisiescherm stroomt een wijde rivier. In het slijkwater dobbert een nijlpaard, een ibis op zijn rug. Celia zet de televisie uit en installeert Barbara op de sofa. Uit de medicijnkast in de badkamer haalt ze watten, ontsmettingsmiddel en een crème om de zwelling tegen te gaan. Ze gaat naast Barbara zitten en begint met het topje van een vochtige handdoek haar gezicht schoon te maken. 'Oeisch!' Met een van pijn vertrokken gezicht deinst Barbara achteruit.

'Sorry!' Celia doopt verder, nog voorzichtiger. Barbara's make-up is uitgelopen, een klis haar kleeft op haar slaap. Ze neemt ze tussen duim en wijsvinger, haakt ze achter Barbara's oor.

'Oké', zegt ze. 'Wie was het?'

'Wing', zegt Barbara.

Ze houdt haar hoofd onbeweeglijk. Maar haar ogen draaien naar Celia toe. Het dikke oog is nu zo goed als onzichtbaar, het andere is rooddoorlopen. Hulpeloos haalt ze haar schouders op.

'Dat meen je niet?!'

Barbara knikt.

'Wim?!'

Ze knikt nog een keer.

'Juist', zegt Celia. Ze legt de handdoek weg, draait de tube crème open. Duwt een toefje op haar vingertop, smeert het behoedzaam op Barbara's wang. 'Het is niet de eerste keer, nietwaar?'

Wat ze bedoelt, vraagt Barbara.

'Ik heb jullie gezien in het ziekenhuis.'

Barbara verstart. Ze schuift uit Celia's handbereik. Dat was iets anders, laat ze verstaan.

En ze begint de crème uit te smeren, in steeds grotere kringen, tot haar hele wang ervan glimt.

Geruime tijd zeggen ze niets. Celia is naast de sofa op de grond gaan zitten. Ze heeft een handdoek onder Barbara's hoofd geschoven en haar lip ontsmet – dat mocht dan weer wel. Languit ligt Barbara op de kussens, een arm over haar buik gevouwen, de andere achter haar hoofd. Haar schoenen heeft ze met haar voeten uitgeduwd, van één is het riempje stuk, de andere heeft ze niet eens losgemaakt. Ter hoogte van haar geschaafde knie zit een rond gat in haar kous, van daaruit vertrekt een ladder naar beneden. Twee roodgelakte tenen steken door het nylon heen.

Dat ze niet wist waarheen, zegt ze ten slotte. Dat ze niet alleen thuis wilde zijn, en of ze mag blijven. Thuish, hoort Celia, en wlijven – en hoe hoog en breekbaar de rokerige stem is geworden.

'Je klinkt als Marlon Brando in The Godfather', glimlacht ze. Hees hiklachje.

'Met die watten in zijn mond, weet je nog? Wil je iets drinken?' Barbara knikt.

In de barkast van oma Suzy staan drie flessen. De port en sherry zijn onaangeroerd, de fles cointreau is halfvol. Ze neemt de cointreau, drukt ijsblokjes in de glazen, giet de likeur erop. Het ijs knispert, de drank wordt mistig.

Barbara neemt een slok, hoofd schuin om haar gekwetste lip te sparen. Even rilt ze, dan kiept ze de rest van de borrel achterover. Dat ze niet zoveel mag drinken, mompelt ze, terwijl ze Celia haar lege glas toe steekt. Het ijs rinkelt.

'Jij wist toch dat Wing en ik...'

'Ik niet alleen, denk ik.' Celia vult het glas bij.

'Wat nu?' zucht Barbara.

'Klacht indienen!' zegt Celia vastbesloten.

Geschrokken kijkt Barbara haar aan: 'Ik kan toch niet?...'

'Je wilt dit toch niet zo laten?'

'Waar wijn jow? En Warcus?'

Job, vertaalt Celia, Marcus. 'Hij heeft het recht niet!' zegt ze verontwaardigd. 'Hij heeft het recht niet om je zoiets aan te doen!'

'Ik ook niet', zegt Barbara toonloos.

'Hoe bedoel je?'

Barbara's benen glijden van de sofa. Ze gaat rechtop zitten, omklemt met beide handen het glas en laat de inhoud walsen. En begint te vertellen, met starre blik op de cointreau.

Verbluft laat Celia zich op de armleuning van de sofa zakken. Zou het met haar ook zo gelopen zijn als ze wat toeschietelijker was geweest? Beelden van de avond in het hotel trekken voorbij, de man met het ontbloot bovenlijf op het bed, zijn samengeknepen mond en zijn kille blik, daarna. Als een soundtrack dreunt daar op de achtergrond Barbara's stem bij. Ze hoort geen Marlon Brando meer, ze hoort alleen wanhopig geratel. Over een korset met jarretelles, en strings, een heleboel strings. Alle lingerie die Wim voor haar heeft gekocht. Dat ze die in een doos heeft gedaan. En dat ze die doos heeft opgestuurd. Naar zijn vrouw.

Even lichten Barbara's ogen uitdagend op, dan buigt ze haar hoofd. Alle aandacht opnieuw bij het walsen in haar glas.

'Zijn vrouw?' herhaalt Celia verbaasd.

'Nou ja', doet Barbara vanuit de hoogte.

'Ik wist niet zeker of hij er een had.'

'Niewand', sneert Barbara. 'Hij nog het winst van al.'

Purper met glittertjes. En zwart leer en rood met dons. Allemaal van die kleine rode pluimpjes... 'Wluiwjes...' – en Barbara's stem stokt en ze gaat voorover zitten. Haar schouders schokken op en neer en het volgende ogenblik zit ze hartverscheurend te snikken. Druppels bengelen aan haar neus, vallen op haar schoot. Tranen en snot.

Voorzichtig haalt Celia het glas tussen haar vingers vandaan en zet het op de tafel. In de plaats daarvan stopt ze een zakdoek van haar moeder die ze van het stapeltje in de kast heeft genomen. Barbara perst de zakdoek ongeopend tot een prop, drukt die tegen haar neus en begint nog heviger te snikken.

Celia laat haar uithuilen. Tussendoor legt ze een arm om haar schouder, maar dat lijkt niet tot Barbara door te dringen, dus neemt ze de arm er maar weer af. Nu en dan nipt ze van haar glas cointreau. En verder wacht ze – vijf minuten? een kwartier?

Tot het snikken zachtjes wegebt. Een paar keer hapt Barbara naar adem. Dan slaat ze de zakdoek open, snuit luidruchtig haar neus. En mompelt hoofdschuddend, als begreep ze niets van zichzelf, dat ze er ook nog de factuur van de abortus bij had kunnen doen. Awortus!

Verstomd staart Celia haar aan. Slagen en verwondingen, hoofdstuk twee.

'Kijk niet zo', zegt Barbara. 'Wat deden we in dat ziekenhuis, dacht je?'

De man en de vrouw aan het tafeltje. Hun driftig naar elkaar gebarende handen. De boosheid en de spanning. Dezelfde vrouw, maar nu op hoge hakken, kotsend in de toiletpot. Zenuwen...

Dat hij het niet wilde, legt Barbara uit. Dat hij ineens een vrouw had.

'En daar had hij je niets van verteld?' vraagt ze ongelovig.

'O jawel!' Dat het er niet toe deed, had hij gezegd. Dat er al lang niets meer was tussen hen. Maar van de ene dag op de andere deed het er wel toe en werd mevrouw in vol ornaat uit de kast gehaald. Weg met de foetus en zijn draagster, weg – en wel zo snel mogelijk. Opgeruimd staat netjes, citeert Barbara. En zij die dacht... Diepe zucht.

'Dacht wat?' vraagt Celia

Wat ze altijd dacht. Dat het ditmaal wel zou lukken.

'Wat zou lukken?'

Nou. En ze noemt het op: een man, een kind, een huis. Zij wil ook maar wat elke vrouw wil! Zij is niet anders dan de anderen!

'Een doodgewoon weisje met doodgewone wensen?'

'Ja', zegt Barbara, doodgewoon.

En dat ze ook wel weet welke reputatie ze heeft. 'Een wannenverschlindster, nietwaar?' Maar weet Celia wat zij keer op keer te horen krijgt van al die venten? Mijn vrouw is een huissloof, ik ben uitgekeken op haar, het is doffe ellende in bed. En dan denkt zij: dat zal mij niet overkomen, ik laat me niet zo gaan, ik weet hoe ik een man moet houden. En ze is zoals ze willen dat ze is: ze tut zich op en ze neukt erop los. Zoals ze willen dat ze is, of zoals ze denken dat ze willen dat ze is, of zoals zij denkt dat ze willen dat ze is. Ze stopt abrupt, haalt haar schouders op, piept klaaglijk: 'En dan, altijd weer...'

Sarah Bernhardt. Dramatische rol, gevoel voor tragiek. Maar ze speelt geen theater, ze méént het. Dit zijn haar oprecht valse verwachtingen, haar oprecht voze emoties. Hoe kom je aan zoveel naïviteit en schaamteloosheid? Hoe word je Barbara Laermans?

'Maar wilde je nou Wim?' vraagt Celia. 'Of wilde je om het even wie?'

'Wing natuurlijk!' roept Barbara pathetisch uit. Ze slaat haar armen kruiselings om haar schouders, wiegt op en neer. 'O god, ik weet het niet, ik weet het echt niet meer...' Waarom ze toch altijd op de verkeerde mannen valt? Werkeerde wannen.

Omdat je haren zo wild en je hakken zo hoog en je jurken zo strak zijn, denkt Celia. Omdat jij je met zoveel toewijding optut en er allicht met evenveel toewijding op los neukt. Omdat je van je borsten en je benen en je kut seinvlaggen maakt die mannen lezen als een invitatie. Maar niet voor kapotte nylons en een blauw oog en een gezwollen lip – dat niet, dat nooit.

'En dat kind wilde je ook?'

Barbara knikt. Wim vond dat ze moest wachten. Maar ik ben vijfendertig, Celia, bijna zesendertig. Tiktak, hormonenklok. Tiktak, tiktak.

Ze betast haar gezicht. Zich plots weer bewust van haar uiterlijk. Blauwe huid met rode vlammetjes, kikkerogen van het huilen. Zo kan ze onmogelijk gaan werken. Als ze zich ziek meldt, wil Celia het dan zolang van haar overnemen?

Ewentjes maar. Woorlopig.

Lust, liefde en wraak

Zo belandt Barbara Laermans in het bed van Suzy Borstlap-Waterschoot en Celia Borstlap op de stoel van Barbara Laermans. De een in het bed waarin de ander niet wilde slapen, de ander op de stoel die de een van haar heeft afgesnoept. Geen slechte zet, van het Lot. Inventief spel.

Gezelschapsspel, bovendien. Met twee is minder eenzaam dan alleen. En het heeft zo zijn voordelen: Barbara ruimt op, maakt ontbijt en zet 's avonds een warme maaltijd voor Celia klaar. 'Dat is wel het minste dat ik kan doen,' vindt ze, hoewel Celia's opmerking dat ze dat heus niet hoefde, minder te maken had met het feit dat ze kookt dan met wat ze kookt. Het smaakt niet bijster lekker, zelf eet Barbara er trouwens opvallend weinig van en van wat ze eet, kotst ze de helft weer uit. De naschok van de gebeurtenissen, vermoedt Celia, of misschien haar manier om die onberispelijke lijn te houden. Misschien heeft ze het altijd zo gedaan, is dat haar geheime recept. Fitness en vinger in de keel.

Ze leent Barbara leggings en een T-shirt. Zodat er in het appartement nu een andere versie van haarzelf rondloopt, een langere en dunnere versie. Zij, zoals ze met wat meer moeite zou kunnen zijn – op die kneuzingen na, die overigens verrassend snel verdwijnen.

Ze had verwacht dat Barbara na haar eerste werkdag naar Wim zou informeren. Maar dat doet ze niet en Wim is evenmin naar Barbara komen vragen, althans niet bij haar. Bij de secretaresse misschien, maar die weet wat ze moet antwoorden. Het spijt me, mevrouw Laermans is tijdelijk afwezig, probeert u het binnen enkele dagen nog eens? Dan zal hij wel niet aandringen, zeker?

Een volle week spelen ze het spel, het is niet eens onaangenaam. Ze eten samen en ze doen samen de vaat en daarna kijken ze samen naar de televisie, naar het journaal en naar talkshows en naar spelprogramma's waar Celia anders nooit naar kijkt. Zo verstrijken de dagen, met een regelmaat die saai lijkt, maar waar ook een zekere knusheid van uitgaat.

We lijken wel een getrouwd stel, denkt ze soms. Op de seks na, maar die kwam er bij Tinus ook al minder aan te pas, misschien is een zekere mate van slijtage onvermijdelijk bij getrouwde stellen. Ze vrijen niet, en net als de meeste getrouwde stellen praten ze ook weinig met elkaar.

Behalve die ene avond. Het begint ermee dat Barbara naar haar moeder vraagt – de geest van dit appartement, de vrouw in wier bed ze slaapt. Celia vertelt, aanvankelijk een beetje aarzelend, tot ze merkt dat het haar goed doet haar met woorden weer tot leven te wekken. Ze haalt er de fotoalbums bij die haar moeder altijd zorgvuldig heeft ingeplakt, tot aan de dood van haar echtgenoot. Toen is ze ermee gestopt, alsof wat daarop volgde het niet meer waard was bewaard te worden. Daarna zijn er alleen nog losse foto's, voornamelijk van haar dochter en schoonzoon en de kleinkinderen. Maar die laat Celia in de kast, daar gaat het nu niet om.

Barbara raakt maar niet uitgekeken op de albums. Suzy Borstlap-Waterschoot, die van voor de droomtochten door het oerwoud, die van de realiteit tussen de vier muren. Keurig, stijf gekapt en rozig opgemaakt, met die vlekkeloze en kreukvrije jurken en rokken en bloezen van haar. Maar dat is net wat Barbara er zo in aantrekt.

'Jij mag van geluk spreken! Had je mijn moeder moeten kennen! Zo'n Dolle Mina-type, ken je dat, vrijheid-blijheid? Laat hangen die borsten, laat zakken die buik en make-up, ho maar. En platte schoenen en losse kleren, want dat zat zo makkelijk. Als mannen me zo niet willen, dat ze het dan laten! En mijn vader hééft het gelaten. Ik was drie toen hij vertrokken is, ik heb hem amper gekend.'

'En beschaamd dat ik was als ze me van school haalde, ik kon wel door de grond zakken. Een ding wist ik heel zeker: ik wilde niet worden zoals zij. Elke avond zou ik mijn man ophalen op kantoor, met mijn jongste in zo'n mooie hoge kinderwagen en de andere om door een ringetje te halen aan mijn hand. Onderweg zou ik nagefloten worden door bouwvakkers, andere vrouwen zouden mij afgunstig nakijken, mijn man zou apetrots op me zijn. Ik zag het zo voor me, ik wist zelfs exact welk bankstel ik wilde, ivoorkleurige zijde met gouden krullen.'

Ze wacht even, lacht spottend. 'Zelfs dat bankstel is er niet gekomen – al heeft dat meer te maken met veranderde smaak.'

Eén avond. Daar blijft het zo ongeveer bij. Af en toe vraagt Barbara nog wel eens iets, meestal over de kinderen of over hoe zwaar het was om zwanger te zijn en hoe pijnlijk om te bevallen. Daar antwoordt Celia dan op, behoedzaam – ze moet het voor Barbara niet moeilijker maken dan het al is. Zo rustig als Barbara is, zo heeft Celia haar nog nooit gekend. De tettertrien getemd.

En dan komt de vijfde dag. Tafel feestelijk gedekt voor het Laatste Avondmaal. Geborduurd kleedje en de zilveren kandelaars van haar moeder, zwart verkleurd met gelige vlekken wegens te lang niet gebruikt. En daar Barbara bij in een van Celia's jurken, gekapt en opgemaakt – aan de zware kant.

Op de wastafel vindt Celia een allegaartje van borstels en potjes. Het hele spiegelkastje heeft Barbara overhoopgehaald. Behoorlijk wat restauratiewerk, dan toch: overblushed en overpoederd om de laatste sporen van die onzalige avond uit te wissen.

'Wat denk je? Kan ik weer onder de mensen komen? Zie ik er een beetje behoorlijk uit?' vraagt Barbara met haar stem van vroeger, een opgewonden stem die laat verstaan dat er van alles te gebeuren staat.

Zeer behoorlijk, Barbara! Alleen wat te veel je oude zelf, naar mijn smaak. Ik had je liever zoals je de vorige dagen was, minder opsmuk en meer natuur (zonder wat Wim daar ongevraagd aan had toegevoegd, wel te verstaan). Waarom kon je niet zo blijven, waarom behield je niet die rustige en zachtere stem? En waarom vroeg je niet of je die jurk mocht aantrekken in plaats van hem ongevraagd uit mijn kast te nemen? Nu weet ik dat je hebt zitten neuzen in mijn spullen en eigenlijk vind ik dat niet zo'n leuk idee, temeer omdat het de jurk is die ik heb gekocht van mijn eerste salaris als hoofdredactrice, omdat hij me herinnert aan iets waaraan ik uitgerekend nu liever niet herinnerd wil worden: dat er een tijd was waarin wij tegenstanders waren, geen medestanders zoals nu.

Maar ze zegt: 'Ja hoor! Je merkt er niets meer van.'

En ze is blij dat ze niet is beginnen te zeuren. Want als ze even later aan tafel zitten, legt Barbara haar bestek op de rand van haar bord en begint een wat potsierlijke maar aandoenlijke speech af te steken, waarin ze Celia uitgebreid bedankt voor alle hulp en goede zorgen. 'Ik wist dat ik bij jou terecht kon', zegt ze dweperig. 'Jij ben toch zo sterk, Celia!' Maar of ze dit wel voor zichzelf wil houden – dit alles?

En Celia belooft het: lippen verzegeld, erewoord! Ze zal zwijgen, over de voorbije dagen, over alles wat Barbara haar heeft toevertrouwd en alles wat haar is overkomen. Ze belooft het, hoewel ze het niet hoeft te beloven. Ze zou het hoe dan ook hebben gedaan.

Zij wel.

Maar dat is gerekend buiten het duiveltje. Amper is Barbara weer aan de slag, of het duiveltje springt uit de doos. Hakjesgeklik op de gang, haastig steekt Barbara haar hoofd naar binnen, paniek in haar ogen en in haar stem. 'Hij weet ervan!'

'Wie?' vraagt Celia. 'Waarvan?'

'Marcus!'

'Marcus?!'

'Die trut heeft hem mijn doos gestuurd.'

'O-o!'

Lingerie, katalysator van lust en liefde, nu instrument van wraak. Lust en liefde slijten, tot ons aller wanhoop. Wraak daarentegen vergaat het zoals wij zouden willen dat het liefde en lust verging. Wraak slijt niet, maar haakt vast en vermenigvuldigt zich. Wraak genereert wraak. Na Celia's wraak, die van de vrouw, zo zorgvuldig door Wim Schepens op de achtergrond gehouden. Wie voldoende diep vernederd wordt, is de schaamte voorbij.

De vrouw van Wim Schepens heeft de doos met lingerie doorgestuurd naar Dubois Publishers & Co, ter attentie van de directeur-generaal. Naast het adres heeft ze met blauwe vilstift in drukletters PERSOONLIJK geschreven. Niet wetend dat directiesecretaresses geacht worden voldoende onpersoonlijk te zijn om de hoogstpersoonlijke post van de baas te openen, dat ze geacht worden omslagen open te snijden en touwtjes door te knippen zonder daar gedachten of gevoelens van enigerlei aard bij te hebben – tenminste, dat nemen directeurs-generaal aan.

Celia stelt zich de mengeling voor van gêne en vermaak waarmee de secretaresse van Marcus W.E. Dubois de doos boven op de stapel drukwerk en brieven heeft geplant. 'Persoonlijke colli voor u, mijnheer Dubois!' (secretaresse van de oude stempel, blijft mijnheer Dubois zeggen, hoewel hij haar al honderd keer heeft gezegd dat het Marcus is!). Hoe ze opzettelijk is blijven treuzelen – 'Nog iets van uw dienst, mijnheer Dubois?' – minder kwiek en kordaat dan gebruikelijk naar de deur is gelopen, daar nog snel even achterom heeft gekeken. Om vervolgens bij de eerste 'Godverdegodver' naar buiten te wippen, als een verschrikte hinde. 'Godverdegodverdegodver!' – en daar staat de secretaresse met ingehouden adem, hand op de klink en rug tegen de deur, terwijl vloeken als donder door de kamer rollen.

Duiveltje uit de doos. Duiveltje van baleinen, wie is van leer en wie van kant, van wie zijn die rode pluimpjes?

Celia kan het zich zo voorstellen – en dat moet ze ook wel. Ze staat immers niet op de eerste rij: ze is aangewezen op een glimp van de personages, op gefluister in de coulissen. Ze moet wat ze opvangt van Barbara wel aanvullen met haar verbeelding.

Zo onoverkomelijk is dat nu ook weer niet. Als pathologen-archeologen aan de hand van een hoopje botten een portret maken van de prehistorische man of vrouw, waarom zou zij zich dan geen beeld kunnen vormen van wat zich afspeelt onder haar neus?

Ze kent de hoofdrolspelers, ze is op de hoogte van de feiten. Ze hoeft alleen maar haar antennes uit te steken, te registreren en te reconstrueren. Dat, en het bijbelse tafereel dat erop volgt.

God. Die zijn gevallen engelen ontbiedt op de hoogste verdieping. Gezeten op zijn troon, de engelen voor hem op de beschuldigdenbankjes. Nieuwe designbankjes, opgebouwd uit houten vierkantjes, veel te smalle zitjes en veel te hoge rug. Daar zitten Wim en Barbara, kaarsrecht en ongemakkelijk, zonder een blik te wisselen. En god spreekt: 'Goed, ik luister.'

Barbara. Die met glazige ogen naar de doos staart en wat zich daarin bevindt, de tweede huid van haar meest intieme huid. Die zich achtereenvolgens tot Wim en Marcus richt en vraagt, met neergetrokken mondhoeken: 'Wat moet ik me hierbij voorstellen?' Barbara, net bont en blauw af, en al bezig de beul wit te wassen.

Wim. Die snel nadenkt en dan deemoedig opbiecht dat zijn vrouw het wel vaker moeilijk heeft. Hij, meer niet thuis dan wel, volledig in beslag genomen door zijn baan; zij, aan de jaloerse kant, altijd geweest en het wordt erger met de jaren. Ziekelijke proporties, die tot waanvoorstellingen leiden, de gekste fantasieën waartegen hij haar probeert te beschermen door haar overal buiten te houden. Maar soms... En hij zucht met een meewarige blik en prevelt met wiebelend hoofd dat hij al lang als zij niet zo...

Wim, ongelooflijk opgeluchte Wim, witter dan witte Wim. Die zich excuseert tegenover Marcus W.E. Dubois hoewel hij zich, afgaand op de nieuwe waarheid, tegenover hem niet hoeft te excuseren. Die zich excuseert tegenover Barbara hoewel hij zich, afgaand op de oude waarheid, tegenover haar beter voor iets anders zou excuseren. Sorry voor dit vervelend incident! Sorry.

Krakkemikkige bewijzen. Maar dat komt Marcus W.E. Dubois uitermate goed uit. Hij wil liever niet horen wat het duiveltje uit de doos hem in het gezicht heeft geslingerd. Hij wil horen dat het niet waar is wat die vrouw schrijft, dat het er zo aan toegaat in zijn bedrijf en dan nog wel in de hoogste regionen. De rest zal god worst wezen.

Je kan van hem toch niet verwachten dat hij dat allemaal gaat uitpluizen. Dat hij er een grafoloog of een psychiater bijhaalt, dat hij laat onderzoeken van wie die... eh... flodders dan wel afkomstig zijn. Moet hij nu ook nog de godverdomde privé-problemen van zijn godverdomd personeel oplossen? Heeft hij nog niet genoeg problemen aan die godverdomde krant en die godverdomde tijdschriften. Om niet te spreken van die godverdomde familie en die godverdomde conservenverloofde van hem!

Nee, hij hoeft geen sluitende bewijzen. Hij wil zo weinig mogelijk te maken hebben met duivels – in of uit dozen. Laat zijn engelen vallen en opstaan, laat ze hun vleugels verbranden. Zolang hij maar niet van zijn wolk hoeft te komen om in te grij-

pen. Zolang ze hem maar met rust laten, hem en zijn winstge-
vende hemel.

'En Marcus heeft dat zomaar geslikt?'
  'Het zou toch kunnen?' Barbara trekt een schouder op.
  'Wat?'
  'Kijk,' zegt Barbara, 'het enige wat vaststaat is dat Wims vrouw
die doos heeft verstuurd.'
  'Nou, én?'
  'Wie zegt dat die doos geen idee is van haarzelf?'
  'Ben je gek?'
  'Of misschien heeft iemand anders haar wel naar die trut ge-
stuurd.'
  'En wie dan wel?'
  'Weet ik veel. Iemand die ooit iets heeft gehad met Wim of
die niets met hem heeft gehad, maar dat misschien wel wilde.
Iemand die jaloers was, die Wim en mij in een lastig parket wilde
brengen...'
  De overtuiging waarmee ze het zegt. Ze bekijken elkaar,
Barbara een en al onschuld, Celia een en al ongeloof. Ze bekijken
elkaar en zien elkaar op hetzelfde ogenblik hetzelfde denken.
  'Ik heb het natuurlijk niet over jou', zegt Barbara haastig.

Zo wordt met leugens een nieuwe waarheid gebouwd, die niet zal
worden tegengesproken. Niet door de twee partijen die er alle belang bij hebben dat ze in stand wordt gehouden, niet door de derde partij die afwezig is, maar op wie wel een vermoeden van
schuld rust. De vijanden van weleer zijn handlangers geworden
en daardoor is ook Celia's plaats op het schaakbord veranderd. In
het vakje van medeplichtige die te veel weet staat zij, uit de buurt
moet ze worden gehouden. Vanaf dan is alles wat met het onderwerp te maken heeft, een mijnenveld.
  Dan had Celia het zich wel even anders voorgesteld. Ze had verwacht dat er iets zou overblijven van Barbara's onderduikdagen.
Indien geen vriendschap, dan toch een zeker vertrouwen: de hu-
mus van tranen en troost, van baarmoeders en slaapkamerogen,
van witblonde en lichtbruine haren in één borstel. Maar met
Barbara's kneuzingen lijkt ook haar kwetsbaarheid verdwenen.
Ze is opnieuw geharnast, steviger zelfs dan daarvoor – en met
reden. Er moet te veel worden afgeschermd.

Barbara ontwijkt Celia. Ze doet drukker dan ooit en tettert als nooit tevoren. Ze speelt Niets Gebeurd met zoveel overtuiging dat Celia op sommige ogenblikken bijna in haar spel gelooft. Is het mogelijk dat uit deze barbiepop – je had gelijk, Tinus: een barbiepop! – ooit echte kots spoot en echt snot lekte? Dat haar huid niet van plastic was maar van bloedvaten die konden zwellen en verkleuren, haar buik niet hol maar vol kanalen en grotten, voorbestemd voor de vereniging en vermenigvuldiging van sperma en eicellen – een toekomstig barbietje, of een toekomstig Kennetje?

Horizon en Partners, met wie spreek ik?

'Horizon en Partners. Spreek ik met mevrouw Borstlap?' Horizon en Partners: nooit van gehoord, of toch, maar dan heel vaag. Vast weer een van die telefoonverkoopbedrijven, die je lastigvallen op de meest onmogelijke momenten. Moesten ze verbieden. Ze duwt op de stoptoets, zet haar zaktelefoon af.

Celia heeft een vrije dag genomen. Niet gevraagd of het kon, gewoon meegedeeld en genomen. Het moest maar kunnen en jawel, het kon: niemand die tegensputterde, niemand die het haar kwalijk nam. Integendeel: 'Rust jij maar eens lekker uit', zei Barbara Laermans begrijpend.

Wegwezen. Weg uit dit drijfzand van hele en halve waarheden. Weg van die stemmen die zich zo nadrukkelijk op de voorgrond dringen, van die valse triomfaria's over elkaar heen en tegen elkaar op. Niks wil ze er meer mee maken hebben, ze heeft genoeg van die kakofonie. Ze wil stilte!

Stilte! Wandelen en uitwaaien. En boodschappen doen, want de kinderweek komt eraan. Ze rijdt de stad uit, parkeert aan de rand van het bos. In het weekeind zijn op deze parkeerplaats alle vakken gevuld. Nu staan er amper vijf auto's.

Even later stapt ze over de grijze, verharde grond die nog harder zal worden als het straks vriest. Ze kijkt naar de kruinen van de bomen, kaal en helder, zelfs in deze klamme mist. Schopt bladeren op, schept er een hoopje van tussen haar handen en laat ze neerdwarrelen, rosse brosse sneeuw. Aan een struik zitten vijf bloemtrossen van de voorbije zomer, bruin verkleurd en dun als kant.

In de wei naast het kanaal staat een kastanjekleurig paard met sokken van lang, vlassig haar. Ze loopt naar de omheining, met knikkende poten stapt het paard op haar toe, het blaast wolkjes naar haar en zij blaast wolkjes terug. Ze zou het willen aaien, haar handen over zijn dikke donzige wintervacht laten glijden. Maar tussen hen in ligt een gracht vol vet slijk met dorre strohalmen aan de randen.

Ze gaat koffie drinken in het houten chalet naast de parkeerplaats. In de gelagkamer zit alleen een ouder echtpaar – zoals haar moeder en vader nu zouden kunnen zijn, denkt ze. Ze zou op hen willen toestappen, hun vragen vertel me eens over jullie leven, in de hoop dat ze iets zouden vertellen dat een beetje zou lijken op het leven dat haar ouders hadden kunnen leiden. En misschien ook een beetje op het leven dat zij straks zou kunnen leiden. Maar in geen geval op haar leven nu.

Als er straks iets van dat nu mag overblijven, dan bij voorkeur alleen dit: deze winterlucht, dit versteven bos en dat rottend water, de weekroze neusgaten van het paard en de fezelende oude mensen. En de hitte van de koffie die ze nog voelt in haar keel en haar maag, als ze nadampend de buitenlucht instapt en terugrijdt naar de stad.

Komt het door het wandelen? De overgang van koud naar warm, het bloed dat sneller stroomt. Dat tintelingen door haar hele lichaam jaagt, onbestemde hunkeringen opstuwt. Tot op vergeten plaatsen, even desolaat als het bos. (Of heeft de doos haar op ideeën gebracht – een verhaal over lingerie dat verlangen naar lingerie opwekt?).

Mannen spelen daar geen rol bij – Tinus niet en andere mannen niet. Als er al een man aan te pas zou komen, zou het er een moeten zijn met een masker op of een zak over zijn hoofd. Een man zonder gezicht, die neemt en geeft: neemt wat zij wil geven, geeft wat zij wil krijgen.

Zichzelf terugvinden: dat is wat haar drijft. Te beginnen bij waar alles mee begint, bij leven dat leven doorgeeft, bij oerdrift. Wat ze wil is: een lichaam zijn dat getooid en gestreeld wil worden. Dat geil afscheidt, dat opwinding en verlangen kent. Weer een seksueel wezen worden. Borsten hebben en een kut.

Dat slipje, die beha. Opgespannen aan plastic touwtjes als proefdieren, hangen ze in de etalage. Twee niemendalletjes, de onderkant grijsroze, de bovenkant transparant met grijze en roze borduursel. Zodat je net wat venushaartjes ziet, net de ronding van de tepels.

Die koop ik, denkt ze. Doorgaans haast ze zich voorbij de winkel. Een vluchtige schim, meer vangt ze van zichzelf niet op in de ruit. Vandaag wel, vandaag is de schim blijven staan, ze is een grijzige doorschijnende vrouw geworden.

Ze monstert de rest van de etalage. Veel netten en tijgerprints, leder en rood doorschijnend nylon, ritsen en veters en gaatjes op plaatsen waar je ze het minst zou verwachten. Het winkeltje heeft iets hoerigs – altijd gevonden. Een aanbod dat je meer associeert met SM en striptease, maar dat misschien niet zozeer daar mee te maken heeft dan met overdaad. Tenslotte verkoopt de bakker ernaast ook twintig verschillende bruine broden.

Hem ziet ze pas als ze nog dieper kijkt. Voorbij de etalage, voorbij de lingerie en de spiegelvrouw. Hij staat binnen voor de toonbank en laat zich door de verkoopster de waar aanprijzen. 'Kijk, mama, is dat papa niet?' – ze had net zo goed de kinderen bij zich kunnen hebben.

Man, vrouw, lingerie. Is dit het verhaal van Wim Schepens, gespeeld door Tinus Van de Wijngaart? Zoiets overkomt je wel vaker: iets wordt je verteld en meteen daarna lees je erover in een boek of zie je er iets van op televisie. Alsof wat zich aandient, speciaal voor jou georkestreerd is. Alsof je zintuigen pingpong spelen.

Ze ziet hoe hij van de verkoopster wegkijkt, iets zegt en naar de etalage wijst. Snel schuift ze uit hun gezichtsveld. Ze maakt een halve draai, blijft staan met haar rug tegen de regenpijp, die de lingerie scheidt van de bruine broden. Wacht even, gluurt dan nog één keer behoedzaam over haar schouder naar binnen. En wandelt langzaam weg, in gedachten verzonken.

Remmen, loeiharde claxon: boze automobilist. Wijst, over het dashboard gebogen, naar het stoplicht. Kijk toch uit je doppen, mens, loop niet zo te suffen! Zebrapad, ja, maar wel door het rood! Rood – zie je dat niet!?

Ze stapt in de auto. Doet boodschappen, haalt de kinderen van school. En vraagt zich af wat hij moet met een boa van purperen struisvogelveren.

Ze kijkt de schoolrapporten na. Bravo, Kamiel, je hebt goed je best gedaan! Nu nog wat minder brutaal op de speelplaats. Te veel fouten, Kassandra, je droomt te veel. Thuis oefenen! Ze neemt papier en een balpen en gaat met Kassandra aan tafel zitten. Woordjes schrijven. *Koopen.* Nee, Kassandra: kopen. *Leesen.* Nee, meisje: lezen. Ze probeert er zich een vrouw bij voor te stellen. Een andere vrouw, die hem zou verleiden met een purperen boa. Die met struisvogelpluimpjes in zijn neus zou kietelen of zachtjes, wildmakend zachtjes, over zijn penis zou strelen. Een andere vrouw – of een andere man, je weet maar nooit? En kan die televisie alsjeblieft wat zachter, Kamiel?! Bloemkool met chipolataworstjes. Waarom is er geen saus bij de bloemkool? Waarom moet er saus bij de bloemkool? Papa maakt altijd saus bij de bloemkool. En vind jij dat lekkerder? Véél lekkerder! Ik ook, véél lekkerder. Neem pen en papier en schrijf zonder fouten: papa koopt boa's en maakt kaassaus bij de bloemkool.

Ze zou het hem ook gewoon kunnen vragen. Heb je een vriendin, houdt ze van struisvogelveren, heb je voor haar die purperen boa gekocht? Alleen is het meteen zo direct: ze zien elkaar nog maar zelden, ze praten alleen als het hoognodig is. Telefoon en zaktelefoon, ooit middelen om contact te houden, zijn middelen geworden om contact te vermijden. Afstandscheppers, regelaars. Kinderwisselaars.

Waar en wanneer moeten ze worden opgehaald? Vergeet je niet Kassandra naar de turnles te brengen? Enig idee waar de regenjas van Kamiel is? Twaalf druppeltjes tegen de keelpijn, zes 's ochtends en zes 's avonds.

Verder weet ze nog maar weinig van hem. In het begin heeft ze wel eens geprobeerd de kinderen uit te horen. Niet fraai, maar heeft iemand het ooit anders geweten? Maar ze waren haar te slim af of ze hadden hun lesje geleerd. Of ze wisten zelf nauwelijks iets – wat wist zij vroeger van haar vader?

Nee, ze weet niet veel van Tinus. En misschien is het maar beter zo. Het zijn haar zaken niet – niet meer. En hoe minder ze weet, hoe makkelijker het haar valt. Dat van die muur was al te veel. Ze was er toevallig achter gekomen, door de vlek op het sweatshirt van Kamiel. Die groene vlek, onder zijn elleboog. 'Van het schilderen', zei hij.

'Op school?'

'Nee, thuis. Papa heeft de muur geschilderd.'

Groen. Van dat kaki, waar zij zo'n hekel aan heeft. Hij wilde altijd al een hal in kaki, zij wilde een slaapkamer in lavendel, maar dat verafschuwde hij dan weer. Dus kwamen er andere kleuren – grijs en puddinggeel en terracotta. Met wat goede wil vond je altijd wel een compromis.

Maar de tijd van compromissen is voorbij, ook als het op kaki of op lavendel aan komt. En dus heeft hij nu een nieuwe hal, en misschien wel meer dan dat, misschien heeft hij een heel nieuwe flat. Sporen uitgewist met plamuurmes en schuurpapier, verleden overschilderd met lak en latex. Allemaal nieuwe muren, allemaal nieuwe kamers. En daar een purperen boa in.

Opnieuw beginnen: ze zou het ook beter kunnen doen.

Een andere flat zoeken. Of hier blijven, maar alles veranderen. De kamers leegmaken, de inboedel verkopen. En dan? Ze zou geen ideeën hebben, niet de minste inspiratie. Een pleister mag je nooit te vroeg van de wonde halen.

Terwijl ze de kinderen in bad zet, dringt het eensklaps tot haar door. Daarstraks, toen ze terugkwam van de wandeling, had ze haar mobiel aangezet. Op het display verscheen het telefoonicoontje. Ze had de toets ingedrukt, het onbekende nummer gelezen. Het nummer gebeld en daar klonk het opnieuw: 'Horizon en Partners, met wie spreek ik?' Ze had opgehangen.

Ze wacht tot Kamiel en Kassandra in bed liggen. Dan zoekt ze de naam op in het telefoonboek. Het logo van het bedrijf is een einder met een halve zon en een stralenkrans eromheen. Afgaand op de tekening, kan de zon net zo goed op- als ondergaan. Maar de slogan laat er geen twijfel over bestaan. Het eerste, word je geacht te denken.

Zin om je blikveld te verruimen, op zoek naar nieuwe uitdagingen? Horizon en Partners kan je helpen. Horizon en Partners is een headhuntersbureau.

Drie dagen later vindt de afspraak plaats, in een tot restaurant omgebouwd pakhuis. De zaalbeheerder gaat haar voor naar de eerste verdieping, waar het – 'u zal zien, mevrouw' – rustig zitten is. Aan een tafeltje in een hoek wacht een man in een donkerblauw pak die haar een lichtjes klamme hand drukt. Ze nemen allebei het lunchmenu, daar hoeft niet veel uitleg bij.

De man heeft gemillimeterd haar en een witmetalen brilmontuur. Hij zegt dat hij blij is dat ze gekomen is, want dat hij met haar wilde praten over...

'Nieuwe uitdagingen?' zegt ze.

'U weet ervan?' reageert hij verrast.

'Zo staat het in uw advertentie', zegt ze.

Hij glimlacht. Zijn haar is dun, maar hij is niet onaantrekkelijk, vindt ze. Van mannen wordt beweerd dat ze elke drie minuten aan seks denken. Van vrouwen is dat, voor zover zij weet, niet onderzocht.

'Hoe gaan de zaken bij Dubois Publishers & Co?' vraagt hij. 'Het is ons ter ore gekomen dat u er niet happy bent.'

'O', zegt ze. 'En van wie weet u dat?'

'Dat kunnen wij moeilijk zeggen', zegt hij. 'Dat begrijpt u.'

Ze knikt.

Het lijkt haar vreselijk belastend, elke drie minuten aan seks te moeten denken. En daarna weer te moeten overschakelen op waar je mee bezig bent. Mee bezig hoort te zijn. Zoals zij.

Dat hij zich daar wel iets bij kan voorstellen, zegt hij. Was het aanvankelijk niet de bedoeling dat ze hoofdredactrice zou worden? Heeft ze overigens niet geruime tijd die functie waargenomen? Schrijft zij niet nog altijd die hoofdartikelen?

Het grote mysterie. Het zorgvuldig bewaarde geheim, de zwijgplicht op straffe van. Ze wordt er een beetje vrolijk van, ze zit te monkelen achter haar carpaccio.

'Het behoort tot onze taak om die dingen te weten', zegt hij.

Het is te lang geleden bij haar, dat is het. O god, en waar ze met Tinus niet aan hoefde te denken. Dat hele gedoe met condooms, ze zal er weer aan moeten.

'U weet wellicht hoe wij werken', zegt hij. 'Wij stellen u niks concreets voor, dat is onze opdracht niet. Ik ben hier alleen om u te laten weten dat er interesse bestaat voor u door bepaalde partijen. Als die interesse wederzijds mocht zijn, dan zouden wij u daarmee in contact kunnen brengen.'

'Als ik toevallig op zoek zou zijn naar een andere horizon', zegt ze.

'Zoiets.' Hij glimlacht. 'Ik zie dat u mij begrijpt.'

Ze heeft het je toch verteld?

Telepathie noemt Marcus W.E. Dubois het. Dat zij vraagt om een onderhoud met hem, terwijl hij er net een met haar wilde. Ze denken misschien wel op hetzelfde ogenblik aan elkaar, maar ze denken daarom niet hetzelfde.

'En hoe gaat het met jou en Barbara? Kunnen jullie een beetje met elkaar opschieten?'

Zo argeloos als hij dat laat vallen. Koffiepauze, beetje gezellig kletsen, wat roddelen om de tijd te vullen? Is dat de reden waarom ze hier zit, op dezelfde plaats als Barbara en Wim, amper enkele dagen geleden?

'Ik kan me voorstellen dat het voor jou niet altijd even makkelijk moet zijn', zegt hij. 'Jullie hebben niet bepaald dezelfde meningen en smaken, nietwaar? En jullie zijn ook niet echt op de goede manier met elkaar gestart?'

Argwaan. Ziedaar, wat woekert op het drijfzand van halve waarheden of onwaarheden, van verschillende versies – verbeterde of verslechterde, al naargelang de persoon die ze vertelt of aanhoort. Wie kan er nog wie geloven, wie kan wie vertrouwen, wie weet wat?

'Ik denk wel eens dat we het anders hadden moeten aanpakken', zegt hij. 'Maar dat terzijde, daar is het hoe dan ook te laat voor. Laten we het liever hebben over nu.'

Ze weet niet waar hij heen wil. Maar waar zij heen wil, weet ze wel.

'Dat lijkt mij ook beter', zegt ze. 'Laten we het hebben over nu.'

'Ik ga ervan uit dat je op de hoogte bent', zegt hij. 'Dat Barbara het je heeft verteld.'

O god, de doos! Nog altijd die verdomde doos! Maar was die zaak niet afgedaan, had Barbara haar dat niet te kennen gegeven? Waarom begint hij er dan nu opnieuw over, en nog wel tegen haar?

'Enig idee wie het is, Celia?' Onderzoekende blik, half dichtgeknepen ogen. En ik heb het natuurlijk niet over jou, echoot
Barbara's stem in haar hoofd. Hij denkt toch zeker niet dat zij...?
 'Zij wil het niet zeggen', gaat Marcus verder. 'Op zich niets op
tegen, iedereen heeft recht op een persoonlijk leven. Maar het zou
het voor iedereen een stuk makkelijker maken als ze duidelijker
was. Want reken maar dat er vragen gesteld zullen worden!'

Ze denkt: ik gooi het eruit. Ja, ik weet het, ik heb Barbara zien kotsen en snotteren. Ik weet waarom ze zich de voorbije week heeft
ziek gemeld, ik weet aan welke ziekte ze leed en ik weet waar ze
die heeft opgelopen. Ik heb haar blauwe wang en haar gezwollen
oog gezien en ik weet ook wie haar die heeft toegebracht: dezelfde handen namelijk die haar de lingerie hebben geschonken.
(Iemand kleding schenken met de bedoeling haar zo snel mogelijk te kunnen ontkleden, is het niet krankzinnig als je er bij stil-
staat, mijn beste Marcus?) Ik weet wie die doos met lingerie naar
de vrouw van Wim Schepens heeft gestuurd en dat het wel eens
zou kunnen dat die zogenaamde trut helemaal niet eens zo gek is
als sommigen, die ik hier niet bij naam zal noemen, graag willen
laten geloven...

Maar in plaats daarvan hoort ze zich zeggen: 'En als ze het nou zelf
niet weet?'
 Dezelfde leugen als Wim en Barbara, op dezelfde plaats als
Wim en Barbara.
 Verbijsterd kijkt Marcus haar aan. Rond zijn mond speelt een
onzeker glimlachje. Nu weet hij meteen dat ze op de hoogte is –
van de doos, en nog van veel meer dat hij niet eens vermoedt. So
what, het zal haar een zorg wezen, ze maken het zelf maar uit.
 'Marcus, ik wilde je zeggen...'
 Hij heft zijn hand op.
 'Laat zitten! Ik heb het begrepen. Je hoeft niets te zeggen.'

 'Ter zake!'

Hij neemt de proef van de volgende *Adam*, schuift hem tussen hen
in op het bureau. Op de cover staat de nieuwe jonge redacteur,
handen trots gevouwen op zijn bolle nepbuik. 'Ik heb niet de ge-

woonte me te bemoeien met redactionele aangelegenheden', zegt hij. 'Maar ik zal je moeten vragen om het hoofdartikel te herschrijven.'

'Waarom?' zegt ze verwonderd. 'Wat is er mis mee?'

'Wel,' zegt hij, 'in de gegeven omstandigheden...'

'Luister Marcus, ik...' probeert ze hem te onderbreken.

'Pas op', zegt hij. 'Het is goed geformuleerd: geen hoeratoon, voldoende provocatief, niet hatelijk tegenover vrouwen... Maar om uitgerekend nu te stellen dat de laatste hindernis in zicht is. Dat mannen binnenkort geen vrouwen meer nodig hebben om zwanger te worden...'

' Waarom loopt die sukkel dan al weken rond met een nepbuik?' vraagt ze.

'Jaja', zegt hij. 'Alleen' – hij klopt op het proefnummer – 'onder dit hoofdartikel staat wél: de hoofdredactie!'

'Allicht!' En plots borrelt weer die oude boosheid op. 'En wiens idee was dat?'

'Celia,' zegt hij, 'kunnen we niet voor één keer die oude rancunes begraven? Schrijf gewoon een ander hoofdartikel, voor jou is dat toch een klein kunstje. Geef er desnoods een draai aan, gooi het over de humoristische boeg. Jij kan dat!'

'Het gaat niet om kunnen, het gaat om willen', zegt ze.

'Oké, oké! Zet jouw naam er dan onder. Misschien heb je gelijk, misschien wordt het tijd dat we een eind maken aan die hypocrisie...'

'Het antwoord is nee, Marcus!' Ze zegt het zo resoluut dat hij haar perplex aankijkt.

'In godsnaam!' herstelt hij zich na enkele seconden. 'Je kan het met veel oneens zijn. Maar dit moet jij toch begrijpen, Celia. Je bouwt een heel nummer op rond de stelling dat mannen geen vrouwen meer nodig hebben om zich voort te planten. En ondertussen gaat je hoofdredactrice even in levenden lijve het tegenovergestelde bewijzen. Dat is toch zoveel als zeggen dat een man niet meer is dan – excusez le mot – een zaadzak!'

Het gaat niet over de doos. Het gaat helemaal niet over die doos. Maar waarover dan wel? Wim, het ziekenhuis, de vechtpartij... : ze stappen door haar hoofd, ze schouwt ze als soldaatjes op parade. En ondertussen gaat Marcus maar verder, onstuitbaar.

'Een vrouwelijke hoofdredacteur, tot daar aan toe. Maar dit!

Mevrouw weet haar ogenblik wel te kiezen. Over image building gesproken!' Geërgerd schudt hij zijn hoofd. 'Kijk, je hoeft me niet te zeggen wie het is. Maar kan je me misschien vertellen waarom? Weet jij wat haar beweegt? Is dat die fameuze bioklok van jullie?...'

Hij moet haar verwarring hebben opgemerkt, want hij stopt abrupt: 'Je wéét er toch van, Celia?' En hij vraagt het nogmaals, met nog meer aandrang: 'Ze heeft het je toch verteld?'

'Barbara?'

Klik-klak op het toetsenbord. Barbara Laermans werkt. Even steekt ze haar hoofd opzij – verstoorde blik, beleefde glimlach. 'Celia?'

'Waarom heb jij me dat niet verteld?'

'Wat verteld?'

'Ik was net bij Marcus.'

'O!' Klik-klik. Klik-klak. 'Ik vond dat hij het je maar zelf moest vragen. Ik had niets tegen dat hoofdartikel.'

'Daar heb ik het niet over', zegt ze.

'Waarover dan wel?'

'Dat weet jij best!'

Klikkerdeklak, klikkerdeklak.

'Waarom heb jij me niet gezegd dat je zwanger bent?'

Eén klikje. Dan schuift Barbara achter haar scherm vandaan. Grote, verwonderde ogen.

'Je zei dat je een abortus had.'

'Wilde hebben!' Barbara staat rechtop. Ze loopt om haar bureau heen en sluit de deur naar de gang. Dan draait ze zich om, handpalmen op de deurstijlen, als wilde ze ongewenste indringers de toegang versperren. 'Die abortus is er nooit geweest, Celia.'

'En dat moest ik maar raden?!'

'Maar ik ben de hele tijd...!' Barbara zet een stap vooruit, ze staat nu vlak voor haar. Ze legt de nadruk op elk woord, alsof ze aan een kind een moeilijk vraagstuk uitlegt. De dokter had haar gevraagd of ze er zeker van was. Hij had het al eens eerder gevraagd, en nu vroeg hij het voor de tweede keer. En ineens... 'Ik was al binnen, Celia, ik lag al op de tafel. Maar ik heb me bedacht! Waarom dacht je anders dat ik...?' Ze stopt, kijkt Celia afwachtend aan.

Stilte.

Orde scheppen. Orde, om haar heen en in haar hoofd.

'En Wim?'

'Die wachtte beneden', zegt Barbara. Haar gezicht verhard, haar stem van ijs. Ze loopt terug, opnieuw rond het bureau, langs de andere kant nu.

'Ik bedoel: wat zei hij ervan?'

'Niets.' Vingertoppen op het bureaublad, breeduit als een pianiste die een fors akkoord aanheft. 'Eerst wilde hij het niet. En toen hij aannam dat het weg was, wilde hij mij niet meer. Dát waren zijn woorden van troost toen ik beneden kwam! Dat het uit moest zijn tussen ons!' En ze gaat zitten. Rug kaarsrecht, handen tot vuisten.

'Wil je zeggen dat hij het niet weet?'

'Nu wel.' Barbara grijnst, haar ogen lichten op. 'Die bewuste avond heb ik het hem verteld. En hij wás al zo woedend vanwege die doos...' Pesterig, als een schoolmeisje.

Heel even herkent ze in de barbiepop weer de Barbara van die vijf dagen. Heel even nestelt zich tussen de dossierkasten de sfeer van toen, een sfeer van vertrouwelijkheid en vertrouwen, van van elkaar weten. – Maar wat? Wat weten ze echt van elkaar? Wat willen ze echt van elkaar weten? Meer dan de schijfjes leven die ongevraagd op hun bord zijn beland?

Ze gaat zitten op de rand van de dichtstbijzijnde stoel, handen gevouwen tussen haar knieën. 'En nu?'

'Hoezo: en nu?'

'Hoe moet het nu verder? Wim is toch de vader van...'

'Ssssst!' knikt Barbara in de richting van de deur.

'Weet zijn vrouw hiervan?'

'Dat zou je hem moeten vragen.' Barbara harkt met haar pinknagel een vuiltje van onder de duimnagel van haar andere hand. Vouwt de hand tot een vuist, bestudeert de overige nagels. Houdt ze dan gestrekt voor zich uit en kijkt nog een keer.

'Ik begrijp jou niet', zegt Celia hoofdschuddend. 'Je zit je in bochten te wringen met die doos. Je doet er alles aan opdat niemand zou weten dat er iets was tussen Wim en jou...'

'Wel...' En voldaan legt Barbara beide handen op haar buik. 'Is dit niet het beste bewijs?'

'Barbara, het is *zijn* kind?!'

'Zegt wie?'

Celia gaapt haar aan, stomverbaasd.

'Hij wou er niks mee te maken hebben? Wel, hij hééft er niets mee te maken', zegt Barbara vastberaden. Ze trommelt met haar vingers op haar buik en kijkt Celia stralend aan. Haar lippen lijken speciaal geheeld om de woorden te kunnen uitspreken, niet langer op z'n Marlon Brando's, maar feilloos en trots en met die brede glimlach erbij: 'Dit is mijn baby!'

Een staalkaart van gevoelens. Ongeloof, en afkeer, en verontwaardiging. En – ja, hoe vreemd ook – een soort medelijden met Wim, die geen vader wilde zijn, maar nu geen vader meer mag zijn. Deernis ook, voor dat transparante kalebasje in de buik van Barbara dat, onwetend van dit alles, timmert aan zichzelf. Dat cellen deelt en organen ontwikkelt en hersens vormt waarmee het dit ooit allemaal zal moeten begrijpen. Dat Barbietje of dat Kennetje – dat Wimmetje Schepens, wie weet? – waar het allemaal om te doen is, maar waar niemand rekening mee houdt. Diepe deernis.

Maar bovenal: opluchting, immense opluchting. Omdat ze hier niet langer naar hoeft te zitten kijken, omdat ze niet hoeft af te wachten tot het doek valt. Een ouderwetse boulevardkomedie. Deuren aan weerszijden van de scène, personages die in- en uitlopen en elkaar mislopen. Hoe meer deuren en hoe meer personages, hoe beter; hoe talrijker de misverstanden en hoe onoverzichtelijker de verwarring, hoe groter het succes. En er wordt gelachen en er wordt gegierd en er mag worden gelachen en gegierd, want straks loopt alles toch goed af, straks valt alles weer in de plooien. Niet hier, niet nu: dit loopt niet goed af, deze plooien raken nooit meer gladgestreken.

Maar zij kan op elk ogenblik de zaal uit. Nu, straks. Oef!

'Ik hoop dat ik op jou kan rekenen', zegt Barbara.

'Wees gerust', zegt ze. 'Van mij zal je geen last hebben.'

'Dat wist ik', zegt Barbara waarderend. 'Ga je het nu herschrijven, dat hoofdartikel?'

'Ik schrijf geen hoofdartikelen meer', zegt ze.

'Nou ja,' zegt Barbara, 'ik moet er toch ooit eens zelf aan.'

'En ook geen andere artikelen meer', zegt ze.

'Wat bedoel je?' Onzekerheid in de husky-ogen, lichte paniek ook.

'Ik heb net mijn ontslag ingediend', zegt ze.

Hand op de buik met het kalebasje. Diep ademhalen, in twee schokjes. 'Dat meen je niet?!'

Dat had Marcus W.E. Dubois daarnet ook gezegd.

En hij had haar een hoger salaris aangeboden en een creditkaart van het bedrijf en een nieuwe auto met toch maar opnieuw een vaste standplaats. 'Of zou je liever iets anders doen, Celia? Wou je liever terug naar de krant? Of *Lola*, wat denk je van *Lola*, daar hebben we dringend iemand nodig...'

En ten slotte had hij gevraagd wat Barbara nu ook vraagt: 'Wat ga je dan doen?'

Maar daar had ze daarnet niet op geantwoord en dat is ze ook nu niet van plan.

Dat is haar geheim.

Tijd van je Leven

Nooit zou het bij haar zijn opgekomen. Nooit zou ze eraan gedacht hebben, dat is ze pas beginnen te doen na het aanbod van Magamedia. En zelfs dat aanbod zou ze, niet eens zo lang geleden, wellicht hebben weggelachen. Ik? Kom nou!

Maar tussen niet zo lang geleden en nu is een en ander voorgevallen, dat maakt dat ze dat niet heeft gedaan. Dat ze integendeel gedaan heeft wat ze beloofd had te zullen doen tijdens de afspraak die de headhunter voor haar had geregeld: erover nadenken. Ze is naar huis gereden, ze is op de sofa gaan zitten, ze heeft de televisie aangezet zonder geluid en terwijl schatten werden bovengehaald uit een met korstmos begroeide boot en mannen in lange jurken met tulbanden in woestijnzand harkten, heeft Celia Borstlap nagedacht.

En mmmja, er waren aan dit voorstel aspecten die haar wel bevielen.

Om te beginnen klonk het geloofwaardiger. Marcus W.E. Dubois had haar destijds moeten overtuigen. En zelfs nadat hij daarin geslaagd was, had iedereen zijn zegje gedaan over haar toekomstige lezer en had dat zegje bij iedereen anders geklonken.

Nu eens bestond de Nieuwe Man en dan weer niet, en als hij geacht werd te bestaan, was dat in alle mogelijke variaties. Niet meteen bevorderlijk voor zijn profiel, dat hoe langer hoe meer begon te lijken op dat van de Olifantman: een vergroeiing hier, een uitstulping daar. Dan kon je maar beter aan hem denken als aan een droom (of een nachtmerrie, zo je wil) die ooit wel eens werkelijkheid zou worden. Ooit, als je maar tijd van wachten had.

Maar net die tijd was haar niet gegund – haar, noch *Adam*, noch zijn potentiële of reële lezers.

Bij Magamedia liep ze dat risico niet. Daar mikte men ontegenzeglijk op een bestaande doelgroep. Je kon er niet naast kijken, je zag hem elke dag om je heen. In mannelijke en vrouwelijke versie, in alle lagen van de bevolking, en in toenemende mate. Zijn groei was explosief – je hoefde er de leeftijdsstatistieken maar op na te slaan.

Van deze mannen en vrouwen werd beweerd dat ze oud waren, maar daarom waren ze dat nog niet. Ze werden behandeld alsof ze hadden afgedaan, maar daarom hadden ze dat nog niet. Als het allemaal al wat trager ging, was dat misschien minder een zaak van stramme gewrichten en afstervende hersencellen dan een weloverwogen keuze. Voor hen geen mallemolen meer, geen hossen van hier naar ginder, niet nog even snel scoren of om het hardst roepen om gehoord te worden.

Integendeel, misschien was hun hele leven slechts een oefening geweest voor deze serene apotheose, voor deze helaas ook ultieme kans die net daarom met beide handen werd gegrepen. Doen – nu of nooit! Eindelijk tijd om tijd te hebben, voor om het even wat: aquarellen, tango dansen, de Himalaya beklimmen, leren zeilen of pianospelen, nieuwe meubels kopen als je daar zin in hebt of oude meubels koesteren en opboenen als je dat liever doet...

... Of door de jungle trekken in plaats van ervan te dromen, valt haar in als op het scherm de documentaire wordt herhaald die ze samen met haar moeder heeft gezien. Opnieuw stapt de kleine man met het lendendoekje en de schijf in zijn onderlip met de speer in zijn hand door het hoge gras en ze denkt: ik ga achter hem aan, ik loop in zijn voetsporen naar de rivier, door het stof en het slijk naar het einde van de wereld. Ik waad in het water, ik laat me drijven, de wolken in mijn ogen, mijn haren als een krans om mijn hoofd. En ik knipper tegen de zon en roep: zie je me, mams? Hier ligt een stukje van jezelf! Je bent er dan toch gekomen!

Een tweede leven. Het vooruitzicht is haar niet onwelgevallig. Nog één keer je dromen kunnen verwezenlijken. Nog één keer je fouten kunnen herstellen. Nog één keer dochter zijn en een moeder hebben. Misschien heeft het ook daar mee te maken...

Ze zou niet zo meteen kunnen zeggen welke kant haar tweede leven op moet. Maar misschien is het aanbod van Magamedia een begin? Aan lezers zal het haar daar niet ontbreken, aan tijd evenmin. Want als er iets is dat deze Niet Meer Zo Nieuwe Mannen en Vrouwen hebben, dan is het wel dat. Alle tijd van de wereld – tot ze erbij neervallen, zeg maar.

Zij zullen haar niet opjutten. Ze zullen van haar geen instant-parcours verlangen, geen inderhaast bij elkaar gesprokkelde identiteit. Ze zullen ervaren hebben dat twijfels voor een goed leven zijn als kelderjaren voor goede wijn.

Ze is een generatie jonger dan zij, in sommige gevallen zelfs twee. Maar komt het door haar herinnering aan die hectische, holle dagen? Door haar eigen behoefte aan een trager tempo? Ze kan zich moeiteloos in hun plaats stellen.

Ze verwachten weinig of niets meer: ook dat wordt van ze gezegd. En voor wie weinig of niets meer verwacht, is alles een geschenk. Alles, dus ook: een tijdschrift.

Het wordt niet het eerste en het enige voor deze doelgroep op de markt – dat heeft het dan weer wel gemeen met *Adam*. Maar zo nu en dan had Guy De Maarschalk, marketing manager van Dubois Publishers & Co, ook gelijk. Bijvoorbeeld toen hij stelde dat in dat geval maar een ding telde. De beste zijn.

Zij zal haar lezers aanpakken zoals zij zelf zou willen worden aangepakt. Zij zal ze verwennen en aanmoedigen, ze wiegen als ze daar behoefte aan hebben, ze de Himalaya op en het oerwoud in sturen als ze daar zin in hebben. Zij zal ze vervullen met tevredenheid, ze zal droomjagers van ze maken.

Missionaris, dan toch opnieuw? Hmm, laten we niet overdrijven. Het meest idealistische idealisme omvat een gezonde portie zelf-zucht. Zo zint het de heilige Celia Borstlap, patrones van de Derde Leeftijd, wel dat zij voor de verandering de touwtjes in handen heeft.

Dat ze Marcus W.E. Dubois, als hij ophoudt met haar te on-derbreken en haar laat uitspreken, kan laten weten dat de gege-ven omstandigheden haar gestolen kunnen worden, dat hij niet hoeft te hengelen naar haar mening over zwangere mannen, laat staan naar de identiteit van Barbara's bevruchter, dat ze haar door hem met woorden maar niet met daden gelauwerde pen ten dienste stelt van de concurrentie. Dat ze Barbara Laermans, zo-dra die bekomen is van de verrassing, het beste kan toewensen:

het beste, Barbara, het allerbeste voor de toekomst, de jouwe, die van *Adam*, die van kleine Barbie of kleine Ken – als je zelf maar uitzoekt hoe die toekomst er moet uitzien. Dat ze verlost is van Wim Schepens en Hans Tertilden en Guy De Maarschalk – van hun lijf en hun lusten, hun thuisfront en hun theorieën, hun verlokkingen en hun verlakkerijen.

Niet dat ze zich veel illusies maakt. Straks zullen er wel weer andere zijn. Maar toch: even de lei schoonmaken voor je er opnieuw op griffelt, temeer omdat ze weet wat ze er beslist niet meer op wil.

En dan is er, last but not least, het salaris: niet torenhoog maar hoe dan ook hoger dan nu. Een garantie dat ze kan blijven zorgen voor de kinderen en voor zichzelf. Want nog altijd is zij de voornaamste kostwinner.

Hoewel. Tinus heeft er, naast zijn baantje in het fitnesscentrum, nog een ander bij. Hij goochelt en clownt, niet alleen in ziekenhuizen en voor het goede doel, maar ook op kinderfeestjes en tegen betaling. Daar schijnt behoorlijk wat vraag naar te zijn, want hij laat haar weten dat hij met een financiële regeling voor de kinderen best tevreden is, dat hij het voor het overige nu wel redt, alleen.

En aangezien ze toch aan de praat zijn, informeert hij meteen of ze niets nodig heeft van haar spullen. Boeken of cd's, haar bureaulamp, het gietijzeren potje voor groene thee, de mutsen en hoeden waar ze telkens weer voor zwicht en die ze nooit draagt, maar die haar nu het kouder wordt misschien wel van pas zullen komen? Of iets van hun gezamenlijke spullen, ze heeft het maar te zeggen – een kast, een stellingkast, een bijzettafeltje?

Hij houdt uitverkoop, valt haar in. Hij liquideert, eerst mij en nu de rest van de rommel. Als het haar is aan te zien dat het haar kwetst, valt hem dat in elk geval niet op. Zo minzaam als hij het aanbrengt: hij doet het haast klinken als een gunst.

Nee dank je, Tinus. Waarom zo overhaast?

Bij *Tijd van je Leven* draagt Celia Borstlap nu officieel de titel die ze bij *Adam* officieus had. Ze krijgt opnieuw een eigen kantoor, dat niet uitkijkt op akkers en koeien, maar op een grauwe binnen-

plaats. Daartegenover staat echter dat de gebouwen van Magamedia gelegen zijn in hartje stad, wat net zo handig en zo leuk is.

Ze krijgt ook een secretaresse. En een redactrice, die bij een
reorganisatie elders is afgevloeid wegens te oud en te duur.
Negenenveertig, voldoende jaren ervaring, maar te weinig ambitie over om haar van de troon te stoten.

Afhankelijk van de cijfers zal er versterking komen. Ze kan een
sceptische glimlach niet onderdrukken, als het haar wordt beloofd. Waar heeft ze dit eerder gehoord? Maar bij Magamedia lijken ze er gerust op. Dit is geen jojomarkt, zoals die van de Nieuwe
Mannen. Dit is – tot de babyboomgeneratie verhuist naar Jurassic
Park – een markt in volle expansie.

Veel komt haar bekend voor, veel is herhaling met variaties. Maar
dat heeft zo zijn voordeel, ze gaat *Adam* beschouwen als oefen-
school. Ze werkt, zonder de opwinding die er toen bij kwam kijken, maar met een kalmte die haar net zo welkom is. Al zou dat
laatste ook te maken kunnen hebben met het onderwerp: hier
past geen heftigheid maar bedaardheid bij, geen oppervlakkige
vrolijkheid maar diepgewortelde opgewektheid.

Celia Borstlap wilde tijd en krijgt ze. Ze houdt er, tot haar
eigen verbazing, zelfs van over. Komt dat doordat ze niemand
meer heeft om voor te zorgen, doordat de kinderen maar om de
week bij haar zijn? Haar stukjeskinderen. Als ze er zijn, neemt ze
hen mee naar het poppentheater, ze gaat kastanjes en beuken-
nootjes met ze rapen, ze kiest niet het kortste verhaaltje voor het
slapengaan maar het mooiste. In plaats van de stop uit het bad te
trekken om ze aan te manen tot spoed, blijft ze zitten op de rand
tot hun vingertoppen rimpelen en het water afkoelt en ze er zelf
uit willen. En ze kijkt naar haar kinderen, ze kan er niet genoeg
van krijgen, ze kijkt naar het dons op de rug van Kamiel en naar
de scheurtjes in zijn nagels, naar de tere blauwige huid onder de
ogen van Kassandra en de korstjes die zich vormen op haar knie
als ze gevallen is.

En ze ontleent een intense voldoening aan het doen van de
vaat. Haar moeder had geen automaat: geen plaats in de keuken
en nooit plaats gemaakt. Dus moet het ouderwets, in een teiltje
onder de kraan en dan rechtzetten of omdraaien om te laten uit-
lekken. Voorzichtig, want de spoelbak is van wit porselein, maar

toch breekt ze minder dan toen ze alles maar in de plastic vakjes hoefde te schikken. Ze boent glazen tot ze glanzen in het licht, ontdekt schoteltjes waarvan ze het bestaan was vergeten, maakt kennis met elk barstje in elk kopje, met elke beschadiging van het glazuur. Kan je een relatie opbouwen met vaatwerk?

En verder? Niets, toch niets bijzonders. Maar dat stoort haar niet, het vergaat haar zoals haar lezers: het hoeft niet zonodig. Soms denkt ze: ik lijk wel een heremiet, ik leef te veel in afzondering. Maar het volgende ogenblik haalt ze alweer haar schouders op, ooit komt hier wel een eind aan. Ooit zal die holte, ergens tussen haar middenrif en haar navel, vanzelf weer vollopen. Ooit zal haar leven weer borrelen en bruisen. Ook tijd in overvloed gaat voorbij.

Elke dag wandelt ze, op weg naar huis, voorbij hetzelfde parkje. Er staat een laag ijzeren hek omheen, vanuit elke hoek voert een zandpaadje naar het beeld van de jachtgodin Diana. In de driehoeken tussen de paadjes groeit uitgedund gras, aan de buitenzijde staan hoge bomen. Ze heeft hun kruinen zien verkleuren. Ze heeft het gele en vervolgens bruine tapijt gezien, dat soms weg wordt geharkt, maar er de volgende dag al weer ligt. En nu zetten de kale takken zich zwart af tegen de winterlucht en kondigen zich de dagen aan.

Gezellige dagen, heeft ze altijd gevonden. Lastige dagen, vreest ze nu, die haar aan het wankelen brengen en haar broze evenwicht dreigen te verstoren. Wat moet ze ermee?

Wie grijpt de kwast?

Ze begint met te doen alsof ze niet bestaan. Kalenderdagen, meer zijn het toch niet? De naam van hun maand en hun rangorde in die maand, meer onderscheidt ze toch niet van andere dagen? De rest is traditie, traditie en commercie, dat laatste in toenemende mate.

Kamiel en Kassandra gaan op skivakantie. Ze wil ze niet inzetten als troost of schokdemper. En nog veel minder als pressiemiddel: moeten mama en papa die dagen niet samen doorbrengen, al was het maar voor de kinderen?

Ze brengt ze naar de trein. Op het perron stapelen zich rugzakken en reistassen op, vormen zich wespennesten van andere ouders en kinderen. Zie je wel, ze is niet de enige die hiertoe heeft besloten. Lachende en opgewonden gezichten stellen haar gerust, ze mag zich best wat minder schuldig voelen.

Een van de jeugdleiders – zo jong! zijn ze allemaal zo jong? – deelt mee dat er elke dag vakantiekiekjes op de website zullen worden gezet. Mailen mag ook, maar dan wel zonder bijlagen, anders wordt het te onoverzichtelijk met die hele bende. Hij steekt haar een kaartje toe met beide adressen, een blijk van efficiëntie die haar onrust over zijn leeftijd tempert.

Kerstavond. De eerste zonder kinderen (maar mét hun hamster!), de eerste ook zonder haar moeder. National Geographic zou te veel herinneringen oproepen, maar met de zapdoos is het lastig laveren tussen glittershows en eindejaarsoverzichten en ingekleurde Hollywoodfilms. In plaats daarvan probeert ze te lezen, maar ze kan haar aandacht er niet bij houden, al is ze geneigd dat op rekening te schrijven van de auteur. Ze drinkt dan maar een halve fles wodka, ijskoud uit een berijmd borrelglas. In het medicijnkastje van haar moeder zoekt ze de slaappillen. Ze drukt er een uit de strip en slikt ze door met een laatste borrel. Dan gaat ze naar bed. Het is half tien.

'De volgende dag gaat ze uitwaaien in het bos, waar vast geen lampions hangen. Maar over de wandelpaden stappen opvallend veel opvallend opgewekte mensen, stralend in bontkragen en met sneeuwsterren versierde windjakken. De cafetaria is nokvol, de lambrisering versierd met zilveren slingers en plastic hulsttakken. Op de tafels zijn de nepbloemstukjes vervangen door nepboompjes, minidennenboompjes met miniknipperlichtjes. Als ze bij wonder nog een tafeltje bij het raam bemachtigt, wensen gespoten letters haar over het uitzicht heen prettige eindejaarsfeesten toe.

Ze blijft doorwerken, ook al heeft ze weinig om handen. De post bestaat in hoofdzaak uit wenskaarten; het merendeel van het personeel is met vakantie, neemt snipperdagen of gaat vroeger naar huis. Ze neemt het pak tijdschriften dat haar wekelijks wordt toegestuurd, knipt het touw door waarmee ze worden bijeengehouden, en begint te bladeren. In een ervan, een societymagazine over royalty en oude en nieuwe adel, staat een fotoreportage over de verloving van Marcus W.E. Dubois. Gasten zijn met een privéjet overgevlogen naar Sankt Moritz, waar taart en champagne klaarstonden in overvloed. De conservenprinses draagt een rode strapless jurk, die haar niet aparter maar beslist mooier maakt dan ze is. Valentino, meldt het bijschrift; wie de bruidsjurk zal ontwerpen, blijft voorlopig een geheim. Maar volgens de geruchten...

Ze klapt het tijdschrift dicht en laat het in de papiermand glijden, zet haar computer uit en trekt haar jas aan. Op de drempel, voor de zware deur van glas en smeedijzer, aarzelt ze. Links is: voorbij het plantsoen, naar huis; rechts is: het stadscentrum in. Ze doet wat ze zich had voorgenomen niet te zullen doen.

Onder smeltende sneeuwvlokjes en feestverlichting in de vorm van vallende sterren, loopt ze de drukte tegemoet. Uit luidsprekers schallen *Stille Nacht* en *I'm dreaming of a White Christmas*, met kerstballen en goudpoeder opgetuigde etalages lonken. Ze laat zich drijven op de zee van licht, ze deint met de mensenmassa mee door verkeersvrije straten. Ze verliest zich en vindt terug wat ze verloren waande, of alleszins de schijn ervan. Noem het gezelligheid of saamhorigheid, of zoals men het tegen beter weten altijd noemt, vrede.

Het is goed zo. En het wordt nog beter als haar oog op de frambooskleurige jurk valt. Hoe lang is het geleden dat ze nog een jurk voor zichzelf heeft gekocht – van die olijfkleurige tafzijde? Ze gaat naar binnen, past de jurk en koopt hem, even verderop koopt ze er een paar sandalen bij, en om de hoek – welja, waarom niet? – die tulpvormige oorknopjes van roze stras. Zo, en dat zal ze allemaal dragen op haar eindejaarsdiner.

Haar eindejaarsdiner, ja. Ze koopt kaarsen, twee hoge kaarsen van bijenwas, die prachtig zullen passen in de zilveren kandelaar. Bij de traiteur kiest ze de lekkerste hapjes, een uitgebreid assortiment van kleine porties – koken, daar heeft ze niet echt veel zin in. Nu nog een taartje, ze wijst het meest decadente aan. 'Chocolade met sinaasappel, hoeveel?' vraagt het meisje achter de toonbank. 'Twee', zegt ze – één zou een beetje zielig klinken.

Kerstmannen hebben blijkbaar een langere houdbaarheidsdatum dan Kerstmis. Achter een met wit laken bedekte schragentafel staat er een in rood pak, hij zwaait met een grote bel en roept dat hij kaarten en kaarsen verkoopt voor kinderen met kanker. En omdat het feest is, en iedereen van goede wil, en overconsumptie aanzet tot liefdadigheid, koopt ze er een paar – voor kinderen die minder gelukkig zijn dan de hare. Ze geeft hem het geld, maar de rest hoeft er niet bij zegt ze, want kaarten verstuurt toch ze niet en kaarsen heeft ze al. Hij kijkt haar verwonderd aan en glimlacht in zijn baard van watten, hij komt haar vaag bekend voor. Maar zijn niet alle kerstmannen dezelfde, al zolang zij zich kan herinneren? Ze knikt hem toe, scharrelt haar pakjes bij elkaar en slentert verder. Achter zich hoort ze hem, boven de muzak uit, bellen en roepen. Eén straat, twee straten...

En daar staat hij plots voor haar.

'Tinus?!'

'Celia?!' Hij glimlacht, kijkt naar haar handen. 'Ook aan het shoppen?'

Het zijn wel veel pakjes. Zeker vergeleken bij zijn lege handen. Want ze heeft ook nog wintertruien voor de kinderen gekocht en een molentje met een belletje erin voor Hugo, de hamster. 'Nou ja...' zegt ze.

Schutterig staan ze tegenover elkaar. Iemand botst tegen

haar aan, ze wankelt voorover, tegen zijn schouder aan. 'Sorry!'

Hij kijkt rond, knikt naar het café op de hoek. 'Een kop koffie?'

Hij met, zij zonder melk.

'De kinderen maken het goed', zegt hij.

Hij mailt dus ook, hij kijkt ook naar de website.

'Blijkbaar wel', zegt ze.

'En jij?' vraagt hij. 'Hoe gaat het met jou?'

'Het gaat', zegt ze. 'Het gaat wel. En jij?'

'Goed', zegt hij. 'Jaja. Goed.'

Ooit hebben wij samen in bed gelegen, denkt ze. Mijn hoofd op zijn borst, ik kon zijn hartenklop horen. Ik zag zijn penis liggen op zijn buik. Leeggespoten, weerloos.

'Wil je mijn speculaasje?' vraagt ze.

Hij is dol op speculaasjes, zij niet zo. Hij zal het in de koffie soppen, denkt ze, het hoekje eraf zuigen. Hij sopt het in de koffie, zuigt het hoekje eraf.

'Je voelt je niet te eenzaam?' polst hij.

'Soms', zegt ze. 'Maar het gaat wel.'

Ze roert in haar kopje. Hij ook.

'Ik heb je gezien', zegt ze. 'In de lingeriewinkel.'

Verbijsterd gaapt hij haar aan: hij weet niet wat hij hoort. Dan licht zijn gezicht op. 'O, mijn prospectietrip!'

'Je wat?'

'Voor het bedrijfje', zegt hij. 'We hebben dat bedrijfje.'

Vraagtekens in haar ogen.

'Die kinderfeestjes', zegt hij. 'We hebben het een beetje uitgebreid. Ik dacht dat je dat wist?'

Ze schudt haar hoofd.

'Partyservice. We verhuren springkastelen, we hebben een Balkanorkestje en een buikdanseres, we denken er zelfs aan te beginnen met buffetten.' Hij gaat er helemaal in op, zijn woorden nemen de sneltrein. 'En we hebben een stripteaseuse – nou ja, met mate –', grijnst hij, 'die op verzoek uit zo'n grote taart van spaanderplaat komt...'

'Met een purperen boa?' valt ze in.

Hij knikt. 'En van die lange handschoenen. En een zijden maskertje – ze is een beetje verlegen, zie je?...' Als hij merkt hoe ze met open mond zit te luisteren, stopt hij. Hij lacht haar toe, hij geniet ervan dat ze zo overdonderd is. 'Het is niet onaardig', besluit hij voldaan.

'En jij?'
'Dat valt best mee', zegt ze.
'De derde leeftijd', grinnikt hij. 'Wie had dat gedacht?'
'Tja.' Klinkt niet spannend, weet ze. En dat is het ook niet. Aangenaam en rustgevend, ja, maar spannend?
'Het is me daar wel wat, bij *Adam* en co', werpt hij op.
Ze knikt, ze heeft er ook van gehoord, van de stoelendans die met haar vertrek lijkt ingezet. De jonge redacteur met de nepbuik op Barbara's plaats – eindelijk een man voor mannen. Barbara overgeplaatst naar *Lola*, waar ze met meer fatsoen alleenstaand kan bevallen. Wim de laan uitgestuurd met een gouden handdruk – omdat de verkoopcijfers over hun piek zijn, of om heel andere redenen, weet zij veel. Wat doet het er ook toe, het lijkt zo ver weg allemaal, je vraagt je af waar al die heisa voor nodig was.

Hier zit ik dan, tegenover een niet onaardige man, open gezicht en goed gebouwd. Het soort man waarvoor ik misschien wel zou vallen als ik hem hier voor het eerst ontmoette. En als ik dat zou doen, zou ik er spoedig achter komen, dat hij niet alleen aantrekkelijk is, maar dat hij ook kan koken en strijken en voor zijn kinderen zorgen. Dat hij alles is geworden wat hij niet, of maar voor een stukje, was. Alles, behalve van mij.

Er was een tijd dat ze geen geheimen hadden voor elkaar. Dat ze nog niet die twee waren die later hun eigen weg zouden gaan. Misschien was het wel juist, toen, misschien had ze het allemaal wat beter bij elkaar moeten houden. Maar hoe?
'Waaraan denk je?' vraagt hij.
'Aan ons', zegt ze.
'Aha.' Hij glimlacht.
'Je had me moeten zeggen dat het je zo hoog zat', zegt ze.
'Alsof ik dat niet gedaan heb', zegt hij.
'Misschien niet duidelijk genoeg', zegt ze.
'Misschien heb jij het niet begrepen', zegt hij.
'Dat kan', zegt ze gelaten.

'Ik kon je toch niet dwingen', zegt hij. 'Ik wilde je niet voor een ultimatum plaatsen.'

Want dat kwam er dan nog bij: van hem had ze mogen kiezen. Hij was wel lastig geweest, maar hij had haar niets verboden, hij had haar vrijgelaten. Misschien was alles wel juist toen, misschien had ze het wat beter bij elkaar moeten houden. Maar hoe?

'Ik heb altijd gedacht dat ik met jou oud zou worden', zegt ze.

Even haakt zijn blik zich in de hare. Dan gaat hij verder, over haar schouder heen, naar buiten.

'Ik ook', zegt hij. 'En dat zal ook wel, zeker. Tenslotte zijn er de kinderen.'

En als dit nu eens was wat moest gebeuren? Als alles moest worden opgeruimd om opnieuw plaats te maken, om hem vandaag tegen het lijf te kunnen lopen en hier tegenover hem aan deze tafel te kunnen zitten? Heeft ze daarom niet eerder een eigen stek gezocht, geen meubels verhuisd of geen muren geschilderd? Is ze daarom zo onverstoorbaar doorgegaan met haar lapjesleven? Was dat het wachten van de voorbije weken. Onbewust: hierop?

'Ik vond het al zo raar van die boa', zegt ze.

'Pardon?' zegt hij.

'Ik bedoel,' zegt ze, 'je kocht nooit lingerie voor mij.'

Hij antwoordt niet.

'Weet je wat ik dacht?' vraagt ze.

'Wat?' Hij trekt zijn wenkbrauwen op.

'Ik dacht dat je een vriendin had', zegt ze.

Hij lacht ongemakkelijk, gaat verzitten. Hij wordt er zowaar verlegen van.

'Zou je dat nu wel doen?' vraagt ze flirterig.

Er is zoveel aan hem dat zo veranderd is.

'Ach...' Hij kijkt op zijn horloge, wenkt de dienster. 'Misschien wel', zegt hij. 'Wie weet...'

De mensenzee wordt dunner. De eerste etalages doven hun lichten. Opnieuw staan ze op straat tegenover elkaar. Onwennig: hoe moet het nu? Ze kijkt naar haar schoenen, sneeuw heeft op de neuzen witte kringen gevormd.

Ik nodig hem uit. Oudejaarsavond – en met z'n tweeën alleen zitten zijn? Te gek toch, temeer omdat ik dit blijk te hebben voorbereid, omdat alles er klaar voor is. De jurk en de kaarsen, de hapjes bij de vleet. Ik heb zelfs twee chocoladetaartjes.

Ze kijkt op. Ze wil hem aankijken. Maar dan schakelt alles over op slowmotion. Haar hoofd wil niet vlugger omhoog, haar blik blijft hangen. Ze ziet alleen close-ups, de witte kringen op haar schoenen, zijn schoenen met ook van die witte kringen. De weerspiegeling van lichtjes in de plas, druppels die opspatten tegen zijn zwarte jeans aan, het kniehoge wiel dat pal naast zijn been stopt. Naast dat wiel een plaid en daarna weer een wiel. En ergens daarboven die stem. 'Owahaia, owawa...!'

'Hallo Celia!'

O, dat gezellige kontje!

Laat het dan niet de purperen boa zijn. Er was wel de supermarkt, en er was de speeltuin.

Ann Cuylens. Die een beter leven had verdiend, en dat ook had gekregen. Die had genomen wat haar kant opkwam, eerst de baan en daarna de man – je kan het toch ook pragmatisch bekijken, Celia? Die haar wellicht daarom was begonnen te ontwijken en wellicht daarom zo was beginnen te stralen, en die nu minzaam informeert of ze al plannen heeft en zonder het antwoord af te wachten een blik van verstandhouding wisselt met Tinus en vraagt: 'Heb je soms zin om bij ons oudejaarsavond door te brengen?'

Nee, zegt ze, nee dank je. En: dat het heel lief van ze is, maar dat ze niet vrij is. En ook: dat ze moet voortmaken, want dat ze anders... En ze kijkt naar boven, naar een onbestemde dreiging boven de sneeuwvlokken.

Ze loopt de straten uit. Ze steekt het plein over, tot bij de draaimolen. Die staat er nog altijd, al veel te lang maar nu niet lang meer. Straks is de kerstvakantie voorbij, straks komen de kinderen naar huis. Haar kinderen – niet het handjevol dat op de steigerende paarden en in de wiebelende sleeën zit.

Onder de koepel wachten ooms of tantes, ouders of grootouders, op een rij klapstoeltjes. Ze kiest er een uit, gaat achter de leuning staan, zet haar pakjes op de zitting. Een meisje met zwarte laarsjes en een rood jasje komt aangehold en klautert haastig op een paard. Ze wuift naar haar moeder die bij de kassa staat en blijkbaar op het laatste nippertje een ticket heeft gekocht. 'Voorlaatste ronde', roept de baas van de draaimolen in zijn glazen hok in de microfoon. De cimbalen kletsen tegen elkaar, de molen trekt zich op gang. Vlak voor het orgel invalt, hoort ze het geklingel van de bel.

Naast haar staat de kerstman. De schragentafel hangt driedubbel gevouwen aan een breed lint over zijn schouder, in een gigantische plastic tas zit het overschot van zijn voorraad. Hij laat de tafel van zijn schouder glijden, zet de tas op de zitting naast de hare. 'Zeker dat je geen kaarsen wil?'

Hij lacht, veegt de sneeuwvlokken van zijn pak. 'Je mag mensen hun illusies niet ontnemen', zegt hij. 'Maar ik denk dat het nu wel kan.' Hij trekt zijn baard af, neemt de muts van zijn hoofd. Ze ziet sproeten, wit boerenhondenhaar.

'Tinus is nog bij me langs geweest', zegt hij.

'Ik heb hem net gezien', zegt ze.

'O!' Hij houdt zich op de vlakte.

'Ennnn opgepast', roept de baas van de draaimolen. 'Wie grijpt de kwast?'

'Met Ann en met Tomaso', zegt ze.

De kwast valt uit de hemel, hij danst boven graaiende kinderhanden.

'Het was voor mij ook wennen', zegt Cisse na een poosje.

'Dat kan ik me voorstellen', zegt ze.

'Wij deden alles samen', zegt hij.

Wij ook, denkt ze. Ze zegt: 'Alsof ik dat niet weet.'

En op en neer gaat de kwast.

'Ik neem aan dat je al plannen hebt voor vanavond', zegt hij.

Het meisje met de zwarte laarsjes en het rode jasje staat rechtop in de beugels. Ze steekt beide handen in de lucht en trekt. Prijs! Haar wijdopen ogen zoeken haar moeder. Ze zwaait haar de kwast toe. Ze mag nog een keer.

'Toch niet', zegt Celia.

Laatste ronde! Allerlaatste ronde!